Carl Djerassi · Cantors Dilemma

CARL DJERASSI

Cantors Dilemma

ROMAN

AUS DEM ENGLISCHEN
VON
URSULA-MARIA MÖSSNER

HAFFMANS VERLAG

Titel der Originalausgabe:
»Cantor's Dilemma«
Doubleday, New York; Macdonald, London
Copyright © 1989 by
Carl Djerassi

Meinen treuesten Lesern
Diane und Leah Middlebrook
und Terrence Holt

Umschlagzeichnung von
Nikolaus Heidelbach

1.–20. Tausend, Frühling 1991

Alle deutschen Rechte vorbehalten
Copyright © 1991 by
Haffmans Verlag AG Zürich
Satz: Fosaco, Bichelsee
Herstellung: Franz Spiegel Buch, Ulm
ISBN 3 251 00176 0

»Es scheint paradox, daß wissenschaftliche Forschung –
die menschliche Betätigung, die am meisten in Frage stellt
und am skeptischsten ist – von persönlichem Vertrauen
abhängen soll. Doch Tatsache ist: ohne Vertrauen kann
das Unternehmen Forschung nicht funktionieren.«

Arnold S. Relman,
Herausgeber des ›New England Journal of Medicine‹, 1983

I

»Verdammt«, brummte er und preßte die Hand auf sein po-
chendes Knie. Er humpelte zum Badezimmer, wobei er sich
mit der rechten Hand an der Wand entlangtastete. Es bedurfte
keiner speziellen Kenntnisse in Neurobiologie, um zu wissen,
daß photochemische Reizung der Netzhaut die sicherste
Methode war aufzuwachen.

Zu Hause kannte er den Weg genau: auf der rechten Seite
aus dem Bett heraus; vier Schritte an der Kante entlang, das
linke Bein in Fühlung mit der Matratze; drei Schritte durch
Niemandsland, während die rechte Hand nach der Wand
greift; und dann geradeaus bis zur Badezimmertür, wo die
linke Hand auf das Waschbecken stößt und der rechte Fuß, zu
guter Letzt, vorsichtig nach dem Sockel der Toilette tastet.
Wenn er, noch immer mit geschlossenen Augen, dort hockte,
um seine Blase zu entleeren, nutzte er die Zeit und die Dunkelheit, um die Erinnerung an den jeweiligen Traum festzuhalten, aus dem er erwacht war. Das Konzentrieren auf den
unterbrochenen Traum war, wie kein Licht zu machen, ein
weiterer Schritt, um wieder einzuschlafen.

Doch in dieser Nacht befand er sich auf unbekanntem
Gebiet: im Sheraton Commander in Cambridge, auf der anderen Seite des Harvard Square, und er hatte sich wirklich das
Knie angeschlagen. Er rieb es noch immer, während er auf
der Toilette saß und das helle Geräusch der letzten Urintrop-
fen deutlich in der Stille zu hören war. Der Schmerz hatte ihn
völlig wach werden lassen, und er begann, an den Vortrag zu

denken. Plötzlich hatte er es. Mein Gott, dachte er und griff nach dem Lichtschalter, das ist es! Wieso bin ich nicht gleich darauf gekommen? Das Licht blendete ihn für einen Augenblick, als er nach dem Morgenmantel langte, der an der Rückseite der Tür hing.

Es war 3.14 Uhr morgens, als Professor I. Cantor sich an den kleinen Schreibtisch setzte und auf das einzige Stück Papier zu kritzeln begann, das er in der Schreibtischschublade finden konnte. Es war wohl das erste Mal in der Geschichte, daß eine den Nobelpreis einbringende Idee auf der Rückseite einer Wäscheliste festgehalten wurde.

2

Das Krauss-Sarkom war zwar nicht so bösartig wie das nach Kaposi benannte und nicht ganz so bekannt wie das Rous-Sarkom, aber es zeichnete sich durch die Tatsache aus, daß sein Entdecker, der führende Harvarder Krebsexperte Kurt Krauss, noch äußerst lebendig war. Sein Sarkom war zu einem der klassischen Modellfälle geworden, an denen die meisten neuen chemotherapeutischen Mittel als erstes getestet wurden. Wenn das neue Präparat das Krauss-Sarkom nicht zum Schrumpfen brachte, hatte es kaum Chancen, weiter erprobt zu werden.

Gerüchte auf dem Gebiet der Krebsforschung hatten es an sich, sehr schnell im Labor von Krauss zu landen. Die beste Methode, aus einem Gerücht eine Gegebenheit zu machen – oder es in der Versenkung verschwinden zu lassen –, bestand darin, daß man seine Schlußfolgerungen in Kraussens Mittagsseminar vortrug. »I.C.«, hatte Krauss am Telephon gesagt, »es geht das Gerücht, daß Sie an einer neuen Theorie der Tumorgenese herumbasteln.«

»Herumbasteln würde ich das wohl kaum nennen«, antwortete Cantor. »Es ist mir verdammt ernst damit, obwohl es sich noch um eine Hypothese handelt.« Auf den ersten Blick war Cantors Konzeption relativ einfach. Seiner Meinung nach mußte der allgegenwärtige Unheilstifter ein Protein sein. Bevor dieses Protein jedoch Schaden anrichten konnte, mußte es erst in eine Zelle gelangen und dazu eine oder häufiger sogar mehrere Zellmembranen durchdringen. Bis auf eine einzige Ausnahme lassen alle derartigen Zellmembranen Verlagerungen nur in einer Richtung zu. Hier lag für Cantor der Schlüssel: Was wäre, wenn eine chemische Veränderung – mutmaßlich verursacht durch eine Mutation – den Durchlaß des Karzinogens in normale Zellen in beiden Richtungen gestattete? Ein einziger Störenfried konnte dann in eine Zelle eindringen, das Unheil anrichten, wieder herauskommen, in die nächste Zelle wandern und wieder in die nächste und so weiter. Das auslösende Moment für den in einer Richtung stattfindenden Proteintransport durch Zellmembranen ist stets der Abschnitt des Proteins, an dem die freie Aminogruppe hängt. Von den zwanzig bekannten Aminosäuren, aus denen ein Proteinmolekül besteht, weist nur eine – nämlich Arginin – drei derartige freie Aminogruppen an einem Kohlenstoffatom auf. Cantors entscheidende Annahme war, daß Mutationen, die Veränderungen in der Argininzusammensetzung von Proteinen verursachen, für den plötzlichen Proteindurchfluß in beiden Richtungen verantwortlich waren.

»Und? Haben Sie schon einen Nachweis?« Krauss hatte unverzüglich den Finger auf den wunden Punkt gelegt. Cantor war noch auf kein Experiment gekommen, das die Richtigkeit seiner Hypothese demonstrieren konnte, und eine Hypothese ohne praktischen Nachweis ist manchmal schlimmer als wertlos: Sie kann gefährlich sein. Ein Mann kann den Rest seines Forscherlebens damit zubringen, einem Phantom nachzujagen.

Widerwillig gab Cantor dies zu. »Nein, ich habe noch nicht ausgetüftelt, wie die Sache experimentell nachzuweisen ist. Aber ich arbeite daran.«

»Während Sie daran arbeiten, könnten Sie ja mal rüberkommen und uns alles über Ihre ernstzunehmende Hypothese erzählen.« Das leise Lachen von Krauss war deutlich durch das Telephon zu hören. »Vielleicht können wir Ihnen die Mühe ersparen, nach einem Nachweis zu suchen.«

Wer aufgefordert wurde, in Kraussens wöchentlichem Seminar zu sprechen, der kam. Drei Wochen später schlug sich Cantor in Cambridge das Knie an, und nun, am Morgen danach, saß er im Brandywine-Café beim Frühstück und ging nochmals seine Notizen durch. Ursprünglich war er besorgt gewesen, wie seine Hypothese einer der berüchtigten Kritiken dieses Mannes standhalten würde – Krauss konnte selbst gegenüber Freunden erbarmungslos sein –, aber nach dem Geistesblitz auf der Toilette am frühen Morgen war Cantor überaus zuversichtlich. Er hatte nicht vor, seine plötzliche Eingebung – das Experiment, das seine Hypothese in eine unumstößliche Tatsache verwandeln würde – gegenüber Krauss oder sonst jemandem in Harvard zu erwähnen. Damit wollte er warten, bis das Experiment durchgeführt war. Aber er war überzeugt, daß es klappen würde. Er spürte intuitiv, daß es einfach zu schön war, um nicht hinzuhauen.

Kraussens Reich war die Harvard Medical School in Boston. Cantor hatte beschlossen, in Cambridge statt in Boston zu übernachten, weil er einen seiner seltenen Besuche im Fachbereich Chemie auf der anderen Seite des Harvard Square machen wollte, jenes akademischen Burggrabens, der mehrere Fakultäten in Harvard voneinander trennt. Gelehrte in eng verwandten Disziplinen arbeiteten hier manchmal jahrelang, ohne die Zugbrücke zwischen ihren benachbarten akademischen Domänen auch nur herabzulassen. Cantor, der auf die Sechzig zuging, hatte einen internationalen Ruf als Zellbiologe. Aber nur wenige erinnerten sich daran, daß er in Organischer Chemie promoviert hatte und wie er sich in einen Biologen verwandelt hatte: Als Postdoktorand an den *National Institutes of Health* hatte er sich mit der Anwendung von Isotopenmarkierungstechniken befaßt, um das metabolische Schicksal einer neuen Kategorie von Beruhigungsmitteln an Versuchstieren zu bestimmen, hatte sich jedoch schon bald auf die Arbeit mit isolierten Enzymen in Gewebehomogenaten verlegt – ein himmelweiter Unterschied zu der präparativen Chemie während seines Studiums. Den Gnadenstoß erhielt seine Karriere in der chemischen Forschung schließlich am Pasteur-Institut in Paris, wo Cantor unwiderruflich auf das aufstrebende Gebiet der Zellbiologie gelockt wurde. Voller Stolz bezeichnete er diesen weitgehend autodidaktischen Übertritt als *déformation professionnelle*. Der Chemiker richtet den Blick – theoretisch wie experimentell – in der Hauptsache auf Moleküle. Im Gegensatz dazu betrachtet der Biologe ganze Systeme: eine Zelle, ein Blatt, einen Baum. Cantors frühere Erfahrungen auf dem Gebiet der Chemie hatten stark zu seiner Entwicklung zum Molekularbiologen beigetragen.

Ursprünglich hatte er den Fachbereich Chemie der Harvard-Universität nur aufsuchen wollen, um Konrad Bloch, einem alten Freund aus der Studienzeit, einen Höflichkeitsbesuch abzustatten. In Anbetracht seiner wenige Stunden zuvor erfolgten Inspiration änderte er sein Vormittagsprogramm jedoch. Bloch hatte 1964 den Nobelpreis erhalten, weil er den Ursprung aller siebenundzwanzig Kohlenstoffatome des Cholesterins bestimmt und dadurch nachgewiesen hatte, wie der Körper dieses Sterin synthetisiert.

In letzter Zeit hatte Bloch die Bildung künstlicher Bläschen untersucht, die von Phospholipidmembranen umgeben sind, wie sie ganz ähnlich in natürlichen Zellen vorkommen. Blochs Verfahren war entscheidend für die Durchführung von Laborexperimenten hinsichtlich der Art und Weise, wie eine lebende Zelle bestimmten Molekülen gestattet, in sie einzudringen, ohne wieder zurückzudiffundieren – ein Verfahren, das Cantor anzuwenden gedachte, um die Gültigkeit seiner Hypothese nachzuweisen. Anhand dieser Methodik hatten Bloch und andere demonstriert, daß Cholesterin nicht nur als körpereigene Ausgangssubstanz für den Aufbau der Steroide diente, also der Sexualhormone oder des Cortisons, sondern noch eine zweite wichtige Funktion hatte: Das in den Phospholipiden vorhandene Cholesterin reduziert die Fluidität einer Zellmembran und gibt ihr die optimale Viskosität, um den Molekültransport in die Zelle in einer Richtung zu gestatten. Noch relevanter für Cantors augenblickliches Interesse war die bekannte Tatsache, daß Membranen von Leukämiezellen fluider sind als die normaler Lymphzellen. War das auf verminderte Cholesterinmengen in den Krebszellen zurückzuführen? Bei Patienten mit chronischer lymphatischer Leukämie weist das Blut einen verringerten Cholesterinspiegel auf. Und wenn man Leukämiezellen Cholesterin zuführt, nimmt dadurch sowohl ihre Membranfluidität als auch ihre Malignität ab. Waren das nur Zufälle? Cantor beschloß, aus dem Höflichkeitsbesuch eine Arbeitsbesprechung mit Bloch zu machen, der für die Großzügigkeit berühmt war, mit der er sich die Probleme seiner Kollegen anhörte. Was gab es Besseres, als die Vormittagsstunden zu einer kostenlosen Konsultation eines Nobelpreisträgers zu nutzen?

Kraussens Seminarraum war dicht besetzt mit Doktoranden, wissenschaftlichen Mitarbeitern und Besuchern aus anderen Fachbereichen. Einige aßen noch, aber nach den leeren Tassen, zerknüllten Sandwichtüten, zusammengeballten Papierservietten und anderen Überresten zu schließen, waren die meisten mit dem Essen fertig. Kurt Krauss war offensichtlich gereizt. Sobald Cantor die Stirnseite des Raumes erreicht hatte, stand Krauss auf. Im Raum wurde es still. »Herr Professor Cantor bedarf wohl keiner Vorstellung. In Anbetracht der vorgerückten Stunde« – er warf seinem Gast einen vorwurfsvollen Blick zu – »und ohne weitere Umstände möchte ich unseren Redner daher bitten, uns seine neue Theorie zu erläutern.« Und mit einer Handbewegung in Cantors Richtung: »I. C., Sie haben das Wort.«

Kein wissenschaftlicher Vortrag wird jemals ohne Dias oder andere visuelle Hilfsmittel gehalten, besonders wenn chemische Strukturen aufgezeigt werden sollen. Die Sachgebiete sind so kompliziert geworden, die Themen so esoterisch, daß selbst Fachleute, die vor ihresgleichen sprechen, auf Tageslicht- oder Diaprojektoren zurückgreifen müssen. Cantor hatte nur um ersteren gebeten. Mit Filzstiften in der Hand – einem schwarzen und einem roten – ging er daran, auf die durchsichtige Endlosfolie zu schreiben, die in den Tageslichtprojektor eingelegt war, so daß seine Darstellungen in stark vergrößerter Form auf einer hinter seinem Rücken befindlichen Bildwand in dem schwach beleuchteten Raum erschienen. Cantor war stolz auf seinen Vortragsstil: Seine sorgfältig ausgeführten Zeichnungen und seine präzise gesprochenen Worte fügten sich mühelos zusammen. Seine Zuhörer waren immer dankbar, daß sie seinem Vortrag folgen und sich gleichzeitig Notizen machen konnten – was oft schwierig war bei Rednern, die ein hohes Tempo vorlegten, begleitet von herrischen Anweisungen: »Das nächste Dia, bitte!«

Kurt Krauss konnte auf eine Art und Weise angsteinflößend sein, die oft mit der des verstorbenen Physikers Robert Oppenheimer verglichen wurde. Als Krauss seinem Nachbarn in der ersten Reihe zuflüsterte: »Wir müssen I. C. in unseren heiligen Hallen doch Demut lehren, nicht wahr?«, kurz nachdem Cantor mit seinem Vortrag begonnen hatte, trug seine Stimme vermutlich bis zum Podium. Er war auch berühmt – viele Betroffene würden sagen: berüchtigt – wegen seiner Unterbrechungen. Ihr perfektes Timing war gewöhnlich dazu bestimmt, das Selbstgefühl des Opfers auf ein Minimum zu reduzieren. Außerdem ließ Krauss den Redner praktisch nie aus den Augen; manch ein Objekt seines prüfenden Blickes behauptete, Krauss niemals blinzeln gesehen zu haben.

Cantor teilte diese Auffassung nicht, aber dennoch hatte er das Gefühl, daß heute besondere Vorsicht geboten war. Seine Theorie war völlig neu – und zwar in einem Maße, daß Konkurrenzneid die spitze Zunge von Krauss noch schärfer machen konnte. Cantors Unpünktlichkeit war nicht gerade förderlich gewesen, besonders als er merkte, daß er den Fauxpas begangen hatte, in seinen einleitenden Worten zu erwähnen, daß seine Verspätung auf ein anregendes Gespräch mit Bloch zurückzuführen war. Für Krauss kam ein Besuch auf dem Campus in Cambridge, der *vor* dem Erscheinen in seinem Labor auf der anderen Seite des Charles River gemacht wurde, einer Majestätsbeleidigung gleich, besonders wenn dieser Besuch auch noch ausposaunt wurde.

Cantors Gebrauch der beiden Farben war gewöhnlich äußerst wirkungsvoll: Rot diente ausschließlich dazu, entscheidende Punkte zu notieren, die dann in Schwarz auf der weißen Fläche geklärt wurden. Diesmal ertappte er sich, schon in den ersten Minuten, zweimal dabei, daß er die Stifte verwechselte und den natürlichen Fluß seiner Darlegungen durch Auslöschungen unterbrechen mußte. Aber es war nicht nur das zusätzliche Maß an Vorsicht, das Cantors normalerweise geschliffenen Vortragsstil beeinflußte. Dies war die erste öffentliche Enthüllung seiner Hypothese, und er stellte plötzlich fest, daß seine geistigen Prozesse auf zwei parallelen Schienen ablaufen mußten, einer öffentlichen und einer absolut privaten. Laut sprach er über seine Hypothese; im stillen prüfte er jede Aussage im Hinblick auf den experimentellen Nachweis, den er in naher Zukunft bestimmt liefern würde. Doch er war nicht gewillt, irgend jemand zu erzählen, daß er an eine experimentelle Bestätigung auch nur dachte.

Während Cantor seinen Vortrag fortsetzte, wuchs sich sein Glaube an sein beabsichtigtes Experiment zur Gewißheit aus. Er gewann seine innere Sicherheit wieder und steigerte sich, wie im letzten Satz einer Symphonie, zu einem Crescendo. Krauss zog nicht einmal sein verbales Rapier aus der Scheide, sondern schwieg aus aufrichtiger Bewunderung. Cantors Hypothese war in der Tat eine intellektuelle Glanzleistung. Krauss hatte sich im Geiste bereits die gebührenden lobenden Worte zurechtgelegt, als Cantor ihm eine Gelegenheit lieferte, die in die Geschichte Harvards eingehen sollte, weil sie Krauss zu einem seiner berühmtesten Sprüche animierte.

Cantor ging ständig hin und her, um in ungewohntem Tempo schwarz und rot auf die Folie zu schreiben, dann wieder an die Bildwand zu treten, um auf die projizierten Darstellungen zu zeigen. Als er sich dem Ende seines Vortrags näherte, unterstrich er das Wort »Arginin« zweimal rot und zeichnete dann dessen chemische Struktur auf, um die Aufmerksamkeit auf die drei verdächtigen Aminogruppen zu lenken. In der Zusammenfassung kehrte er nochmals zu dieser ausschlaggebenden Aminosäure zurück und knallte triumphierend zwei Ausrufezeichen hinter das Wort, diesmal in Schwarz, wandte sich dann von der Bildwand ab und blickte erregt und schwer atmend ins Publikum.

Wissenschaftliche Vorträge dieser Art laufen stets nach einem bestimmten Schema ab, gleichgültig, ob sie Chemie oder Zellbiologie zum Thema haben. Unweigerlich zeigt der Redner zum Abschluß einen kurzen Nachspann − nicht anders als die mikrosekundenlange Einblendung in Filmen, die die Chefbeleuchter, Beleuchter, Beleuchtungstechniker und ähnliche Leute nennt − mit zahlreichen Namen. »Mein

Dank gilt den folgenden Personen und Institutionen: meinen Mitarbeitern, ohne deren Sachkenntnis und Hingabe diese Arbeit nicht möglich gewesen wäre; den *National Institutes of Health* für ihre finanzielle Unterstützung; und Ihnen für Ihre Aufmerksamkeit.« Daraufhin stellt der Vorführer den Projektor ab und schaltet das Licht ein, das Publikum applaudiert flüchtig oder begeistert, wie es der Anlaß gerade erfordert, und während der Redner noch an dem Mikrophonkabel herumfummelt, das er um den Hals hängen hat, erhebt sich der Veranstaltungsleiter, um dem Redner etwas zuzuflüstern. Nach dem erwarteten Nicken wendet sich ersterer an das Publikum: »Herr Doktor X hat sich freundlicherweise bereiterklärt, Fragen zu beantworten. Ich bitte um Wortmeldungen«, und stellt dann, ohne Luft zu holen, selbst die erste und häufig auch gleich die zweite und die dritte Frage.

Das ist das Szenario der meisten wissenschaftlichen Vorträge, aber nicht das, was sich bei diesem speziellen Mittagsseminar an der Medizinischen Fakultät der Harvard-Universität abspielte. Professor I. Cantor hatte in seinem Vortrag zwar die erste Person Plural benutzt, doch er dankte keinen Mitarbeitern. Schließlich hatte er nicht über eine experimentelle Arbeit geredet. Er hatte über eine Hypothese gesprochen, *seine* Hypothese. Es gab keinen Abspann mit Namen. Als das Licht anging, schlug ihm statt des erwarteten Beifalls vereinzeltes Kichern entgegen, das zu Lachsalven anschwoll. Cantor war fassungslos.

3

»Wo waren Sie denn, Jerry?« fragte Stephanie, Cantors Sekretärin. »Professor Cantor möchte Sie sprechen.«

»Der Prof? Ich dachte, der käme erst heute nachmittag aus Boston zurück.«

»Er hat gestern abend noch ein Flugzeug erwischt. Er war schon da, als ich heute morgen gekommen bin.«

Stafford fragte sich, was I. C. wohl in petto hatte.

»Er ist in seinem Büro.« Stephanie machte ein Zeichen mit dem Kopf. »Gehen Sie lieber gleich rein. Ich habe ihn noch nie so ungeduldig erlebt.«

»Kommen Sie herein und schließen Sie die Tür.« Cantor wies auf einen der Stühle, die vor seinem Schreibtisch standen. »Ich wußte nicht, daß Sie sich an Schalterstunden halten.«

Der darin enthaltene Vorwurf störte Stafford nicht sonderlich; er war sogar dankbar, daß er in Worte gekleidet war, die bei Cantor als Humor gelten konnten. Im Gegensatz zu den meisten Mitgliedern seines Forschungsteams war Cantor kein Nachtmensch. Stafford und die übrigen aus Cantors Gruppe nahmen an, daß er seine Abende damit zubrachte, sich in der Literatur seines Fachgebiets auf dem laufenden zu halten. Stephanie, seine Sekretärin, und einige andere wußten es besser. Er war immer spätestens um acht Uhr morgens in seinem Büro, und er erwartete von seinen Mitarbeitern, daß sie verfügbar waren. Die Doktoranden an den meisten Instituten sind notorische Langschläfer, die noch arbeiten, wenn normale Menschen längst im Bett liegen. Cantor hatte nichts dagegen einzuwenden, daß sie bis in die Nacht hinein arbeiteten; er förderte es sogar. Aber er wollte sie auch da haben, wenn er da war. Stafford behagte dieser Trott noch immer nicht, und sooft es ging, versuchte er, dem System ein Schnippchen zu schlagen.

»Nicht an Schalterstunden, I. C.«, erwiderte Stafford. »An Postdoc-Stunden. Und nur, wenn Sie verreist sind, und auch dann nur ganz selten.«

Ein leises Lächeln glitt über Cantors Gesicht. Stafford wußte, daß er der Liebling des Professors war und daß er sich eine gewisse Portion Leichtfertigkeit erlauben durfte, vorausgesetzt, er legte sie privatim an den Tag. Für einen amerikanischen Professor war Cantor ungewöhnlich konservativ. Außerdem war er ein Mensch, der sein Privatleben abschottete. Seit seiner Scheidung vor knapp zwölf Jahren war kein Student mehr bei ihm zu Hause eingeladen gewesen. Nicht einmal Stafford. Cantors Frau veranstaltete an Thanksgiving immer ein großes Truthahnessen für die ganze Gruppe, eine zwanglose Party in der Weihnachtszeit, gelegentlich kleine Zusammenkünfte für die Frauen der ausländischen Forschungsstipendiaten – doch diese Ereignisse gehörten einer Vergangenheit an, die sich der Erinnerung seiner gegenwärtigen Studenten entzog.

»Ich dachte, Sie würden erst heute nachmittag zurückkommen, I. C.« Außer Stafford nannte niemand im Labor Cantor jemals »I. C.« in dessen Gegenwart. Es war Usus, »Professor Cantor« oder, bei Gelegenheit, »Prof« zu sagen. Nur Außenstehende oder Berufskollegen »ai-sih«ten Cantor. Niemand erinnerte sich, wann Stafford diesem exklusiven Club beigetreten war. Nicht, daß er ausdrücklich dazu aufgefordert worden wäre; eines Tages war er einfach drin. »Wie ist denn Ihr Vortrag im Krauss'schen Seminar verlaufen? War man gebührend beeindruckt?«

Cantor schwenkte seinen Drehstuhl herum, so daß er das Gesicht nun dem Fenster zuwandte statt Stafford. Er hatte ein bemerkenswertes Profil, das von dichten, buschigen Augenbrauen und einer großen Nase beherrscht wurde, die manche semitisch nannten, während andere erklärten, sie erinnere sie an das Profil auf einer griechisch-römischen Münze. Er trug sein sorgfältig gekämmtes, welliges Haar, das dunkelbraun war und einen Anflug von Grau aufwies, ziemlich lang. Hinten ringelte es sich über dem Kragen und verbarg teilweise seine großen Ohren. Seine Lippen waren voll und stets feucht. Den Blick weiterhin auf das Fenster gerichtet, sagte Cantor: »Sie brachen in donnerndes« – er machte eine Pause, um den Effekt zu steigern – »Gelächter aus.«

Erst dann drehte er sich zu Stafford um. Es gehörte zu seinen Eigenheiten, seine Zuhörer zu überraschen. Das war ihm auch gelungen: Die Verblüffung stand seinem Schüler im Gesicht geschrieben. »Gelächter?«

»Jawohl, Gelächter. Ein richtiger Ausbruch . . . Sobald das Licht anging.«

Stafford war zunächst wie vor den Kopf geschlagen. Es fiel ihm aus mehreren Gründen schwer, das Ganze zu begreifen. Er konnte sich nicht vorstellen, daß einer von Cantors ausgefeilten Vorträgen jemals mit Gelächter aufgenommen wurde, wo Cantor doch während einer Vorlesung niemals einen Witz machte. Und selbst wenn das Unvorstellbare passiert war und der Professor einen Reinfall erlebt hatte, sah es ihm so gar nicht ähnlich, eine derartige persönliche Demütigung zuzugeben.

Cantor nickte. »Ich muß wohl genau so ein Gesicht gemacht haben wie Sie jetzt. Mir blieb die Luft weg. Aber dann merkte ich, nach einem Blick ins Publikum, daß man nicht über mich lachte, sondern über etwas hinter mir. Und wissen Sie, was ich sah, als ich mich umdrehte?«

Stafford schüttelte den Kopf.

»Anscheinend war ich gegen Ende hin derart in meinen Vortrag vertieft, daß ich, statt auf die Projektorfolie zu schreiben, direkt auf die Bildwand zu malen begonnen hatte. Als ich den Tageslichtprojektor ausschaltete und das Licht wieder anging, war die ganze Bildwand mit schwarzen und roten Zeichen vollgekritzelt.«

»Allmächtiger!« rief Stafford aus. »Ich wünschte, ich wäre dabeigewesen, I. C. Was haben Sie daraufhin gemacht?«

»Ich war so verlegen, daß ich mein Taschentuch herausholte, hineinspuckte und an einem der Tintenzeichen zu rubbeln begann. Dadurch wurde alles natürlich nur noch schlimmer, was für weiteres Kichern und Feixen sorgte. Aber dann, Jerry« − er hatte die rechte Hand erhoben, um Stafford am Lachen zu hindern −, »sprang Krauss von seinem Sitz auf und tat etwas, was ich nie vergessen werde. Er rannte nach vorn und packte meine Hand. ›Wischen Sie die Bildwand nicht ab‹, sagt er, ›signieren Sie sie einfach. Wir können jederzeit eine neue beschaffen. Dieser Vortrag wird in die Geschichte eingehen.‹ Und da haben dann alle zu applaudieren begonnen. Die Leute sind tatsächlich aufgestanden und haben applaudiert.«

Stafford war beeindruckt. Er hatte noch nie erlebt, daß Cantor derart offen über sich sprach − oder einen Stolz an den Tag legte, der eher überschwenglich als verhalten war. »Das hat Sie bestimmt gefreut, I. C. Besonders, weil es von Krauss kam.«

»Sicher, aber das war noch nicht alles. Nach dem Vortrag, nachdem wir allein waren, sagte er, daß dies ein Meisterstreich sei, wie er einem Wissenschaftler im ganzen Leben nur einmal gelinge, so wie Watson und Crick mit ihrer Doppelhelix. Natürlich hat er übertrieben. Aber wissen Sie, was er dann sagte?« Cantor wartete die Antwort nicht ab. »Er sagte: ›Die beiden haben den Nobelpreis erst nach Jahren bekommen. Aber Sie‹, sagte er, ›falls Sie und Ihre Leute ein Experiment austüfteln können . . .‹ Es kam nicht klar zum Ausdruck, ob das als Wunsch oder als Herausforderung gemeint war.«

»Hatte Krauss irgendwelche Vorschläge für ein Experiment parat?«

Cantors Antwort kam wie aus der Pistole geschossen. »Natürlich nicht. Auch sonst niemand, mit dem ich auf der Reise gesprochen habe. Alles, was sie vorbrachten, waren die üblichen Einwände, als ob ich daran nicht selbst schon x-mal gedacht hätte. Ich weiß sehr wohl, daß Metastasen nicht nur ein Charakteristikum maligner Zellen sind, die sich von Organ zu Organ ausbreiten. Lymphozyten, unsere natürlichen Abwehrstoffe, dringen ebenfalls in andere Gewebe ein, aber in deren Fall ist es lebensrettend und nicht tödlich.« Ohne es zu merken, war Cantor in einen dozierenden Stil verfallen. »Niemand muß mich daran erinnern, daß häufige Zellteilung an sich noch keine Malignität darstellt. Denken Sie nur an die Wundheilung oder die Entwicklung des Embryos. Was anders ist, sind Zeitpunkt und Ort. Schließlich steht nicht einmal fest, ob die Fähigkeit zu schneller Teilung allen Tumorzellen eigen ist. Einige Tumore scheinen nur deshalb zu wachsen, weil die Zellen eben nicht degenerieren. Das Krauss-Sarkom zum Beispiel.«

Staffords Gedanken wanderten zu dem Tag zurück, an dem er, als junger Doktorand, seinen ersten Vortrag gehalten hatte. Er war gebeten worden, über den Verlauf seiner Forschungsarbeit in einem Seminar zu berichten, das nicht nur von Cantors Leuten besucht wurde, sondern von Graduierten aus allen Forschungsgruppen des Fachbereichs. Das Publikum hatte nicht gelacht; es hatte nur flüchtig geklatscht. Aber er erinnerte sich noch deutlich an das heimliche Gähnen, die glasigen Blicke und die herabsinkenden Augenlider. Der Prof hatte sich verdammt anständig verhalten. Statt ihn öffentlich zu kritisieren, hatte Cantor ihn in sein Büro gerufen. »Jeremiah«, hatte er gesagt – er hatte ihn noch nicht Jerry zu nennen begonnen –, »Ihr Vortrag war furchtbar. Alles, was Sie den anderen heute erzählt haben, war, daß Sie die Arbeit dieser Gruppe drüben im Westen wiederholen, die Phospholipide von Meeresschwämmen untersucht, damit Sie von ihnen Material für Ihr Membranprojekt bekommen. Wie können Sie nur derart vielversprechende Ergebnisse so sterbenslangweilig klingen lassen? Um Himmels willen, Jeremiah, Sie müssen lernen, Ihre Zuhörer zu fesseln, sie davon zu überzeugen, daß das, was Sie machen, wirklich wichtig ist. Ich meine damit nicht, daß Sie Begeisterung heucheln sollen, sondern daß Sie ihnen das zeigen, was ich in Ihren Augen sehe oder in Ihrer Stimme höre, wenn Sie im Labor sprechen. Außerdem sind Sie von der viel zu hohen Voraussetzung ausgegangen, daß Ihr Publikum mit Schwämmen vertraut ist. So etwas dürfen Sie *niemals* voraussetzen. Viele Leute wissen nicht einmal, daß Schwämme tierische Lebewesen sind. Ich bin bekanntlich nicht für die Verwendung von Dias, aber Sie hätten Ihrem Referat ruhig etwas Pep geben dürfen mit ein paar von den herrlichen Unterwasseraufnahmen, die wir mit den Schwammproben bekommen haben. Machen Sie nicht so ein griesgrämiges Gesicht«, hatte er abschließend gesagt. »Sie kriegen das bestimmt noch hin. Aber denken Sie immer daran, was ich Ihnen gesagt habe.« Stafford hatte es nie vergessen.

Cantor hatte auf die Tafel hinter Staffords Rücken gestarrt. Nun räusperte er sich. »Ich weiß, daß Sie an einem eigenen Projekt arbeiten. Ich habe Sie noch nie gebeten, eine Versuchsreihe mittendrin abzubrechen«, begann er, die Augen weiterhin auf einen imaginären Punkt hinter Stafford geheftet, »aber nun werde ich es tun.« Cantors Worte waren durch Staffords Träumereien gedrungen, doch der junge Mann gab keine Antwort. So sehr er seinen Mentor auch achtete, glaubte er sich doch immer in einem subtilen Zweikampf zu befinden, bei dem er ein privates Territorium zu verteidigen hatte, dessen Betreten Cantor nicht gestattet war. »Ich habe mir ein Experiment ausgedacht«, sagte Cantor langsam, während seine Augen wieder zur Tafel glitten. »Dadurch wird meine Hypothese in eine Theorie der Tumorgenese verwandelt, die jedermann zufriedenstellen wird – sogar Krauss. Es handelt sich um ein Experiment, das klappen wird. Ich spüre es in den Knochen, und ich möchte, daß Sie damit anfangen – ab morgen.« Er ging hinüber zur Tafel und begann das aufzuzeichnen, was er erstmals auf der Rückseite der Wäscheliste im Hotel Sheraton Commander in Cambridge, Massachusetts, festgehalten hatte: ein ungeheuer raffiniertes Experiment mit markierten Proteinen, das nicht weniger als drei verschiedene radioaktive Isotope beinhaltete, nämlich ein Kohlenstoff-, ein Wasserstoff- und ein Schwefelisotop, sowie das nichtradioaktive, stabile Kohlenstoffisotop C-13. Während die radioaktiven Isotope dazu bestimmt waren, das Protein in verschiedenen Teilen der Zelle zu lokalisieren, sollte das mit C-13 markierte Arginin mit Hilfe seines magnetischen Kernresonanzspektrums Aufschluß geben über den räumlichen Bau dieser Aminosäure innerhalb des Proteinmoleküls. Nur ein Zellbiologe mit fundierten Kenntnissen auf dem Gebiet der Chemie konnte auf eine solche Idee kommen.

4

Branner, die exklusive Mädchenschule, war die einzige höhere Lehranstalt in Portland, wo der Lateinunterricht bis zu Ovid und sogar zu Vergil führte und wo man in der Oberstufe zwei Jahre Mathematik mehr belegen konnte; es war eine der wenigen Stationen in Oregon, die die Talentsucher der Elite-Universitäten nie ausließen. Außerdem war es eine Schule, die tatsächlich an *mens sana in corpore sano* glaubte und darauf bestand, daß jede Schülerin mindestens eine Sportart ernsthaft betrieb.

Deshalb verlor Celestine Price, als sie im letzten Schuljahr war, ihre Unschuld zu einer unchristlichen Zeit, nämlich um 6.15 Uhr morgens. Die Leistungsschwimmerinnen trainierten täglich drei Stunden. Angesichts Celestines Stundenplan hieß das, jeden Morgen um sechs im Becken zu sein, um vor dem Unterricht zwei Stunden zu schwimmen, und nach der Schule noch einmal eine Stunde lang. Der reguläre Sportunterricht wurde in Branner von einer Frau erteilt, aber die vier Spitzen-schwimmerinnen, die für regionale und überregionale Wett-kämpfe gedrillt wurden, hatten einen männlichen Trainer. Elf Jahre zuvor wäre Glenn Larson beinahe in die amerikanische Olympiamannschaft aufgenommen worden. Jetzt war er Computerprogrammierer und arbeitete nebenbei in Branner, weil es ihm, neben dem zusätzlichen Einkommen, Gelegen-heit gab, täglich zu schwimmen. Er war immer mit den Mädchen im Wasser, und sein prachtvoller Körper bewies es.

Das Becken bot auch reichlich Gelegenheit für allerlei

Unfug, was die Mädchen – bis auf Celestine – weidlich aus-
nutzten, um Larsons stramme Muskeln zu berühren. Dies lag
nicht etwa daran, daß Celestine die teenagerhafte Vorliebe für
erotische Spielereien abgegangen wäre, sondern vielmehr an
ihrer Selbstbeherrschung. Sie wollte bei der schließlichen
Verwirklichung ihrer geheimsten Wünsche selbst Regie führen, und das bezog sich nicht nur auf sexuelle Dinge. Mehr
noch traf dies auf ihre beruflichen Pläne zu, die für eine
siebzehnjährige Schülerin erstaunlich ausgereift waren.

Die Familie Price war seit Jahr und Tag in Oregon ansässig.
Sie hatte ihr Geld ursprünglich mit Holz gemacht, war aber
inzwischen groß in die Baubranche eingestiegen. Celestines
Vater, der kurz nach Celestines Eintritt ins Teenageralter
starb, war Ingenieur gewesen. Sie beschloß, in die Fußstapfen
ihres Vaters zu treten. Ihre Mutter war einverstanden, vorausgesetzt, daß Celestine die Disziplin einer Erziehung in Branner samt deren umfassendem Latein- und Mathematikunter-
richt akzeptierte. Nach Ansicht von Mrs. Price war Latein der
einzige angemessene Zugang zu den Geisteswissenschaften
und die Mathematik das Tor zu der männlichen Welt der
Natur- und Ingenieurwissenschaften. Als Celestine ins letzte
Schuljahr kam, hatte sie nicht mehr das Ingenieurwesen als
Berufsziel, sondern die chemische Forschung.

Celestine langweilte sich nie beim Bahnenschwimmen. Sobald ihre Arme und Beine ihren Rhythmus gefunden hatten,
schaltete ihr Geist auf ihre augenblicklichen Wunschträume
um: eine Auszeichnung für ihre jüngste wissenschaftliche
Entdeckung entgegenzunehmen; den olympischen Rekord
über 200 Meter Freistil zu brechen; den Mann auszuwählen,
der sie mit den Freuden des Sex bekannt machen würde . . .
In letzter Zeit hatte sie mit dem Gedanken gespielt, daß
vielleicht ein älterer Mann, speziell Glenn Larson, genau der
richtige Kandidat wäre. Larson hatte einen Adoniskörper;
eine kleine tätowierte Blume umschloß seinen Nabel, deren
dünner Stiel in seinem Badeanzug verschwand. Eines Tages
war der Bund seiner Badehose verrutscht, und Celestine hatte
ihn erblickt. »Du pflückst wohl gern Blumen?« sagte sie. Es
war diese Frage, die Larson bewog, alles auf eine Karte zu

setzen – und die fristlose Entlassung zu riskieren, falls sie erwischt wurden.

»Celly«, antwortete er, »wir sollten noch ein bißchen an deinem Schmetterlingsstil arbeiten. Wie wär's mit ein bißchen zusätzlichem Training? Ich könnte am Samstagmorgen kommen und mich ein paar Stunden mit dir beschäftigen.«

»Am Samstag?« fragte sie gedehnt. »Um wieviel Uhr?«

»Wann du willst.«

Larson hatte noch nie Privatunterricht angeboten. Sprach da der gewissenhafte Schwimmtrainer, oder steckte etwas anderes dahinter? Sie sah einige Sekunden auf die tätowierte blaue Blume, bevor sie antwortete: »Zur üblichen Zeit. Samstag morgens um sechs Uhr stört uns bestimmt niemand. Übrigens, ist das eine Glockenblume?«

Das Schwimmbecken und die dazugehörenden Umkleideräume befanden sich in einem separaten Gebäude neben der Sporthalle der Schule. Larson kam schon etwas früher, um die Vordertür aufzuschließen, und zog rasch seine Badehose an. Im Wasser begann er mit einem schnellen Kraul und ging dann zum langsameren Rückenschwimmen über. Als er wieder einmal eine Wende ausführte, sah er Celestine an der Tür der Trainerkabine lehnen. Sie trug ein langes T-Shirt mit dem Aufdruck »A Woman's Place is on the Top« quer über der Brust – dem Motto einer reinen Frauengruppe, die im Sommer den Mount Hood bestiegen hatte, den höchsten Berg Oregons.

»Komm rein!« rief er und schwamm auf sie zu. »Ich hab schon auf dich gewartet.«

Sie ging langsam zum Becken, so daß beide den Rand gleichzeitig erreichten. »Und ich auf dich«, sagte sie, »aber ich bin noch nicht fertig. Warum kommst du nicht raus?« Obwohl Wasser von seinem Körper tropfte, bekam Larson einen trockenen Mund, als Celestine die Tür seiner Umkleidekabine öffnete. Als er eintrat, hielt sie ihm ein Handtuch hin.

»Da«, sagte sie und warf ihm das Handtuch zu. »Deine Kabine ist ja ziemlich klein. Und hat nur *eine* Bank.«

Als Abschlußschülerin des National-Merit-Wettbewerbs, mit ihrem Vergil, ihrer Mathematik und ihren Schwimmtiteln konnte Celestine sich ihre Universität aussuchen. Ihre Mutter bevorzugte Bryn Mawr oder Mount Holyoke, zwei an der Ostküste gelegene Universitäten für Frauen, die beide große naturwissenschaftliche Fakultäten hatten. Am Ende jedoch folgte Celestine dem Rat ihrer Chemielehrerin in Branner: »Sowohl Holyoke als auch Bryn Mawr haben ausgezeichnete Angebote für Studenten der Chemie. Doch der Schlüssel zur ernsthaften Forschung ist und bleibt die Promotion. Mach den Doktor so schnell wie möglich. Und falls du irgendwann einmal einen Posten an einer Spitzenuniversität bekommen willst, mußt du dir unbedingt Zugang zum Kreis der relevanten Leute verschaffen. Das erreicht man am ehesten, wenn man als Postdoktorand bei zwei verschiedenen Professoren an zwei verschiedenen Instituten arbeitet. Wenn du dich so gut entwickelst, wie ich glaube, dann legen sich, wenn du ins Berufsleben eintrittst, drei Männer an drei Universitäten für dich ins Zeug. Aber mach dir keine Illusionen. Die Chemie ist noch immer eine Domäne der Männer.« Zur Überraschung ihrer Mutter, aber nicht ihrer Lehrerin, wählte Celestine die Johns-Hopkins-Universität, die einen gezielten, in sechs Jahren zur Promotion führenden Studiengang anbot.

Im zweiten Jahr an der Johns-Hopkins belegte Celestine Professor Graham Lufkins Seminar über »Chemische Kommunikation bei Wirbellosen«. Lufkin ging ausführlich auf alle Einzelheiten ein, wie es nur ein Experte, der auf diesem Gebiet arbeitete, konnte. Es war absolut still im Raum, als der Professor über Pheromone sprach, die das Kastensystem der Termiten beeinflussen, und den Tod der Termitenkönigin schilderte, die, nachdem sie nahezu einhundert Millionen Eier in zehn oder mehr Jahren spektakulärer Fruchtbarkeit gelegt hat, schließlich unfruchtbar wird. »Dichte Scharen von Arbeitern umringen sie«, trug Lufkin vor, »und lecken sie – reibend, nicht sanft, wie sie es in der Lebensblüte der Königin zu tun pflegen – tagelang ab, bis ihr Körper auf seine zusammengeschrumpelte Hülle geschrumpft ist.« Celestine, in der auch eine Romantikerin steckte, vergaß diese Vorlesung nie.

Dagegen war die Chemikerin in Celestine besonders fasziniert, etwas über die 1959 erfolgte Isolierung des ersten Pheromons durch den deutschen Chemiker Butenandt und seine Mitarbeiter zu hören. Sie hatten während eines Zeitraums von zwanzig Jahren geduldig fast eine Million Seidenspinner gesammelt und seziert, um die chemische Struktur ihres Sexuallockstoffs zu ermitteln. Heute genügen, dank eines vom Chemiker Wendell Roelofs in Cornell entwickelten Verfahrens, schon ein paar Hundert Insekten, um ein Pheromon innerhalb weniger Wochen zu identifizieren. Durch Anbringen von Mikroelektroden an den Fühlern der Insekten überprüfte Roelofs viele chemische Stoffe auf ihre Fähigkeit, einem bestimmten Insekt eine elektrisch meßbare Reaktion zu entlokken, ein Signal, das nur für den authentischen Sexuallockstoff des anderen Geschlechts ausgestoßen wird. Für Celestine hatte sich eine völlig neue Welt aufgetan: die Nutzanwendung chemischer Kenntnisse bei biologischen Problemen.

Zwei Tage nachdem Celestine in Lufkins Kurs eine Eins plus erhalten hatte, erschien sie in seinem Büro. »Sind Sie gekommen, um sich nach Ihrer Note zu erkundigen, Miss Price?« fragte er mit ausgesuchter Förmlichkeit. »Sie haben sehr gut abgeschnitten.«

»Nein, ich bin gekommen, weil ich Sie um einen Gefallen bitten wollte.«

»Nur zu.« Lufkin rückte seinen Stuhl etwas näher, ein Zeichen, daß seine Fühler ausgestreckt waren.

»Ich würde gern mehr über die Biochemie der Insekten nachlesen. Was könnten Sie mir empfehlen?«

Lufkin strich sich über das Kinn, als ob er über ihr Anliegen nachdächte. In Wirklichkeit musterte er Celestine in ihrem weißen Sommerrock mit T-Shirt und Sandalen – ihre langen, nackten Beine, ihre muskulösen Arme. Sie hatte das regelmäßige Schwimmen aufgegeben – es war zu zeitaufwendig –, aber sie blieb durch tägliches Training in Form. »Kommen Sie am Mittwoch während meiner üblichen Sprechstunden«, erwiderte er schließlich. »Dann gebe ich Ihnen eine einschlägige Literaturliste.«

Graham Lufkin war nicht nur ein Charmeur, sondern auch

ein Rationalist. Er hielt sexuelle Kontakte zwischen Lehrkörper und Studenten für standeswidrig. Kontakte mit ehemaligen Studenten dagegen waren etwas anderes: eine intime Beziehung zwischen zwei erwachsenen Menschen, die sonst keinen etwas anging. Seine eigene Definition von »ehemalig« war äußerst präzise: In dem Moment, in dem er die Scheine für seine Vorlesung unterschrieb und weiterleitete, wurde aus der Studentin eine »Ehemalige«.

Lufkin hielt sein Versprechen. Zwei Tage später überreichte er Celestine eine Liste von Abhandlungen: Blochs Arbeit über den Cholesterinstoffwechsel bei Insekten; Nakanishis Isolierung von Phytoecdysonen – Insektenhäutungshormonen von Pflanzen, die vermutlich als Abwehrsekrete fungieren; Röllers Isolierung und Identifizierung des Juvenilhormons der Insekten, das Insekten in ihrem Jugendstadium verharren läßt; die Liste ging weiter. Während er die Namen und Titel vorlas, war Celestine zu aufgeregt, um die Veränderung in Lufkins Stimme zu bemerken, als er zum Schluß sagte: »Übrigens habe ich noch eine Karte für das Konzert des Kronos-Quartetts am Freitag. Hätten Sie Lust mitzukommen?«

Celestine war noch mit dem Notieren des letzten Titels beschäftigt. »Oh ...«, sagte sie, »ich habe eine Tante, die Kammermusik macht. Ja, ich käme sehr gern mit.«

Er hatte nicht einmal angeboten, sie abzuholen; sie trafen sich einfach vor dem Konzertsaal. Da Celestine sich auf dem Spezialgebiet des Kronos-Quartetts, moderner Kammermusik, nicht besonders auskannte, nahm sie Lufkins laufenden Kommentar begierig auf, der mit Verve und Sachkenntnis im Flüsterton abgegeben wurde, und erschauerte jedesmal, wenn Lufkins Atem zufällig ganz leicht in ihr Ohr blies. Sie hatte schon von Philip Glass gehört, aber weder von Terry Riley noch von Alfred Schnittke; selbst Alban Berg – der vierte Komponist auf dem Programm – war ihr nur dem Namen nach bekannt. »Bergs berühmteste Werke sind seine beiden Opern, *Wozzeck* und *Lulu*. Haben Sie sie schon einmal gehört?« Sie hatte sie noch nicht gehört. Ob Celestine schon einmal in der Oper gewesen sei? Nein. »Ah, Sie sollten sich

Lulu ansehen. Ein Geschöpf, das einen fast davon überzeugt, daß auch manche Frauen Pheromone absondern. Wissen Sie was, Celestine?« Sie hatte nicht einmal den plötzlichen Wechsel zu ihrem Vornamen bemerkt. »Ich wohne nur fünfzehn Minuten von hier. Kommen Sie nach dem Konzert doch auf einen Kaffee zu mir, dann spiele ich Ihnen den letzten Akt von *Lulu* vor, den Teil, in dem Jack the Ripper sie ermordet. Ich habe die neueste Aufnahme mit Boulez als Dirigent und Teresa Stratas in der Titelrolle.«

Celestine ging mit und war von neuem beeindruckt: die hypermodernen Möbel, die Bücher, die Drucke von Künstlern, von denen sogar sie schon gehört hatte, die Unterhaltung, die Eleganz und der Esprit dieses Mannes. Nach einer Stunde fuhr Lufkin sie nach Hause.

Er ließ sie einige Wochen warten, bevor er eines Morgens anrief. »Celestine? Hier ist Graham Lufkin. Ich hoffe, ich habe Sie nicht geweckt?« Als er hörte, daß sie gerade mit dem Gewichtheben fertig war, sagte er: »Gewichtheben? Also deshalb sind Sie so wunderbar in Form. Machen Sie das jeden Morgen?«

»Außer wenn ich um acht Uhr Vorlesung habe«, antwortete sie.

»Welche Farbe hat der Gymnastikanzug, den Sie beim Gewichtheben tragen?«

Celestine sah auf ihre nackten, glänzenden Brüste hinunter, von denen kleine Schweißtropfen auf ihren Bauch hinunterliefen. »Oh, der ist schlicht hautfarben.«

»Hätten Sie Lust, am Samstag zum Abendessen zu mir zu kommen? Ich bin ein ganz passabler Koch, und ich kann ein amüsanter Gastgeber sein.«

»Das weiß ich bereits«, sagte sie.

»Sie kommen also?«

»Klar. Warum nicht?«

Die Affäre zwischen Graham Lufkin und Celestine Price dauerte fast ein Jahr. Während der ganzen Zeit sah Celestine keinen anderen Mann. Lufkin forderte niemals Monogamie von ihr, und sie hatte keine Ahnung, ob er mit anderen

Frauen schlief. Die Nächte und gelegentlichen Wochenenden – wie damals, als er sie nach New York mitnahm, um ihre erste Oper zu sehen – genügten. Sie fand, daß die Qualität des Verkehrs mit ihm – sowohl intellektuell als auch sexuell – allem weit überlegen war, was ihre männlichen Altersgenossen zu bieten hatten. Am Ende ihres dritten Jahres an der Hopkins-Universität fühlte sie sich bereit, ihre Doktorarbeit in Angriff zu nehmen.

Sowohl Lufkin als auch Celestine waren sich darin einig, daß ihre intime Beziehung eine Verbindung beruflicher Art völlig ausschloß. Dies hinderte Lufkin jedoch nicht, sie bei der Wahl ihres Doktorvaters zu beraten. »Ich weiß, daß dir die Leute in deiner Abteilung sagen werden: Geh zu einem von den etablierten Professoren.« Er sprach mit der lakonischen Knappheit des Selbstsicheren. »Die haben mehr Geld, größere Forschungsgruppen, und häufig arbeiten sie an einer ganzen Reihe von Problemen.« Sein rechter Zeigefinger war wie eine Pistole auf Celestine gerichtet. »Als Neuling bist du aller Wahrscheinlichkeit nach nur ein kleiner Fisch in einem ziemlich großen Teich. Du solltest nicht gleich den Gedanken verschmähen, zu einem jungen, dynamischen Mitglied der Fakultät zu gehen, das noch selbst im Labor arbeitet. Wahrscheinlich wird sie . . .«

»Sie?«

»Ja, sie. Ich habe da jemanden für dich im Auge, nämlich Jean Ardley. Sie ist erst seit zwei Jahren Lehrbeauftragte, aber sie hat einen exzellenten Werdegang vorzuweisen. Hat bei einer Frau an der Brown-Universität in Organischer Chemie promoviert und dann bei zwei Leuten als Postdoc gearbeitet.« Lufkin war in seinen gewohnten Fakultätsberater-Stil verfallen, voll Autorität und einer Vorliebe für Details. »Erst am Salk-Institut in Guillemins Labor für Peptide – das ist der Mann, der mit einem anderen zusammen den Nobelpreis für seine Hypothalamushormonarbeit bekommen hat – und ein paar Jahre in Texas bei Röller. Du weißt ja, das ist der Insektenphysiologe, der das erste Juvenilhormon entdeckt hat.«

»Woher weißt du so viel über sie? Bei uns in der Abteilung bin ich ihr noch kaum begegnet.«

Er ging mit einem Achselzucken darüber hinweg. »Der Fachbereich Chemie ist groß. Ich weiß nicht einmal, ob sie Vorlesungen hält.«

Celestine sah ihn neugierig an. »Sie ist nicht zufällig . . .«

»Celly! Kein Wort mehr.« Lufkin lächelte nicht.

»Tut mir leid.«

»Ich habe sie näher kennengelernt, weil sie einen technischen Rat von mir wollte. Sie fängt gerade mit einer verdammt interessanten Sache an – einer Forschungsarbeit, die einer Chemikerin wie dir mit ernsthaften biologischen Ambitionen eigentlich liegen müßte.« Lufkin hielt ihren Blick fest, bevor er weitersprach: »Du solltest dir lieber schon jetzt eine Frau zum Vorbild nehmen und herausfinden, wie sie es geschafft hat. Wie hoch der Preis ist. Wie ihre männlichen Kollegen sie behandeln.« Er deutete auf sich. »Es gibt noch derart wenige Professorinnen für Chemie, daß du höchstwahrscheinlich keine findest, bei der du als Postdoc arbeiten kannst.«

Celestine beugte sich vor: »Hast du so deinen Doktorvater gefunden? Hat bei dir auch jemand seine Überredungskünste angewendet?«

»Überredungskünste?« Lufkin begann, auf und ab zu gehen. »Für was hältst du das Ganze? Ich wünschte, mir hätte jemand einen vernünftigen Rat bezüglich der Professoren der Abteilung gegeben, als ich als frischgebackener Graduierter hier ankam. Nein, ich habe es auf die übliche Tour gemacht: Ich habe mich umgesehen, Mitglieder der Fakultät gesprochen, festgestellt, wer der Netteste zu sein schien. Das Problem ist nur, daß sie sich bei Interviews gewöhnlich von der besten Seite zeigen. Nur wenige Studenten sind sich darüber im klaren, daß die Wahl des Doktorvaters vermutlich die wichtigste Entscheidung ist, die sie nach dem eigentlichen Studium treffen. Es ist genau so, als würde sich ein Waisenkind einen neuen Vater aussuchen . . .«

»Solltest du nicht lieber ›Mutter‹ sagen?«

»Was hast du gegen Väter einzuwenden, Celly? Außerdem gab es in unserer Abteilung keine Mütter, als ich mit meiner Doktorarbeit anfing.«

∫

Sie hatten sich über ein halbes Jahr nicht gesehen. Nicht seit jenem Frühstück, als Lufkin, nach einem besonders leidenschaftlichen und ausgedehnten Morgen, ganz beiläufig bemerkte: »Celly, meine Liebste, ich glaube nicht, daß wir uns noch länger sehen sollten. Jedenfalls nicht auf diese Weise.« Er machte eine alles einschließende Handbewegung. »Was als erfreuliche Affäre zwischen zwei Erwachsenen begann, ist mittlerweile kompliziert geworden.«

»Kompliziert?« Sie sah verstört aus. »Was meinst du damit?«

»Daß ich auf dem besten Wege bin, mich in dich zu verlieben.«

»Und was ist daran kompliziert?«

»Ich bin rund dreißig Jahre älter als du.«

»Fünfunddreißig, um präzise zu sein.«

»Richtig, Celly, fünfunddreißig. Genau das ist der Punkt: Wenn du das reife Alter von fünfunddreißig Jahren erreichst, bin ich tatterige Siebzig.«

»Sei nicht albern, Graham.« Sie hatte ihn noch nie Graham genannt. »Wenn ich tatterige Siebzig bin, bist du geile Hundertundfünf.«

Lufkin lehnte sich über den Tisch herüber und küßte ihre Stirn. »Du bist ein Schatz. Vielleicht hältst du mich für verrückt . . . vielleicht bist du sogar böse . . . aber mit der Zeit wirst du einsehen, daß es so besser ist.«

Nun rief sie ihn an. »Graham«, sagte sie am Telephon, »hier ist Celestine. Ich würde dich gern sehen.«

»Celly! Wie geht es dir?« Lufkins Stimme war ungewohnt leise.

»Viel zu tun.«

»Es wäre natürlich verlockend, dich wiederzusehen, aber . . .«

Celestine fiel ihm ins Wort. »Herr Professor, ich möchte einen Termin in Ihrem Büro.«

Sobald Celestine Platz genommen hatte, erklärte sie, weshalb sie gekommen war. Sie erinnerte ihn daran, daß sie im vorigen Jahr seinen Rat befolgt hatte und inzwischen ihr erstes Jahr als Doktorandin bei Professor Jean Ardley hinter sich hatte. Ihr Forschungsprojekt, die Isolierung und Charakterisierung eines neuentdeckten Küchenschabenhormons namens Allatostatin, lief gut. Lufkin begann, mit dem rechten Mittelfinger auf den Schreibtisch zu trommeln. All das wußte er bereits. Was war der wahre Grund dieses Besuchs? Als Celestine sah, daß er ungeduldig wurde, rückte sie mit ihrer Überraschung heraus, einer Neuigkeit aus dem Hochschulbereich, von der Lufkin noch nichts gehört hatte: Ob es klug wäre, den sechsjährigen Studiengang mit Promotionsabschluß nach dem vierten Jahr abzubrechen und ihrer Mentorin in den Mittleren Westen zu folgen, wo diese eine außerordentliche Professur bekommen hatte?

»Ich kann es Jean nicht verübeln, daß sie weggehen will«, meinte Lufkin nachdenklich. »Nach drei Jahren als Lehrbeauftragte an der Hopkins schon eine Professur an einer anderen Universität zu bekommen, ist kein schlechter Schachzug. Aber wenn du mit ihr gehst, heißt das, den hier gebotenen direkten Weg zu verlassen und auf die übliche Tour zu promovieren. Das könnte durchaus bedeuten, daß du zwei Jahre verlierst. Bist du dazu bereit?«

»Eben deshalb bin ich ja zu dir gekommen. Du bist der einzige, der weiß, warum ich bei Jean angefangen habe. Damals hast du mir einen guten Rat gegeben. Aber zwei Jahre mehr?«

Sie hatte gutes Urteilsvermögen bewiesen, Lufkin wegen

ihrer beruflichen Laufbahn zu konsultieren. Er war kein Mitglied des Fachbereichs Chemie und war von dem möglichen Verlust einer äußerst vielversprechenden Doktorandin nicht persönlich betroffen. Selbst sein Verhältnis mit ihr war seit Monaten zu Ende. »Du arbeitest da an einem verdammt aufregenden Projekt«, sagte er. »Du hättest bestimmt große Schwierigkeiten, deine Forschungsarbeit hier fortzusetzen, wenn Jean Ardley Hunderte von Meilen entfernt ist. Wenn sie geht, wette ich, daß nicht einmal das Insektarium weitergeführt wird. Wie willst du das überhaupt machen? Dir alle paar Tage frische Küchenschaben von ihr schicken lassen? Unter Umständen müßtest du sogar ein neues Projekt bei einem anderen Doktorvater anfangen. Das würde dich mit Sicherheit ein bis zwei Jahre kosten. Celly, wenn deine Arbeit bei Jean hinhaut, wenn du die Struktur dieses Hormons bestimmen kannst, wenn . . .«

»Komm zur Sache.« Celestines Gereiztheit war deutlich zu spüren.

»Die Sache ist die, daß zwei Jahre nicht viel sind, wenn du mit einem Projekt dieser Größenordnung Erfolg hast. Besonders dann nicht, wenn du es zusammen mit einer Professorin veröffentlichst, die noch nicht allzu bekannt ist.«

Das war alles, was Celestine hören wollte. Am Ende des akademischen Jahres packte sie ihre Koffer und folgte Jean Ardley an ihre neue Universität.

Celestine tat nur so, als ob sie schliefe. In Wahrheit hatte sie darüber nachgedacht, wie sich die Wahl ihrer beiden Universitäten auf ihre Erfahrung mit Männern ausgewirkt hatte. Glenn Larson zählte im Grunde nicht. Dazu war er ihr zu gleichgültig gewesen. Als sie in Branner beschloß, daß es an der Zeit war, ihre Unschuld zu verlieren, hatte sie diese Episode eher wie ein wissenschaftliches Experiment als wie ein romantisches Intermezzo behandelt. Lufkin war etwas anderes gewesen: mehr eine Art Mentor. Und nun Stafford. Celestine konnte nicht umhin, die beiden miteinander zu vergleichen. Nicht, daß sie kein Vergnügen daran gehabt hätte, wenn Jerrys Hand ihren Schenkel hinaufglitt, dessen

Haut so glatt war wie die Schale eines Eis. Jerry hat ganz einfach noch nicht den raffinierten Touch eines Graham Lufkin heraus. Aber schließlich war Lufkin ordentlicher Professor der Biologie mit jahrelanger Erfahrung, während Jeremiah Stafford – eben Doktor – gerade erst seine baptistischen Hemmungen abzulegen begann. Sie war jedoch überzeugt, daß sich Stafford noch machen würde. Dies war erst die zweite Nacht, die sie miteinander verbracht hatten, und heute morgen hatte er wirklich versucht, sich Zeit zu lassen. In einem Punkt war sie sich allerdings nicht sicher, nämlich ob sie imstande war, seine Aversion zu überwinden, auch nur *ein* Wort von sich zu geben, während sie sich liebten. Seine strenge baptistische Erziehung saß noch zu tief. Selbst beim ausgedehnten Vorspiel benutzte er nur ein einziges baptistisches Wort, um männliche und weibliche Genitalien oder den Koitus selbst zu bezeichnen. Dieses Wort war »es«. Celestine dagegen hatte sich, unter Graham Lufkins Anleitung, zu einer wahren Wortkünstlerin im Bett entwickelt. Sie sagte Stafford mit präziser Eindringlichkeit, was er als nächstes mit ihr anstellen sollte; sie verkündete in lasziven Einzelheiten, was sie mit ihm zu machen gedachte; sie stieß wollüstige Schreie aus und lachte am Ende über sein stummes Nicken, seine Antwort auf ihre Frage: »Na, war das nicht ein guter Fick?«

»Himmel! Weißt du eigentlich, wie spät es ist?« Celestine sprang aus dem Bett und zog Stafford die Decke weg. »Es ist schon zwanzig vor neun. Du schaffst es bestimmt nicht vor zehn ins Labor. Ich hab nicht einmal mehr Zeit für meine Gymnastik.«

»Du hast heute morgen schon genug Gymnastik gehabt. Komm wieder ins Bett und gib die verdammte Decke her. Es ist kalt heute morgen.«

»Nein, Jerry, das geht nicht. Ich muß ins Labor. Wir haben eine neue Ladung *Corpora cardiaca* von Küchenschaben bekommen, und ich muß sie heute vormittag noch extrahieren. Jean ist stocksauer, wenn ich das Zeug bis zum Nachmittag nicht gefriergetrocknet habe.«

»Zum Teufel mit der *Corpora cardiaca*«, sagte er mit gespielter Verzweiflung. »Ich weiß nicht einmal, was das ist. Ich will bloß deine *Corpora*.«

»Ich habe nur einen *corpus*, Herr Doktor Stafford. Die Küchenschabe hat zwei *Corpora cardiaca*, welchselbige die Organe sind, die mein kostbares Hormon absondern. Hast du denn gar kein Latein gehabt?«

In der Dusche fragte sie: »Wieso hast du eigentlich auf einmal soviel Zeit? Ich dachte, dein Professor Cantor sei so streng. Als du letztes Mal hier warst . . .«

»Was heißt hier ›letztes Mal‹? Das war das einzige Mal, daß ich hier war. Wenn du doch bloß keine Mitbewohnerin hättest.«

»Was hast du denn gegen Leah? Es war doch sehr nett von ihr, daß sie heute nacht nicht hier geschlafen hat.«

»Das war letzte Nacht. Was glaubst du wohl, wie oft sie das macht?« Er seifte ihr das Hinterteil ein.

»Das tut gut«, schnurrte sie. »Gib mir die Seife, jetzt bin ich dran.«

Als sie sich gegenseitig abtrockneten, sagte sie: »Aber im Ernst, wieso hast du soviel Zeit? Ich dachte, du wärst immer so früh im Labor . . . oder hast du geschwindelt, als du mir diese Geschichte aufgetischt hast, wie beschäftigt ihr Typen in der Zellbiologie seid?«

Celestine hatte Stafford auf einem Seminar der chemischen Abteilung kennengelernt, bei dem es um Spinlabelling ging. Der Redner war Harden McConnell aus Stanford, der ein Verfahren entwickelt hatte, das stabile freie Radikale und Elektronenspinresonanz beinhaltete und sich bei der Arbeit mit Zellmembranen als außerordentlich nützlich erwiesen hatte. Cantor hatte gewollt, daß Stafford sich damit vertraut machte. Im Gegensatz zu vielen Biologen hatte der Professor Geräte nie schlicht als geheimnisvolle Kästen angesehen, die Werte ausspucken. Er bestand darauf, daß sich seine Studenten mit der Theorie vertraut machten, die hinter der jeweiligen Gerätetechnik steckte. Und so kam es, daß Stafford neben Celestine Price saß. Er wußte so gut wie nichts über die Eigenschaften organischer stabiler freier Radikale – seit seinem zweiten Jahr an der Universität von South Carolina hatte er keine Organische Chemie mehr gehört – und hatte seine Nachbarin um Aufklärung gebeten. Celestine fielen sofort seine großen Augen auf, die einen leichten Silberblick zu haben schienen, als würden sie zwei Dinge gleichzeitig betrachten. In seinem schmalen Gesicht mit dem breiten Mund waren sie besonders auffallend.

Noch am gleichen Abend trafen sie sich zu Kaffee und Kuchen in einem Studentencafé, und zwei Tage später lernte Stafford, wie man mit Celestine Price ins Bett ging. Es war etwas völlig anderes als sein einziges bisheriges sexuelles Erlebnis – eine sehr kurze und ziemlich unbeholfene gegenseitige Erforschung zweier Jungfrauen in Columbia, South Carolina. Stafford war geblendet; er war betört. Celestines anfängliche Gefühle ließen sich am besten als konfuse Zuneigung beschreiben: Sie war beeindruckt von Staffords analytischem Verstand, von der Intensität, mit der er über seine Forschung und seine beruflichen Ambitionen sprach, und gerührt von seiner sexuellen Naivität. Ihre neue Rolle als Lehrmeisterin erregte sie.

»I. C. kommt erst heute nachmittag zurück. Er hält einen Vortrag bei Krauss in Harvard. Weißt du, wer Krauss ist?«

Celestine schüttelte den Kopf. »Wer denn?«

»Auf unserem Gebiet vermutlich der mächtigste Typ im Land. Es wundert mich, daß er noch nicht den Nobelpreis bekommen hat. Sogar ein Sarkom ist nach ihm benannt.«

»Na und? Was ist schon ein weiteres Sarkom?«

»Sag so was nicht. Das ist ein wichtiges Sarkom, so wie das von Peyton Rous.«

»Und wer ist das schon wieder?« Celestine klang schnippisch. Sie mochte es nicht, wenn man dauernd mit Namen von Wissenschaftlern um sich warf, zumindest nicht, wenn ihr die Namen völlig unbekannt waren. »In der Biochemie der Wirbellosen ist er jedenfalls nicht gerade eine Berühmtheit.«

»Er hat den Nobelpreis bekommen. Daran kannst du sehen, wie wichtig ein Sarkom sein kann. Auf alle Fälle hat I. C. da eine neue Idee über Tumore und einen Proteintransport durch die Zellmembran in zwei Richtungen, und nun spricht er zum ersten Mal woanders darüber als auf dem Seminar, das er für unsere Gruppe abgehalten hat. Er war ziemlich nervös, weil er sie in Harvard präsentieren sollte – ich hab ihn noch nie so erlebt. Es ist eine sensationelle Idee, aber ich nehme an, daß er erst mal sehen will, was die Konkurrenz davon hält. Deshalb wollte er unterwegs noch ein paar Leute besuchen, Benacerraf in Harvard und Luria am MIT. Das sind Freunde von ihm. Sie haben beide den Nobelpreis bekommen.«

»Was soll eigentlich das ganze Nobelpreis-Gequatsche?«

»Was das soll?« Stafford ging in die Defensive. »Weil es stimmt. Sie haben alle den Nobelpreis erhalten.«

»Ich glaube es dir ja. Ich frage mich bloß, warum du das jedesmal erwähnen mußt, wenn du auf einen Namen zu sprechen kommst.«

Sie waren noch beim Ankleiden gewesen, und Stafford wollte gerade die Schuhe anziehen. Er richtete sich auf und sah Celestine an: »Vermutlich deshalb, weil wir in der Gruppe in letzter Zeit viel davon gesprochen haben. Wenn Cantors Hypothese stimmt, daß es für die Krebsentstehung nur eine einzige Ursache gibt, dann könnte er ihn bekommen. Natürlich ist das ein großes ›Wenn‹.«

»Hör mal, Jerry, ich weiß überhaupt nichts über Krebs. Aber ist es denn nicht furchtbar unwahrscheinlich, daß hinter allen Tumoren nur ein einziger Vorgang steckt?«

»Unwahrscheinlich, ja. Aber nicht unmöglich. I. C. glaubt, daß das Ganze mit einer subtilen Veränderung innerhalb der Struktur und Zusammensetzung eines bestimmten Proteins anfängt. Und genau da liegt das große ›Wenn‹. Er muß es natürlich beweisen, und im Moment hat noch niemand einen blassen Schimmer, wie. Ich bin froh, daß ich nicht daran arbeite. Ich könnte es mir nicht leisten, mich auf eine derart riskante Sache einzulassen. Ich muß dieses Jahr unbedingt noch einiges veröffentlichen, wenn ich den Job bekommen will, auf den ich scharf bin.«

»Das verstehe ich. Aber sag mal, warum arbeitest du als Postdoc bei dem gleichen Mann, bei dem du promoviert hast? Wäre es nicht sinnvoller gewesen, zu einem anderen zu gehen?«

»Schon. Aber I. C. ist etwas Besonderes. Er könnte eine

dreimal so große Forschungsgruppe haben – so wie die Superstars in Berkeley oder am MIT. Schließlich ist er in der gleichen Kategorie. Jedenfalls hat er keine Probleme, Forschungsmittel von Institutionen wie dem NIH und der Amerikanischen Krebsgesellschaft zu bekommen. Und trotzdem arbeitet der Mann noch selbst im Labor! Nenne mir irgendeinen anderen in seiner Position, der das tut.«

»Jean Ardley arbeitet noch selbst im Labor. Fast jeden Tag.«

»Jean Ardley?«

»Jawohl, Jean Ardley«, wiederholte sie mit Nachdruck. Stafford sah deutlich, wie sich ihre Nüstern blähten.

»Aber, Celly.« Mit seinem Versuch, sich versöhnlich zu zeigen, machte er alles nur noch schlimmer. »Die Ardley ist doch nicht in I. C.s Kategorie. Sie ist bloß . . .« Er wollte sagen: »Eine junge Frau«, doch dann schloß er einen Kompromiß. »Sie hat doch erst vor ein paar Jahren angefangen.«

6

»Na, wie war's?«

»Es war sehr anständig von dir, daß du gestern nacht nicht nach Hause gekommen bist.«

»Danach habe ich nicht gefragt. Wie war die Nacht? Wie ist er denn so?«

»Er ist toll.« Celestine deckte den Tisch. »Es gibt Florentiner Hühnchen und braunen Reis. Und als Nachtisch habe ich deine Leibspeise besorgt: Kirsch-Vanille-Eis von Häagen-Dazs. Das hast du für gestern nacht auch verdient.«

Leah Woodeson umarmte ihre Mitbewohnerin. »Das war doch selbstverständlich. Ich bin schließlich nicht gerade im Kloster aufgewachsen. Du hast gesagt, er sei toll. Ich weiß ja, daß ihr Naturwissenschaftler nur einen begrenzten Wortschatz habt, aber was heißt ›toll‹? Ein toller Liebhaber? Ein toller Gesellschafter? Ein toller was?«

Celestine, die den Mund voll hatte, deutete als Erklärung auf die Blumen in der Vase am Fenster.

»Die habe ich gar nicht gesehen, als ich reinkam. Hat er sie dir heute geschickt?« fragte Leah.

»Schau dir den Brief an.«

»Du bist heute abend nicht gerade gesprächig«, sagte Leah und griff nach dem aufgerissenen Umschlag.

Liebste Celly! Du bist anmutig und reizend. Dein Wuchs ist majestätisch, Deine Beständigkeit unfehlbar, Deine Vortrefflichkeit fürstlich. Wenn ich Dich betrachte, gewahre

ich Deinen klaren Blick, Deinen glücklichen Ausdruck,
Deine betörende Taille. Welch makellose Kehle, welch mei-
sterliche Kinnlade, welch phänomenales Fleisch! Welch ein
kompakt gerundeter Leib, welch wohlgestaltete Flanken,
welch ein geschwungener Brustkorb, welch schön geformte
Beine, welch feste Brüste, welch muskulöse Arme, welch
lange Finger, welch flinke Füße, welch eine Unterlippe,
welch ebenmäßige Zähne, welch vorwitzige Zunge! Kein
Wunder, daß Du Celestine heißt. Wann wirst Du mir
wieder Deine Tür öffnen?

Leah hatte während der Lektüre immer wieder gekichert und
am Ende laut gelacht.

»Was hat dich denn gepackt?« Celestine klang gereizt. »Findest du es etwa nicht entzückend?«

»Entzückend? Es ist hinreißend, köstlich und . . . furchtbar
komisch. Versteh mich nicht falsch, Celly, du hast wirklich
tolle Flanken. Aber wer hat das geschrieben? Doch nicht
Jeremiah?«

Celestine nickte. »Der Brief ist von ihm.«

»Celly, er hat das vielleicht *geschrieben*, aber er hat es auf
keinen Fall *verfaßt*. Du hast mir doch erzählt, daß er Biologe
ist. So schreibt kein Biologe. So schreibt überhaupt kein
Mensch, jedenfalls nicht Ende des zwanzigsten Jahrhunderts.
Verlaß dich drauf.« Leah legte den Arm um die Schultern
ihrer Freundin. »Hör mal, es ist entzückend, aber ich wette,
daß er es irgendwo abgeschrieben hat. Schau mal hier.« Sie
deutete auf eine Stelle. »›Dein Wuchs ist majestätisch . . .
Deine Beständigkeit unfehlbar.‹ Das ist mindestens ein paar
hundert Jahre alt. Aber jetzt, wo ich es noch mal lese, nehme
ich das zurück. Er hat nicht plagiiert, er hat nur paraphrasiert.
Er muß einen Teil davon in einer Anthologie gefunden haben
und den Rest in einem Thesaurus. ›Meisterliche Kinnlade‹
und ›phänomenales Fleisch‹ passen irgendwie nicht zu ›unfehlbare Beständigkeit‹. Du mußt ihn unbedingt danach fragen, ja?«

Celestine schüttelte den Kopf. »Frag du ihn doch, wenn er
das nächste Mal kommt.« Ein feines Lächeln erschien auf

ihrem Gesicht. »Hat Richard dir eigentlich schon einmal einen Liebesbrief geschrieben?«

»Bis jetzt noch nicht. Er ist ein oraler Typ.«

»Ich wette, er hat Angst, etwas zu Papier zu bringen, weil du es bloß auseinandernehmen würdest. Da ich deine Talente als Dekonstruktivistin kenne, hätte ich an seiner Stelle jedenfalls Angst.«

»Dekonstruktivistin? Celly, bevor du mich kennengelernt hast, wußtest du ja nicht einmal, was das ist.«

Zehn Tage später hatte es sich Leah Woodeson im Bademantel auf dem einzigen Sessel des kleinen Wohnzimmers gemütlich gemacht, trank gerade ihre dritte Tasse Kaffee und las. Als sie die Eingangstür hörte, sah sie auf. »Um neun Uhr fünfzehn morgens nach Hause schleichen, Miss Price? Wo bleibt da der wissenschaftliche Fortschritt?«

»Der schleicht geradewegs zurück ins Bett. Ich bin hundemüde.« Als Celestine an Leahs Sessel vorbeiging, blickte sie ihrer Freundin über die Schulter. »Was liest du denn da?«

Leah hielt die *London Review of Books* in die Höhe. »Einen Artikel von Mitchell über das goldene Zeitalter der Kritik. Falls du es nicht wissen solltest, das goldene Zeitalter ist jetzt, und meine Art Arbeit über den Dialogismus ist dabei der Knackpunkt. Schau mal, was er hier über die Literaturkritik schreibt.« Sie hielt Celestine die aufgeschlagene Seite hin. »›Der Experimentalismus ist verbunden mit der Suche nach dem Neuen, dem Unversuchten, dem Bizarren oder dem Perversen.‹ Nicht schlecht, was? Und wie war der gestrige Abend? Bizarr oder pervers?«

»Darüber wollte ich eigentlich mit dir reden.«

»Wirklich!« Leah setzte ein lüsternes Grinsen auf. »Endlich! Wenn es um sexuelle Dinge geht, bist du viel zu heimlichtuerisch. Ich bin ganz Ohr.«

»Laß den Quatsch, Leah, ich meine es ernst. Jerry hat mich gestern abend gefragt, ob ich mir vorstellen könnte, mit ihm zu leben.«

»Und was hast du gesagt?«

»Ich habe gesagt, daß ich es mir überlegen würde.«

»Und könntest du es dir tatsächlich vorstellen, mit ihm zu leben?«

»Ja, das könnte ich«, sagte Celestine nach einer Pause. »Er ist ein anständiger Kerl, er meint es ehrlich. Er sagt, daß er mich liebt. Außerdem hat Jerry ein gutes Argument angeführt. Wir sind beide bei unserer Arbeit in einem Stadium angelangt, wo wir wahnsinnig schuften müssen. Sein Professor Cantor hat ihn auf irgendein furchtbar dringendes supergeheimes Projekt angesetzt, und Jean und ich sind gerade dabei, mit dem schwierigsten Teil unserer Untersuchung anzufangen. Er meint, daß eine dauerhafte Beziehung für unsere wissenschaftliche Arbeit gut wäre.« Celestine verstummte; als sie schließlich aufsah und Leahs Gesicht erblickte, fragte sie: »Was ist denn?«

»Und wer bringt dir dann etwas über Bachtin bei?«

Celestine umarmte ihre Freundin. »Du hast recht; wer schon? Wenn ich den Name Bachtin im Labor erwähnen würde, hieße es vermutlich: ›Wo veröffentlicht er?‹ Bis ich dich vor einem Jahr kennengelernt habe, hatte ich keine Ahnung von Bachtin und genau so wenig von Semiotik, Dialogismus, Poststrukturalismus und all den anderen ausgefallenen Ismen, mit denen du um dich wirfst. Ich werde sie bestimmt vermissen. Und besonders dich, Leah.« Sie umarmte sie abermals.

»Du hast dich also entschlossen?«

Celestine nickte. »Ich habe es Jerry zwar noch nicht gesagt, aber, ja, ich habe mich entschlossen.«

»Warum willst du nicht beides haben, Celly?«

»Wie meinst du das?«

»Hast du mal daran gedacht, ihn zu fragen, ob er zu uns ziehen will?«

»Nein.« Celestine sah verdutzt aus. »Du hättest nichts dagegen?«

»Theoretisch nicht. Du müßtest dir nur ein Doppelbett besorgen. Und ich würde Geld bei der Miete sparen. Aber zuerst muß ich ihn natürlich interviewen.«

Das Interview löste sich in Heiterkeit auf, als Staffords Blumenbrief »dekonstruiert« wurde. Er gab zu, daß die Quelle ein Liebesbrief aus der Renaissance war, den er in *Das Leben der Kurtisanen* entdeckt hatte, und brachte sogar das Original zum Vorschein. Er hatte nur die Adjektive verändert.

»Celly«, kicherte Leah, als sie den Text überflog, »wußtest du, daß in deiner Renaissance-Existenz deine Beständigkeit ›päpstlich‹, dein Fleisch ›wundersam‹ war?« Sie wandte sich Stafford zu und stubste ihn mit dem Buch. »Wieso liest du eigentlich *Das Leben der Kurtisanen*?« wollte sie wissen.

»Ich bin zufällig darauf gestoßen, als ich in der Buchhandlung war, um die gesammelten Gedichte von T. S. Eliot zu kaufen.« Er hob die Hand, um sie daran zu hindern, ihm ins Wort zu fallen. »Ich weiß schon. ›Warum T. S. Eliot?‹ Weil Professor Cantor gesagt hat, daß ich ihn lesen soll.«

»Das läßt noch immer eine Frage offen.«

»Okay, okay. Warum hat mir Cantor nahegelegt, Eliots gesammelte Gedichte zu kaufen?«

»Genau. Selbst wenn ich kein Lit.Krit. wäre, wüßte ich doch zu gern, warum ein Biologe einen anderen auffordert, T. S. Eliot zu lesen.«

»Als der Prof zum ersten Mal über eine einheitliche Theorie der Tumorentstehung sprach, hat er einen Vers zitiert, der mir in Erinnerung geblieben ist: ›Wir haben es erlebt, doch wir erfaßten den Sinn nicht, / Und wenn man den Sinn erforscht, kehrt das Erlebnis wieder . . .‹ Später habe ich ihn gefragt, woher das stammt, und er hat gesagt, aus Eliots *Vier Quartetten*. Er hat gesagt, man könne eine Menge unterschiedlicher Bedeutungen in dem Gedicht finden, wie in einer kleinen Bibel. Und da ich nun mal ein bibellesender ehemaliger Baptist bin, oder vielleicht ein ehemaliger bibellesender Baptist, bin ich losgezogen und habe einen Band gekauft.«

»Und erinnerst du dich, aus welchem Quartett das stammt?« fragte Leah.

»Aus *The Dry Salvages*«, sagte er triumphierend und stieß Celestine an. »Weißt du, Celly, Eliot hat nämlich auch den Nobelpreis bekommen.«

7

»Niemals hinterherlaufen – nur darauf warten.« Cantor erinnerte sich nicht, wer das als erster über den Nobelpreis gesagt hatte. Aber warum erwartet man von uns eigentlich, daß wir uns zieren wie die Jungfrau in der Hochzeitsnacht? fragte er sich. Warum müssen angehende Nobelpreisträger immer den Unschuldigen mimen und dürfen sich nie öffentlich zu ihrer Qualifikation bekennen?

Professor I. Cantor wußte ganz genau, daß er für den Nobelpreis in Frage kam – tatsächlich war ihm dieses Thema in den letzten Monaten fast ständig im Kopf herumgegangen. Der Zeitpunkt war ausschlaggebend: Wenn er den Nobelpreis bekommen wollte, dann mußte es in den nächsten drei oder höchstens vier Jahren geschehen, während sein Arbeitsgebiet noch brandaktuell war. Heutzutage schritt die Entwicklung in allen Bereichen der Molekularbiologie in derart schwindelerregendem Tempo voran, daß Ergebnisse, die noch vor wenigen Jahren als sensationell gegolten hätten, mittlerweile als reine Routine betrachtet wurden. Ein Beispiel dafür ist die Gentechnik. Wie viele Studenten erinnern sich noch an die Namen der beiden Männer, die das erste Experiment mit rekombinanter DNA durchführten, aber dafür nie den Nobelpreis bekamen? Es ist, als kämpfte man sich einen hohen Berg hinauf, wo erst kürzlich zwei Männer die erste Fahne auf dem Gipfel aufgepflanzt hatten, um ein im Bau befindliches Skizentrum vorzufinden.

In der Krebsforschung entspricht eine allgemeingültige

Theorie der Tumorentstehung dem Mount Everest oder dem K 2. Solche Berge besteigen nur Superstars, und selbst sie benutzen Sherpas. I. Cantor war ein solcher Superstar, und Stafford wurde sein Sherpa. Ein Aspekt dieser Analogie zwischen wissenschaftlichem Forschen und Bergsteigen – man macht es, weil die Herausforderung da ist – wurde schon überstrapaziert. Doch diese Analogie hat noch eine weitere Facette, die allerdings seltener beachtet wird: In beiden Fällen muß der Gipfelstürmer seine Schritte häufig seitwärts oder gar zurück lenken, um ein besonders ärgerliches Hindernis zu umgehen. Cantor, der seit Jahren in der Krebsforschung tätig war, hatte schon viele derartige Umgehungen hinter sich. Hin und wieder jedoch stößt der Gipfelstürmer auf eine unerwartete Route, die noch von keinem benutzt wurde, auf einen Weg, der direkt zur Spitze zu führen scheint. Die Freude über diese Entdeckung kann, auch wenn sie kurz ist – schließlich muß ihr noch die eigentliche Erstürmung folgen –, elektrisierend sein.

Trotzdem unterschied sich Cantor in mehrfacher Hinsicht von den Superstars an Universitäten, die Nobelpreisträger dutzendweise zählten. An seine Universität im Mittleren Westen war bisher nur ein einziger Nobelpreis gegangen, und das war in den dreißiger Jahren gewesen. Fünf Jahrzehnte später den Nobelpreis zu bekommen, hätte Cantor in eine Klasse für sich aufsteigen lassen. So etwas gelang einem in Harvard oder Berkeley nicht, wo alle paar Jahre ein Nobelpreis fällig war. Und obwohl Cantor nach den üblichen Begriffen eine Forschungsgruppe von respektabler Größe hatte, war sie mit Absicht wesentlich kleiner als viele Harvard-MIT-Berkeley-Operationen, die zum Teil über dreißig Mitglieder aufwiesen, von denen die meisten schlicht als Handlanger betrachtet wurden. Dort fungierten die Superstars, die die Labors leiteten, hauptsächlich als Geldbeschaffer und als Sprecher ihrer Gruppen bei bedeutenden wissenschaftlichen Kongressen; sie standen gewiß nicht selbst im Labor. Aber Cantor hatte ein Privatlabor neben seinem Büro und, was noch wichtiger war, schaffte es noch immer, etwas Zeit darin zu verbringen. »Gerade genug, um ehrlich zu bleiben«, wie er sich gelegentlich rühmte. Natürlich reiste Cantor in der ganzen Welt herum; er sprach sehr gern vor Kollegen und Studenten über die letzten Errungenschaften seiner Forschungsgruppe. Trotzdem machte er sich nie Sorgen, daß ihm jemand zuvorkommen könnte, während einige der anderen Laborchefs ihre Operationen wie die CIA leiteten. Es war daher kein Wunder, daß sich helle Köpfe wie Stafford um die wenigen freien Stellen in seinem Labor rissen. Gewöhnlich war Cantor gegenüber seinem Lieblingsschüler unbefangen und unkonventionell – zumindest so unkonventionell, wie der äußerst konventionelle Cantor überhaupt sein konnte.

Aber als Cantor die Pläne für sein Experiment an der Tafel zu skizzieren begann, war irgend etwas anders, und Stafford spürte es. Der Professor hörte auf zu schreiben, und Stafford hörte auf, auf den Block zu kritzeln, den er auf dem Schoß hielt. Cantor, im weißen Labormantel – eine Vorliebe, die die meisten Superstars (außerhalb von Krankenhäusern) nicht teilten –, war an seinen Schreibtisch zurückgekehrt. Er hatte mit Büroklammern zu spielen begonnen, die er zu einer Kette ineinanderhakte. Sie war gerade lang genug für ein Armband, als er schließlich aufsah. »Jerry«, sagte er und verstummte wieder. Er verlängerte das Armband zu einer Halskette. »Ich muß Sie um etwas bitten, was Sie vermutlich überraschen wird. Ich möchte nicht, daß Sie mit irgend jemand über dieses Projekt sprechen, nicht einmal in meinem Labor. Sie verstehen doch, warum ich diese Sache geheimhalten will, nicht wahr, Jerry?« Cantor hatte sich vorgebeugt und schien geradezu zu flehen. Die Büroklammerkette, die von seiner Hand herabhing, klimperte leise. »Es geht hier nicht um eines der üblichen ›Wenn‹-Experimente: ›Wenn es nicht klappt, machen wir dies, und wenn es klappt, dann machen wir das.‹ Das hier« – er deutete auf die Tafel »*muß* klappen, und wenn es beendet ist, dann ist es perfekt.« Cantor packte die Schreibtischplatte mit beiden Händen. »Jerry, dieses Experiment wird in alle Lehrbücher eingehen; ein Experiment dieser Art macht man im ganzen Leben nur einmal. Bedenken Sie, was Sie für ein Glück haben: Sie sind noch keine achtundzwanzig Jahre alt, ich dagegen . . .«

Cantors Stimme verlor sich, während er seinen jungen Mitarbeiter mit Zuneigung und einem Anflug von Neid betrachtete. Wenn es um technisches Geschick und Ausdauer ging, war Stafford absolute Spitze und verdiente daher diese Chance. Und was für eine Chance das war! Wenn doch ihm eine solche Gelegenheit geboten worden wäre, als er achtundzwanzig war.

Er fragte sich, ob sein alter Professor unter diesen Umständen an ihn herangetreten wäre. Vermutlich nicht. Aber Stafford war schließlich eine Ausnahme – selbst unter seinen eigenen Studenten. In den letzten Jahren war Jerry praktisch zu seinem jüngeren Alter ego geworden. Als Cantor weitersprach, hatte seine Stimme wieder ihren gewohnt munteren, geschäftsmäßigen Klang angenommen. »Jerry, Sie wissen, was hier auf dem Spiel steht. Es kann nicht länger als drei Monate dauern – nicht, wenn Sie alles stehen und liegen lassen und sofort anfangen. Sie gehen am besten gleich in die Bibliothek und sehen nach, wer das Maeda-Verfahren sonst noch angewendet hat. Es handelt sich um die übliche Dichtegradient-Differentialzentrifugation, aber mit einem besonderen Dreh: Er benutzt nämlich abwechselnd einen stufenweisen und einen kontinuierlichen Gradienten. Das müßte Ihnen helfen, unser Protein in Zellplasma-Membranen zu lokalisieren. Wenn ich Sie wäre, würde ich mit dem *Citation Index* anfangen. Für dieses Werk sollten Sie dem lieben Gott auf Knien danken. Als ich in Ihrem Alter war, hatten wir nichts weiter als den *Index Medicus* und die *Chemical Abstracts*.«

Es stimmte. Der *Citation Index* machte das Leben tatsächlich leichter. Im Gegensatz zu allen anderen bibliographischen Hilfsmitteln, die die Literatur rückwärts durchforschten, ging dieses vorwärts vor. Maedas ursprüngliche Abhandlung war 1983 veröffentlicht worden. Der *Citation Index* verzeichnete folglich alle Veröffentlichungen, die *seit* 1983 diesen Artikel von Maeda zitiert hatten und würde Stafford somit schnell zu anderen Personen führen, die sich der gleichen Methode bedient hatten. Das Werk ersparte Stafford folglich viele Stunden in der Bibliothek, aber all das wußte er längst, und Cantor wußte, daß Jerry es wußte. Obwohl Cantor den Verdacht hegte, daß der Jüngere sich darüber ärgerte, konnte er doch nie der Versuchung widerstehen, darauf hinzuweisen, wieviel schwieriger das Recherchieren zu seiner Zeit gewesen war.

»Ich weiß gar nicht, wie Sie das geschafft haben, I. C.«, sagte Stafford und bereute sofort, daß er sich hatte provozieren lassen. »Es ist ein tolles Experiment«, fügte er hinzu. »Ich hoffe nur, daß ich Sie nicht enttäuschen werde.«

8

Celestine hatte den Wecker auf 6.55 Uhr gestellt. Sie war bis nach Mitternacht aufgeblieben, um auf Stafford zu warten, aber er war nicht erschienen. In den fünf Minuten vor sieben Uhr rollte sie sich zu der schlafenden Gestalt herum. »Wach auf, du Schuft«, murmelte sie zärtlich. »Wo bleibt das geregelte Sexleben, das du mir versprochen hast?«

Stafford rührte sich kaum. »He, wach auf.« Sie schüttelte ihn energischer. »Mußt du heute morgen denn nicht ins Labor?«

Als sie keine Antwort erhielt, stand sie auf. »Na schön, dann schlaf eben weiter, während ich trainiere. Aber dann bist du dran.«

Um 7.30 Uhr kam Celestine schweißtriefend wieder an das Bett, wo Stafford noch immer fest schlief. Sie fuhr sich mit den Händen über den nassen Körper, hob die Decke hoch und begann ihn mit ihren glitschigen Händen zu massieren.

»Wo warst du gestern abend, Jerry?« fragte sie, als sie gemeinsam duschten. Er schien noch immer nicht ganz wach zu sein; seine geschwollenen Augen ließen sich nicht scharf auf sie einstellen. »Ich bin fast bis eins aufgeblieben, aber dann konnte ich mich nicht mehr wachhalten.«

»Ich bin erst nach drei heimgekommen. Ich war im Labor.«

»Um drei Uhr morgens? Weshalb denn, um Himmels willen? Um im Lagerraum zu bumsen?«

»Sei nicht so ordinär, Celly. Ich bin zur Zeit derart groggy, daß ich dazu gar nicht imstande bin.«

»Wem sagst du das.« Sie seifte seinen schlaffen Penis ein.
»Was ist eigentlich mit dir los?«

Während Stafford sich noch nach oben hangelte, hatte Celestine schon Grund zum Feiern. Sie hatte ihren ersten bedeutenden Erfolg erzielt: die Bestimmung der kompletten Aminosäuresequenz in der Kette des Küchenschaben-Neurohormons Allatostatin – ein unerläßlicher Schritt zur Entdeckung einer neuen Methode der Insektenbekämpfung. »Das Allatostatin ist wie eine Halskette aus vierundsechzig Perlen, die aus zwanzig Edelsteinen bestehen«, hatte sie Leah beim Frühstück erklärt. »Bevor man eine weitere machen kann, muß man erst die genaue Reihenfolge rauskriegen, in der diese Steine aufgefädelt sind. Und genau das ist mir gelungen.«
»Ist das so schwer?« fragte Leah.
»Nicht in Worten und auch nicht auf dem Papier. Heutzutage gibt es alle möglichen Verfahren, um das eigentliche Sequenzieren auszuführen. Man kann beispielsweise einen Aminosäure-Analysator verwenden, ein Gerät, das dies fast automatisch macht, indem es jeweils eine Aminosäure, also einen Stein meiner Kette, abhackt und sie dann identifiziert. Oder das Verfahren, das ich benutzt habe, nämlich partielle enzymatische Spaltung und hochauflösende Massenspektrometrie.« Celestine griff nach einem Bleistift und strich die zerknüllte Papierserviette glatt. In einem Zug zeichnete sie einen Kreis und fügte dann eine Reihe kleiner Kugeln an, um ein Armband darzustellen. »Die Enzyme spalten die aus vierundsechzig Steinen bestehende Kette in kleinere Stücke« – sie durchtrennte die Kette mit Bleistiftstrichen, als ob die Enzyme sie bereits aufgebrochen hätten –, »und jedes von ihnen, eine unglaublich kleine, im Picogrammbereich liegende Menge, wird dann im Massenspektrometer analysiert. Dadurch bekomme ich nicht nur die genaue Anzahl der verschiedenen Atome jedes Aminosäuremoleküls, sondern kann auch die Struktur der Säure bestimmen, also wie die Atome tatsächlich angeordnet sind. Dann mußte ich nur noch feststellen, wie diese Unterstränge innerhalb der Halskette angeordnet sind. Und das ist mir endlich gelungen.« Sie malte drei

Ausrufezeichen auf die Serviette. »Und darum habe ich Jean Ardley für Donnerstag abend eingeladen.«

Am Ende wurde aus der Party für vier ein Essen für drei. Stafford rief im letzten Moment an: »Wartet nicht auf mich, Celly. Ich kann noch nicht weg, ich bin mitten in einem Experiment. Ich versuche, bis zum Kaffee da zu sein.« Obwohl er zerknirscht klang, knallte Celestine den Hörer auf die Gabel.

Um ihre Fassung wiederzugewinnen, öffnete sie die Weinflasche in der Küche und trank einen Schluck. Sie konnte das Tannin schmecken. Der Verkäufer in der Weinhandlung hatte ihr empfohlen, den Rotwein atmen zu lassen, bevor sie ihn servierte. Im Augenblick paßte der bittere Geschmack genau zu ihrer Laune. Mit der Flasche und drei Gläsern auf einem Tablett marschierte Celestine zurück ins Wohnzimmer. »Wo ist denn dein Dr. Stafford?« fragte ihre Professorin, als sie die drei Gläser sah. »Ich bin schon gespannt, den Mann kennenzulernen, der sich meine liebste Mitarbeiterin geangelt hat.«

»›Geangelt‹ ist nicht ganz das richtige Wort, Frau Professor Ardley. Niemand angelt sich Celestine Price«, sagte Leah, die zur Feier des Tages einen weiten, weichen Rock, eine frisch gebügelte Bluse und Slipper trug statt ihres üblichen Aufzugs aus Jeans und Turnschuhen. »Celly trifft ihre Entscheidungen selbst.«

»Wem sagen Sie das«, sagte Jean Ardley lachend. »Ich war bestimmt nicht diejenige, die eine der besten Chemiekandidatinnen der Hopkins-Universität dazu überredet hat, von ihrem D-Zug zum Doktor abzuspringen. Es war ihre Entscheidung, hier zu mir in den Bummelzug zu steigen. Aber es war keine schlechte Wahl, stimmt's, Celly?« Sie wandte sich wieder an Leah: »Übrigens, nennen Sie mich doch Jean. Nur Studenten nennen mich ›Frau Professor Ardley‹.«

»Aber gerne«, erwiderte Leah. »Dann kommen Sie mal zu Tisch, Jean.«

Jean Ardley war klein, eher untersetzt und bevorzugte Hosen, weil sie im Labor praktischer waren, und relativ hohe Absätze. An diesem Abend trug sie elegante schwarze Hosen und eine schwarze Seidenbluse, gegen die ihr sandfarbenes

Haar fast blond wirkte. Bei der Arbeit war es gewöhnlich zu einem Pferdeschwanz zusammengefaßt oder oben auf dem Kopf zu einem Knoten gebunden, doch bei formelleren Anlässen, einschließlich Vorlesungen, ließ sie es bis knapp unter die Schultern glatt herabfallen. Ihre blauen Augen und die chamäleonhafte Art, wie ihr Gesichtsausdruck wechselte, waren das Bemerkenswerteste an ihr. Blauer Lidschatten und lange Ohrringe waren ihr einziger Schmuck; ihre Finger waren unberingt.

Nachdem die drei Frauen gegessen hatten, brachte Leah eine Kanne Kaffee aus der Küche. »Jean«, sagte sie, »ich hoffe, Sie nehmen es mir nicht übel, wenn ich Sie etwas frage. Sie müssen Mitte dreißig sein. Wie alt sind Sie genau?«

»Vierunddreißig. Warum fragen Sie?«

»Aus dem üblichen Grund für eine Frau, die eine akademische Laufbahn anstrebt, nämlich wie sie mit Kindern in Einklang zu bringen ist. Es scheint, als ob Sie es mit Ihren vierunddreißig praktisch geschafft hätten – von meiner Warte sieht es zumindest so aus. Sie haben sogar eine Professorenstelle. Daher meine Frage: Beabsichtigen Sie, Kinder zu haben?«

»Ich habe mich nie getraut, dich das zu fragen, Jean«, fügte Celly hinzu, »obwohl ich es auch gern wüßte. Immer ist Leah diejenige, die peinliche Fragen stellt.«

Jean Ardley sah die beiden jungen Frauen an, deren Augen auf sie gerichtet waren. »Das ist schon in Ordnung«, antwortete sie zögernd. »Ich habe noch ein paar Jahre, vielleicht sogar zehn. Aber ich kann es euch auch ebensogut sagen: Letztes Jahr habe ich mir die Eileiter abbinden lassen.«

Längere Zeit herrschte Schweigen, bevor Leah weitersprach: »Es geht uns zwar nichts an, aber . . .«

»Nur zu.«

»Warum sterilisieren? Warum nicht . . .«

»Empfängnisverhütung? Ich habe fast achtzehn Jahre lang die Pille genommen. Ich hatte nämlich ziemlich früh angefangen. Ich fand, daß es an der Zeit war, sie abzusetzen, obwohl ich nicht rauche. Wir hätten natürlich auf etwas anderes umsteigen können, Kondome beispielsweise, aber schließlich bin ich zu der Überzeugung gekommen, daß ich, aufgrund meiner beruflichen Ambitionen, Kindern einfach nicht gerecht werden könnte.«

»Warum hat Ihr Mann keine Vasektomie vornehmen lassen?« fragte Leah.

»Warum sollte er? Es war meine Entscheidung, keine Kinder zu haben, nicht seine. Man kann ja nie wissen. Vielleicht heiratet er noch einmal. Selbst wenn das erst in zwanzig Jahren wäre, könnte er immer noch Kinder haben . . .«

»Das mit den beruflichen Ambitionen verstehe ich nicht«, unterbrach Leah. »Warum könnten Sie jetzt nicht ein Kind haben, wo Sie doch eine Professorenstelle haben?«

»Was die Professorenstelle anbelangt, haben Sie recht. Vorher wäre es unmöglich gewesen. Ich würde sagen, daß es in der Chemie, aber auch in der Forschung allgemein, in den sechs Jahren, die man als Lehrbeauftragte hat, einfach nicht möglich ist, Mutter zu sein und eine Professorenstelle zu bekommen. Zumindest nicht an den großen Universitäten. Meine männlichen Kollegen arbeiten mindestens achtzig Stunden in der Woche. Deshalb klappt es ja bei ihnen in der Ehe so oft nicht – wenn sie überhaupt heiraten.«

»Es sei denn, sie heiraten eine Lehrbeauftragte mit dem gleichen Trott«, warf Celestine ein.

»Und haben das Glück, daß sie Jobs an der gleichen Universität finden oder daß zumindest einer der beiden pendeln kann«, entgegnete Jean Ardley. »Natürlich kann man auch das große Glück haben, mit jemandem wie meinem Mann zu leben, der beruflich mobil ist. Aber ich habe die Sache übertrieben dargestellt: Es ist nicht unmöglich, sondern nur extrem schwierig, ein Kind zu haben und auf eine Professur hinzuarbeiten. Vielleicht ist es auf Ihrem Gebiet leichter«, meinte sie zu Leah gewandt, »weil Sie einen Teil Ihrer wissenschaftlichen Arbeit zu Hause erledigen können. Aber was ist, wenn man im Labor sein muß?« Sie zuckte die Achseln. »Heutzutage erwartet man von den Berufungskommissionen, daß sie eine Schwangerschaft in Betracht ziehen, aber die Leute, die sie leiten, sind in der Hauptsache noch immer Männer, und obendrein ältere Männer. Man hat sie zwar über die juristischen Aspekte der Diskriminierung der Frau belehrt, aber sie haben keinen blassen Schimmer, wie die Wirklichkeit aussieht. Wißt ihr eigentlich, daß keine einzige chemische Abteilung einer führenden amerikanischen Universität jemals eine Frau als Leiter hatte? Abgesehen von der berühmten Chien-shiung Wu in Columbia würde das auch in der Physik zutreffen. Ist es nicht komisch, daß sie meist ›Madame Wu‹ statt ›Frau Professor‹ genannt wird, als ob sie ein Bordell leiten würde?« Jean Ardley griff nach ihrer Tasse.

»Dein Kaffee ist bestimmt kalt geworden, Jean. Ich hole dir eine neue Tasse«, meinte Celestine.

»Aber Sie haben eine Professur bekommen, und sogar ziemlich früh«, bemerkte Leah. »Wäre es jetzt nicht leichter, ein Kind zu haben?«

»Das ist genau der Grund, weshalb ich Hopkins schon nach drei Jahren verlassen habe. Als man mir die Stelle hier anbot, dachte ich, jetzt kann ich ein Kind nach dem anderen haben, und die können nichts dagegen unternehmen.« Sie machte eine Kopfbewegung in Richtung Küche. »Aber Celestine kann Ihnen bestätigen, daß die Realität ganz anders aussieht. Meine gesamte Gruppe konzentriert sich zur Zeit auf ein sehr aufregendes Gebiet, nämlich auf die Chemie der Neuropeptide der Wirbellosen, und ich arbeite härter als je zuvor, obwohl mir jetzt fünf Doktoranden und sogar ein paar wissenschaftliche Mitarbeiter helfen. Ich weiß nicht, ob das in Ihrem Metier auch so ist. Vermutlich nicht, nicht in englischer Literatur . . .«

»Kritik«, unterbrach Celestine, die gerade mit frischem Kaffee gekommen war, »eigentlich sogar Dialogismus.«

»Dialogismus?«

»Das erkläre ich Ihnen später, Jean«, meint Leah. »Sprechen Sie ruhig erst zu Ende.«

In dem Moment ging die Tür auf und Stafford trat ein. »Es tut mir leid«, verkündete er schwer atmend, als ob er die drei Treppen heraufgerannt wäre. »Frau Professor Ardley, ich bin Jeremiah Stafford«, sagte er, während er sich dem Tisch näherte. »Ich wollte mich schon länger bei Ihnen bedanken. Wenn Sie nicht gewesen wären, hätte ich Celly nie kennengelernt. Mann, habe ich einen Hunger! Ist noch was zu essen da?«

Celestine folgte ihm in die Küche. »Verdammt nochmal, Jerry«, flüsterte sie, »ich weiß ja, was es heißt, hart im Labor zu arbeiten. Aber warum konntest du heute nicht rechtzeitig zum Abendessen hier sein? Du weißt doch, daß es ein besonderer Anlaß ist. Schließlich ist Jean noch nie hier gewesen.« Sie packte ihn an der Schulter. »Außerdem feiern wir, daß ich die Allatostatinstruktur geknackt habe.«

Stafford versuchte sie zu besänftigen. »Celly, ich hab doch gesagt, daß es mir leid tut. Du hast ja keine Ahnung, wie mich I. C. unter Druck setzt. Jeden Tag ist er hinter mir her: will wissen, wie das Experiment läuft, welches Stadium ich erreicht habe, wann es fertig ist. Nicht *ob* es *klappt*, sondern *wann* es *fertig* ist. Ich konnte nicht weg . . .«

»He, was ist denn mit euch beiden?« Leah steckte den Kopf in die Küche.

Jean Ardley und Leah begaben sich zum Sofa; Celestine, die innerlich noch kochte, nahm den Sessel in Beschlag, während Stafford sich an den Tisch setzte und einen Teller Reste hinunterschlang. Jean Ardley richtete das Wort an ihn: »Ich habe unserer Literaturkritikerin hier gerade erklärt, wie großartig Celly ihre Sache gemacht hat. Es geht ja nicht nur um das Sequenzieren. Der wirklich schwierige Teil war, überhaupt erst einmal genug Allatostatin zu isolieren. Dazu haben wir über ein Jahr gebraucht. Nach jedem Schritt in der Isolierung mußte ein komplizierter Biotest erfolgen.«

»Wofür ist Allatostatin eigentlich gut?« fragte Leah.

»Was die Küchenschabe oder was uns betrifft?« fragte Jean Ardley.

»Beides.«

»Nun, fangen wir mit der Küchenschabe an. Allatostatin dient als Hormonsignal, das zur gegebenen Zeit die *Corpora allata* abstellt, zwei Drüsen, die für die Sekretion eines weiteren Hormons verantwortlich sind, des sogenannten Juvenilhormons. Es wurde in den sechziger Jahren von Herbert Röller charakterisiert; ich war eine Zeitlang wissenschaftliche Mitarbeiterin bei ihm. Dieses Hormon diktiert bei allen Insekten die Entwicklung und die Beibehaltung der larvalen Merkmale. Wenn das Insekt bereit ist, in das Adultstadium einzutreten, muß die Sekretion des Juvenilhormons aufhören, und das Allatostatin gibt das Signal dazu. Na, wie war das als knapper Überblick über die Endokrinologie der Wirbellosen?« Sie lächelte ihr Publikum an.

»Das ist die gute Nachricht für das Insekt, denn sonst würde es nie erwachsen werden und sich fortpflanzen. Die schlechte Nachricht für die Küchenschabe ist, daß wir das Allatostatin gern als eine Art Achillesferse der Schabe benutzen würden. Mit Hilfe gewisser Verfahren der neuen Gentechnologie haben wir vor, ein Allatostatin-Gen in ein Virus einzubauen, das dann eine unabhängige Produktionsstätte für die vierundsechzig Paare lange Aminosäuresequenz des Allatostatins wird. Das Virus, das wir ausgesucht haben, ist für bestimmte Insekten spezifisch, für andere Organismen und natürlich auch den Menschen jedoch völlig harmlos. Die kontinuierliche virale Allatostatinproduktion müßte den Hormonhaushalt der damit infizierten Insekten derart durcheinanderbringen, daß sie früh sterben und sich nicht fortpflanzen können.« Sie machte eine Handbewegung wie ein Ringrichter, der einen technischen K. o. anzeigt.

»Wenn die Sache klappt, revolutionieren wir das Gebiet der Schädlingsbekämpfung. Dann sind herkömmliche Insektizide passé.

Und damit komme ich zu der Frage, was das Allatostatin für uns tun wird«, fuhr Jean Ardley fort. »Es wird den Hauptteil von Cellys Dissertation darstellen. Das ist gut für sie. Und was mich betrifft, so werde ich einfach berühmter.« Sie grinste Celestine an.

Stafford hatte mit wachsender Aufmerksamkeit zugehört. »Du hast mir nie etwas von dem Virusaspekt deiner Allatostatinarbeit erzählt, Celly. Die Idee ist wirklich raffiniert.«

»Na ja, wir haben es noch nicht geschafft«, entgegnete Celestine. »Im übrigen hast du mir faktisch nichts von dem erzählt, was du seit ein paar Monaten machst. Ein supergeheimes Projekt«, teilte sie Jean Ardley mit. »Er redet nicht mal mit den Leuten im Labor darüber.«

»Ach, wirklich?« sagte ihre Professorin. »Ist das wahr, Dr. Stafford?«

Stafford sah verlegen aus. »Professor Cantor hat mich gebeten, nicht darüber zu sprechen«, murmelte er.

Sie ließ nicht locker. »Aber warum denn? Ist es bei Ihnen üblich, mit Ihrer Arbeit derart geheimzutun?«

»Nein! Der Prof hat das noch nie gemacht. Er sagt immer: ›Wenn Sie ständig Angst haben, man könnte Ihnen etwas wegschnappen, dann macht die ganze Forschung nur noch halb soviel Spaß.‹«

»Aber ist denn nicht genau das jetzt der Fall?«

»Schon, aber diesmal ist . . . diesmal ist es etwas anderes.« Er blickte bewußt im Zimmer herum. »Wann und wo werden Sie Cellys Ergebnisse veröffentlichen? Sitzt Ihnen denn nicht die Konkurrenz im Nacken?«

»Und wie! Ich habe gehört, daß Schooleys Gruppe in Palo Alto es fast geschafft hat. Aber Ende nächster Woche haben wir die Abhandlung fertig und können sie an *PNAS* schikken.«

»Wer reicht die Abhandlung für Sie ein?«

»Ich dachte daran, Roger Guillemin in La Jolla zu bitten.«

»Warum Guillemin?« fragte Stafford. »Muß es unbedingt ein Nobelpreisträger sein?«

»Natürlich nicht. Ich kenne ihn eben gut. Bei ihm hatte ich meine erste Postdoc-Stelle, und Peptidhormone sind sein spezielles Forschungsgebiet.«

»Trotzdem, warum nehmen Sie niemand aus der Nähe? Dadurch würden Sie Zeit sparen. Warum nicht Professor Cantor?«

»An ihn habe ich noch gar nicht gedacht. Er arbeitet ja nicht auf unserem Gebiet. Außerdem habe ich ihn noch nicht kennengelernt. Aber ich nehme an, er würde es machen, vor allem wenn er weiß, daß es sich um die Arbeit Ihrer Freundin handelt.«

Stafford wurde rot. »Er weiß nichts von Celestine.«

»Soll das heißen, daß du ihm nie etwas von uns erzählt hast?« Celestine schien erstaunt. »Er weiß also nicht, daß wir zusammenleben?«

Stafford schüttelte den Kopf. »Warum sollte er? Er redet mit uns nicht über sein Privatleben, warum sollte ich ihm da was von mir erzählen?«

»Moment mal! Einen Moment!« Leah konnte sich nicht länger zurückhalten. »Bevor ihr schon wieder das Thema wechselt: Was ist *PNAS*?«

»*Proceedings of the National Academy of Sciences*«, sagte Stafford. »Ich dachte, das wüßte jeder. Es ist ja auch nur die renommierteste Fachzeitschrift auf unserem Gebiet.«

»Da wir nun alle Unklarheiten beseitigt haben« – sie tat Stafford ab und wandte sich an Jean Ardley –, »könnten Sie mir vielleicht erklären, warum Sie jemanden brauchen, um Ihre Abhandlung bei *PNAS* vorzulegen. Wenn *ich* einen Aufsatz an eine Fachzeitschrift auf meinem Gebiet schicken will, an *Critical Inquiry* oder *Semiotica* oder *Diacritics*, dann tue ich das einfach, ich selbst Leah Woodeson, nicht meine Professorin und ganz bestimmt nicht irgendein Ersatzmann, der nichts mit meiner Arbeit zu tun hat. Bevor Sie darauf antworten, kann ich ebensogut auch gleich meine zweite Frage stellen: Wieso veröffentlichen Sie Cellys Arbeit mit ihr zusammen?«

Leah hielt nichts von Tarnung, weder gesellschaftlicher noch körperlicher Art. »Du wirst lernen müssen, mich zu nehmen, wie ich bin«, hatte sie zu Stafford gesagt an dem Tag, als er einzog. Sie zupfte sich nicht die Augenbrauen, schminkte sich nicht ihre schmalen, aber ansonsten nahezu perfekten Lippen, rasierte sich nicht unter den Armen und deckte ihre Sommersprossen auch nicht mit Make-up zu. Das letztgenannte Merkmal war etwas Besonderes: Die Sommersprossen häuften sich vor allem im oberen Wangenbereich, und nur wenn sie erregt war, hoben sie sich scharf von ihrem weizenblonden Haar ab. Jetzt waren die Sommersprossen deutlich zu sehen.

»Warum erscheint Ihr Name überhaupt auf der Veröffentlichung?« fuhr sie mit Volldampf fort. »War denn nicht Celly diejenige, die die ganze Arbeit gemacht hat? Meine Professorin hat zwar das Thema für meine Dissertation vorgeschlagen, aber deshalb setzt sie doch nicht ihren Namen unter meine

Artikel. Warum ist das bei euch in den Naturwissenschaften anders? Warum heißt es Ardley und Price, Cantor und Stafford ... oder ist es umgekehrt?« Sie lehnte sich zurück und schaute erst Jean Ardley und dann die anderen an.

Stafford schwieg, aber er amüsierte sich offensichtlich über die plötzliche Wendung, die das Gespräch genommen hatte.

»Leah!« rief Celestine aus. »Was ist denn in dich gefahren? Du hörst dich an, als ob Jean mir etwas von meinem Erfolg wegnehmen wollte, als ob –«

»Einen Moment, Celly.« In Jean Ardleys Stimme schwang eine gewisse Schärfe mit. »Laß mich das beantworten. Fangen wir zunächst mit der wichtigen Frage an, nämlich welche Namen auf der Allatostatin-Abhandlung erscheinen sollten oder auch auf dem Artikel, der Dr. Staffords mysteriöse Arbeit erläutert. In welcher Reihenfolge sollten die Autoren aufgeführt werden? Das sind wirklich strittige Fragen. Sie haben in der Wissenschaft vermutlich für mehr böses Blut gesorgt als sonst etwas, ausgenommen vielleicht die Frage der Priorität.« Sie legte ihre Hand auf Leahs Arm, um ihren Worten Nachdruck zu verleihen. »Sehen Sie, ich bin diejenige, die das Projekt vorgeschlagen hat –«

»Das hat meine Professorin auch getan«, unterbrach die Jüngere.

»Bitte lassen Sie mich ausreden. Ich habe mit Hilfe meiner Forschungsmittel für die Einrichtungen und für Cellys Stipendium gesorgt. Ich habe die Forschungsmittel bei den *National Institutes of Health* beantragt. Dazu mußte ich detailliert darlegen, was meine Forschungsgruppe machen wollte, warum diese Arbeit wichtig ist, welches die früheren Beiträge waren und vieles mehr. Mein Antrag wurde von einer Kommission bearbeitet, die Hunderte von Gesuchen prüft. Vielleicht ein Viertel davon wird schließlich finanziert. Ohne diese Unterstützung hätte Celly nichts tun können. Ich spreche nicht nur von ihrem Stipendium, ich spreche von all den Geräten in meinem Labor, den Chemikalien, dem ganzen Glas. Sie, Leah, machen Ihre Arbeit im wesentlichen allein, Sie sind sowohl Architekt als auch Bauunternehmer. Sie können sogar einen Großteil Ihrer Arbeit zu Hause erledigen.

Alles, was Sie brauchen, ist Zugang zu einer Bibliothek, die nicht von Ihrer Professorin gestellt wird, und Papier und Bleistift –«

»Ich muß doch sehr bitten! Sogar Geisteswissenschaftler benutzen mittlerweile Computer.«

»Tut mir leid. Aber selbst der PC wird vermutlich nicht von Ihrer Professorin gestellt. Sie bekommen ihn entweder von der Abteilung oder müssen ihn wahrscheinlich sogar selbst kaufen. Was ist bei Ihnen der Fall?«

»Meine Mutter hat ihn gekauft.«

»Na also! Der, den Celly benutzt, stammt aus meinen Forschungsmitteln. Aber fahren wir fort. Ich sehe Celly fast jeden Tag; wir besprechen den Fortgang ihrer Arbeit; ich schlage bestimmte Verfahren vor; ich mache sie auf wichtige Literatur aufmerksam. In meinem Labor sind noch andere Leute, die an ähnlichen Projekten arbeiten und mit denen Celly ständig in Kontakt ist. In den Geisteswissenschaften geschieht nichts dergleichen. Ich wette, daß Sie Ihre Professorin manchmal wochenlang nicht zu Gesicht bekommen.«

»Wozu auch? Ich mache meine ganzen Recherchen faktisch allein.«

»Das versteht sich von selbst«, konterte Jean Ardley. »Aber Sie müssen keine neuen Techniken lernen, keine neue Methodologie. Sie müssen einfach nur lesen können. Und ein Textverarbeitungsgerät benutzen können. Es tut mir leid, daß ich so aggressiv bin, Leah. Aber in der praktischen Forschung gibt es neben der Lehrer-Schüler-Beziehung auch eine Kollegialität, die es im allgemeinen rechtfertigt, daß der Professor einer der Autoren ist. Die meisten Leute in unserem Fach, einschließlich Celestine, würden in mir den Hauptautor sehen. Das ist nicht unbedingt der erste Name auf der Autorenliste, obwohl manche Forscher großes Gewicht darauf legen, immer an erster Stelle genannt zu werden. Andere gehen immer in alphabetischer Reihenfolge vor –«

»Besonders wenn ihre Namen mit einem der ersten Buchstaben des Alphabets anfangen! Wie A oder C!« Staffords Ausbruch überraschte Celestine.

»Jerry! Das ist nicht fair! Jeans Name erscheint immer an

letzter Stelle, wenn sie zusammen mit ihren Studenten veröffentlicht.«

»Na schön, aber bei uns im Labor ist das anders«, brummte er. »Da geht's immer nach dem Alphabet.« Dies war im Grunde der einzige Zankapfel in Cantors Gruppe. Dem Labortratsch zufolge hatte noch nie ein Allen oder Brown bei Cantor gearbeitet. Zwar hatte es einmal einen Austauschstipendiaten aus Prag gegeben, der Czerny hieß, aber das war die nächste alphabetische Nähe zu »Cantor«, an die man sich erinnerte, bis im letzten Jahr Doug Catfield aufgetaucht war.

»Ich möchte euch dreien etwas gestehen, aber versprecht mir, es nicht weiterzusagen.« Jean Ardley hatte sich wieder beruhigt und lächelte versöhnlich. »Es ist durchaus etwas dran an dem, was Sie über die alphabetische Auflistung gesagt haben, Doktor Stafford. Gegen Ende meines Studiums an der Brown-Universität – ich war eine sehr ehrgeizige Studentin, geradezu unangenehm ehrgeizig – paßte ich ganz genau auf, wo mein Name einmal stehen würde. Natürlich hatte ich damals noch nie etwas veröffentlicht; ich hatte noch nicht einmal beschlossen, wo ich promovieren wollte. Zum Entsetzen meines Vaters verkündete ich eines Tages, daß ich meinen Namen von Jean Yardley in Jean Ardley ändern würde. Einfach so!«

»Das haben Sie gemacht?« stotterte Stafford.

»Ja. Ich bin ins Gerichtsgebäude gegangen und habe es amtlich gemacht. Ich habe dem Richter gesagt: ›Man muß immer der Erste sein, das ist schon seit Urzeiten so!‹ Statt zu fragen, woher ich das wüßte, brach er in schallendes Gelächter aus. Das Komische ist nur, daß der ganze Aufwand völlig unnötig war. Am Ende bin ich nämlich in Brown geblieben. Alle drängten mich, woanders hinzugehen. Ihr wißt ja, wie es in den amerikanischen Naturwissenschaften ist: Wir haben solche Angst vor Inzucht, daß wir unseren Studenten immer empfehlen, woanders zu promovieren. Aber ich wollte eine Frau als Vorbild haben, und Brown war eine der ganz wenigen amerikanischen Universitäten, die eine Professorin für Organische Chemie hatten, nämlich Caitlin Barker. Also habe ich mich für sie entschieden.«

»Gut, daß Sie Ihren Namen geändert hatten«, sagte Stafford. »Sonst hätten Sie als Barker und Yardley veröffentlicht.«

»Falsch. Deshalb habe ich ja gesagt, daß ich bei Yardley hätte bleiben können. Frau Professor Barker setzt ihren Namen nämlich immer an die letzte Stelle. Und ich mache es seither genauso. Ich finde, die jüngeren Mitarbeiter und Studenten zuerst zu nennen, ist eine nette Geste der Ermunterung und sogar der Wertschätzung. Also wird es in *PNAS* Price und Ardley heißen.«

Leah mischte sich aus ihrer Ecke der Couch ein. »Danke, daß Sie mir das alles erklärt haben. Aber warum können Sie Ihre Abhandlung nicht selbst bei dieser Zeitschrift einreichen?«

»*PNAS* ist die einzige Fachzeitschrift, bei der man das nicht kann. Um dort zu veröffentlichen, muß man Mitglied der amerikanischen Akademie der Wissenschaften sein oder ein Mitglied finden, das den Artikel für einen einreicht und sozusagen für den Inhalt bürgt.«

»Und Sie sind nicht Mitglied der Akademie?«

»Soll das ein Witz sein?«

»Wieso denn? Sind Frauen etwa nicht zugelassen?«

Jean Ardley zuckte die Achseln. »Oh, *zugelassen* sind sie schon. Bei der letzten Zählung waren unter den 1610 Mitgliedern 50 Frauen, davon eine in der Sektion Chemie. Ich wette, daß alle 50 das Klimakterium bereits hinter sich haben.« Sie fing sich gerade noch. »Das war eine gehässige Bemerkung. Ich hätte das nicht sagen sollen. Die Männer sind genauso alt; ihr Durchschnittsalter muß in den Sechzigern liegen. Aber irgendwann schaffe ich es schon. Das ist vermutlich einer der Gründe, weshalb ich keine Kinder habe; ich möchte nämlich gern das jüngste weibliche Mitglied der Akademie werden. Dann reiche ich unsere Veröffentlichungen selbst bei *PNAS* ein. Und warum finde ich mich bis dahin mit diesem Snobismus ab?«

Leah grinste. »Weil Sie im Grunde Ihres Herzens selbst ein Snob sind.«

»Genau! Aber sind wir das denn nicht alle?«

Stafford saß noch immer am Tisch, das Kinn auf die gefalteten Hände gestützt. Er hatte aufmerksam zugehört und kein einziges Mal gelächelt. »Was brauchen Sie Ihrer Meinung nach, um in die Akademie zu kommen?«

Jean Ardleys Antwort war voller Sarkasmus: »Oh, mehrere Allatostatine, einen erfolgreichen Viruseinbau oder zwei, einen Beweis, daß diese Idee in der Praxis tatsächlich funktioniert . . . ein paar Auszeichnungen oder Preise . . . viele Gastvorlesungen halten . . . eine Menge veröffentlichen . . . und dann zwei Mitglieder der Akademie finden, vorzugsweise zwei ganz illustre, die meine Nominierungsunterlagen vorbereiten und unterschreiben.«

»Jean, warum gibt es so wenig Frauen in der Akademie der Wissenschaften?« fuhr Leah fort.

»Aus dem gleichen Grund, weshalb unter den 171 Mitgliedern der Sektion Chemie nur eine einzige Frau ist –«

»Sie scheinen die Zahlen ja ganz genau zu kennen«, bemerkte Stafford.

»Ich wollte meine Chancen abwägen.« Sie wandte sich an Leah. »Bis jetzt haben nur sehr wenig Frauen einen Lehrstuhl in Chemie an den führenden Universitäten. Keine in Harvard, keine in Princeton, keine in Yale, eine in Stanford. Und von dort werden die Mitglieder gewählt. Sie kommen nicht aus Idaho oder Kentucky.«

»Mir war gar nicht bewußt, daß es in der Chemie so wenig Frauen gibt«, meinte Leah nachdenklich. »In meinem Fach ist das ganz anders.«

»Ich habe nicht gesagt, daß es in der Chemie so wenig Frauen gibt, sondern nur, daß dies an der Spitze der Fall ist. Heutzutage sind fast ein Viertel unserer Doktoranden Frauen. Ich habe selbst drei in meiner Gruppe. Aber jetzt wollen wir etwas über Ihr Gebiet hören, Leah. Bis jetzt scheine nur ich geredet oder sogar doziert zu haben. Sie hatten versprochen, mir etwas über Dialogismus zu erzählen.«

»Na schön. Ich habe darüber nachgedacht, welches Instrument aus meinem kritischen Werkzeugkasten ich bei Ihnen anwenden soll.«

Stafford stand auf. »Würdet ihr mich bitte entschuldigen? Ich bin völlig groggy. Ich hau mich in die Falle.«

»Soll das heißen, daß Sie nichts über Dialogismus erfahren wollen?« Jean Ardley klang erstaunt.

»Ich habe Leah schon Metadiskurs und Bachtinischen Dialogismus und die Semiotik des Genus und der Metapher und Metonymie erläutern hören.« Stafford klang leicht hysterisch. »Das ist eine der obligatorischen Nebenleistungen, wenn man hier wohnt.« Er gab Leah einen Stubs, als er am Sofa vorbeiging.

»Halt!« sagte Leah und packte ihn am Ärmel. »Setz dich wieder hin. Diese Erläuterung hast du noch nicht gehört; sie könnte dir was nützen. Eigentlich könnte sie euch allen was nützen. Kann's losgehen?«

»Na gut«, sagte Stafford mit einem gespielten Stöhnen, »aber mach's kurz. Der Metadiskurs hat nämlich eine Neigung, zum Maxidiskurs auszuarten.« Er setzte sich auf die Armlehne des Sessels und fuhr mit der Hand durch Celestines kurzes Haar.

»Bleib da«, sagte sie und sah liebevoll zu ihm auf. »Und benimm dich.«

Leah war besänftigt. »Gestatten Sie mir, eine Dekonstruktion Ihrer Pronomen zu liefern.«

»Erst Bachtinischer Dialogismus und jetzt ›Dekonstruktion‹?«

»Aber, aber, Frau Professor Ardley! Sie haben noch nie von Michail Bachtin gehört, dem berühmten Russen« – Stafford ließ das R übertrieben rollen –, »dem Literaturtheoretiker, dem Vater des Dialogismus, der derzeit bei der amerikanischen Elite ganz groß in Mode ist? Wirklich, Frau Professor Ardley, ich bin erstaunt! Celly und ich wissen alles über ihn. In diesem Haus fällt Bachtins Name mindestens zweimal am Tag.«

Leah warf ihm einen nachsichtigen Blick zu. »Bedaure, Jerry, diesmal bekommt ihr einen Franzosen serviert, Derrida. Aber der Stammbaum dieses Begriffs tut nichts zur Sache. Frau Professor Ardley«, fuhr sie im gleichen spaßhaften Ton wie Stafford fort, »nachdem Sie nun die Beschreibung Bachtins in zwanzig Sekunden gehört haben, darf ich Ihnen die Erläuterung der Dekonstruktion in fünf Sekunden geben:

Sie deckt Bedeutungen auf, die in der Sprache einer Person verborgen oder ›verdrängt‹ sind.« Leah nahm ihre Finger zu Hilfe, um die Anführungszeichen in die Luft zu malen. »Ich weiß, das hört sich wie ein Vortrag an, aber laßt mich mal dekonstruieren, worüber ihr Naturwissenschaftler den ganzen Abend geredet habt.« Sie sah ihre drei Zuhörer der Reihe nach an, um ihre Aufmerksamkeit ganz auf sich zu lenken.

»Jean, als Sie vorhin über Ihr Insektenprojekt gesprochen haben, über die Frage des Hauptautors und darüber, warum Sie es für angebracht halten, daß eine Professorin der Chemie ihren Namen unter einen Aufsatz setzt, haben Sie immer ›wir‹ gesagt.«

»Was hätte ich sonst sagen sollen?«

»Was spricht gegen die erste Person Singular?«

»Aber wir« – sie ertappte sich und zuckte zusammen – »benutzen sie in der Naturwissenschaft nie. Wir sind angewiesen, sie in einem wissenschaftlichen Aufsatz oder Vortrag niemals zu benutzen. Selbst dann nicht, wenn es gar keine Mitarbeiter gibt.«

»Aber um wen handelt es sich bei diesem ›Wir‹? Wen sprechen Sie damit an? Eine ideale wissenschaftliche Gemeinschaft? Oder handelt es sich um den Pluralis majestatis von Präsidenten oder Politikern oder Herausgebern? Ich bezweifle, daß es sich so einfach verhält. Mir scheint, daß das Wesen dieses ›Wir‹ vom Publikum abhängen muß. Wenn es sich um einen Vortrag handelt, haben Sie vermutlich ein breites Spektrum von Zuhörern vor sich, das von Ihren Mitarbeitern, also Ihren diversen Celestinen, und Studenten bis hin zu Ihren Standeskollegen reicht. Ihrer Celestine wollen Sie vor aller Welt klar zu verstehen geben, daß Sie ihren Beitrag anerkennen. Aber wie verhält es sich bei dem Star in der ersten Reihe, der Sie eines Tages für die Wahl der Akademie der Wissenschaften nominieren soll? Derjenige, der genau wissen soll, daß in Wahrheit Sie der Hauptautor sind? Ich wette, daß das ›Wir‹ in diesem Fall etwas anderes bedeutet. Hier heißt das ›Wir‹ doch eindeutig: ›Lassen wir dem Pöbel sein Vergnügen; Sie und ich wissen schließlich, daß es sich in Wahrheit um *meine* Idee handelt.‹«

»Moment mal, Leah! Das ist nicht fair.«

Leah hob die Hand hoch. »Bitte, Jean, nehmen Sie das nicht persönlich. Angenommen, hier fände wirklich ein Vortrag vor Publikum statt und mit ›Wir‹ meinten Sie tatsächlich *wir*. Wie würden die einzelnen Zuhörer Ihr ›Wir‹ wohl interpretieren? Schriftlich ist alles natürlich noch viel schwieriger, weil Sie die exakte Zusammensetzung Ihrer Leserschaft ja nicht kennen. Sie wechselt ständig. Genau das ist das Tolle an diesem ›Wir‹: Wie es aufgefaßt wird, hängt von dem Beitrag der Zuhörer zu Ihrer Arbeit ab ... und von *Ihrem* Beitrag zu *ihrem* Beitrag. Habe ich mich klar ausgedrückt?«

Celestine war mucksmäuschenstill gewesen, während ihre Augen wie bei einem Tennismatch zwischen ihrer Professorin und Leah hin und her gingen. Jean Ardley brach schließlich das Schweigen: »Aber das sind doch nur Worte. In der wirklichen Welt ist es anders. Da *wissen* wir alle, was wir meinen.« Sie runzelte die Stirn. »Sagen Sie, was hat Sie dazu bewogen, dieses Gebiet der Kritik zu wählen?«

»Das ist nicht über Nacht passiert. Im zweiten Jahr an der Universität habe ich im Hauptfach von Englischer Literatur auf Feministische Studien umgesattelt. Mein Vater ist fast in die Luft gegangen. ›Wie willst du dir damit deinen Lebensunterhalt verdienen?‹ hat er gefragt. ›Das ist ja noch schlimmer als Englische Literatur.‹«

»Was haben Sie darauf geantwortet?«

Leah zuckte die Achseln. »Nichts Weltbewegendes. Ich habe ihm gesagt, daß es eigentlich um Machtstrukturen geht. Die aufregendste Bewegung der zeitgenössischen kritischen Theorie ist im Moment der poststrukturelle Feminismus. Darauf konzentriere ich mich in meiner Dissertation. Virginia Woolf und Dialogismus sind genau das Richtige für mich. Wir werden ja sehen, wer den besseren Universitätsjob bekommt, Celly oder ich.«

»Ist das nun die erste Person Plural oder eine andere Form des Pluralis majestatis?« fragte Jean Ardley. »Vergessen Sie es«, fügte sie rasch hinzu, »es war nur eine alberne Frage.«

Leah sah sie lange an. »Eigentlich gar nicht.«

hinterlassen, als er erwartet hatte. Seither hatte er Cantor ständig mit Celestines Professorin verglichen.

»Kommen Sie, gehen wir. Zeigen Sie mir die Ergebnisse.« Cantor eilte aus seinem Büro, durch das Vorzimmer seiner Sekretärin und hinaus auf den Korridor. Er drehte sich um, um zu sehen, ob Stafford folgte, und rannte in seiner Eile gegen einen Trockeneisbehälter. »Schauen Sie sich diesen Korridor an!« rief er aus. »Wir sollten etwas gegen dieses Durcheinander unternehmen.«

»Aber was?« sagte Stafford kaum hörbar.

Für einen, der gerade ein einschneidendes Experiment abgeschlossen hatte, wirkte Stafford bemerkenswert gedämpft, ja sogar reizbar. Im Korridor herrschte tatsächlich ein heilloses Durcheinander, aber kein größeres als in den meisten Gängen des Gebäudes der Biowissenschaft. Der Wirrwarr von Geräten ließ nur selten zu, daß zwei Personen nebeneinander gingen. Kühlzentrifugen, kunterbunt abgestellte Stickstoff-, Helium- und Sauerstoffflaschen, zwei Gefrierschränke, die Zellkulturen enthielten, der Trockeneisbehälter, mit dem Cantor soeben kollidiert war – all dies waren nur einige der Dinge, die den Brandschutzbeauftragten bei seinen regelmäßigen Inspektionen Zustände bekommen ließen. Aber Cantors Gedanken waren bereits weitergeeilt. »Zeigen Sie mir die Szintillationszähler-Ergebnisse, zeigen Sie mir . . .«

Die Liste ging weiter, aber Stafford hatte das meiste vorausgeahnt. Alle Daten lagen zur Prüfung durch den Professor bereit. Tatsächlich waren derart viele Papiere und Diagramme auf dem Schreibtisch aufgetürmt, daß Cantor nicht einmal nach Staffords Laborbuch fragte. Der überquellende Schreibtisch mit seinen unordentlich aufgestapelten Blättern und Ausdrucken und Xeroxkopien von Zeitschriftenartikeln (»Die heutigen Studenten lesen nicht mehr in der Bibliothek«, klagte Cantor regelmäßig, »sie photokopieren nur noch.«) stand in auffallendem Kontrast zu dem tadellosen Labortisch. Die Röhrchen des automatischen Fraktionensammlers waren fein säuberlich beschriftet und nicht wie üblich mit Filzstift vollgekritzelt. Etwa ein Dutzend kleine Erlenmeyerkolben standen wie die Soldaten auf dem Metalltablett, das mit dem gelben Warnschild RADIOAKTIV gekennzeichnet war. Sogar die Plastikhandschuhe neben dem Tablett waren sorgfältig ausgelegt, als ob noch die Finger drin wären.

Stafford ging mit Cantor rasch die entscheidenden Werte durch – besonders die Szintillationsimpulse, die mit den radioaktiv markierten Proteinen zusammenhingen. Der Professor war hocherfreut. »Wir werden darüber eingehend in *Nature* berichten.«

»Nicht in *PNAS*?« Stafford war überrascht.

»Nein. Ich möchte die Sache zeitlich etwas staffeln. Zunächst nur ein Vorausbericht ohne die experimentellen Einzelheiten, damit sich nicht sofort einer dranhängen kann. *Nature* ist genau das Richtige dafür.« Es stimmte; *Nature*, ein Wochenblatt, war eine der beiden meistgelesenen Fachzeitschriften der Welt für Vorausberichte über mit der Biologie verwandte Themen. Watsons und Cricks erste Veröffentlichung des Doppelhelixmodells der DNA hatte eine einzige Seite in *Nature* eingenommen.

»Wenn das so ist, warum dann nicht *Science*? Warum das Manuskript den ganzen Weg nach London schicken? In Washington wäre es schon am nächsten Tag.«

»Kommen Sie mit in mein Büro.« Cantor gestattete sich eine seltene Geste körperlicher Vertraulichkeit: Er legte Stafford den Arm um die Schultern. »Jerry, Sie wissen, daß ich kein Geheimniskrämer bin. Aber in diesem Fall möchte ich so wenig Vorwarnung wie möglich haben. Ich will . . . ein Feuerwerk, eine Explosion aus heiterem Himmel! Wissen Sie, wie schwer es ist, so etwas zustande zu bringen? Wenn wir diese Sache an *Science* geben, bin ich absolut sicher, daß Krauss einer der Gutachter sein wird. Jedenfalls würde ich mit Sicherheit bei ihm Rat suchen, wenn ich der Chefredakteur wäre. Ich möchte Kurt überraschen – die Theorie hat er schließlich schon gehört; er hat mich ja geradezu herausgefordert, sie experimentell nachzuweisen. Und *wir* haben das in knapp drei Monaten geschafft!«

»Was ist denn los mit Ihnen, Jerry?« Cantor lächelte seinen Schüler an. »Sie müßten eigentlich Freudensprünge machen. Statt dessen sitzen Sie da wie ein Trauerkloß.«

»Ich glaube, ich bin nur völlig groggy. Sie wissen ja, wie hart ich gearbeitet habe.«

»Natürlich, Jerry. Aber natürlich! Jetzt schlafen Sie sich erst einmal richtig aus, und morgen machen Sie die beiden Tabellen fertig, die die Werte der Radioaktivität und der magnetischen Kernresonanz zusammenfassen. Ich schreibe den Artikel noch heute abend. Danach können wir den Text gemeinsam durchgehen.«

»Danke. Ich kann Schlaf gebrauchen. Aber Sie haben mir noch nicht zu Ende erzählt, warum Sie unseren Artikel nicht in *Science* erscheinen lassen wollen. Nur weil Krauss der Gutachter sein könnte?«

»Nein, das wäre kindisch. Ich weiß, daß ich Dan Koshland – das ist der Chefredakteur – jederzeit schreiben und ihn bitten könnte, ihn nicht an Krauss zu schicken. Vermutlich würde er mir diesen Gefallen tun. Ein Feuerwerk, Jerry! Bei einem Artikel wie dem unseren läßt bestimmt einer der Gutachter etwas durchsickern. *Nature* ist in London. Da ist es unwahrscheinlich, daß sie ihn an einen amerikanischen Gutachter schicken. Außerdem sind die Engländer diskreter. Aber bei etwas derart Außergewöhnlichem kann man nie wissen.«

Stafford genoß diese Gespräche mit I. C.; aus ihnen lernte er einiges über die Geldbeschafferei und nun auch über die Gutachterei – Einblicke, wie man sie üblicherweise nur durch bittere Erfahrung erwirbt. Und er erhielt sie von einem Meister, einem Mann, der bei diesem Spiel gegen die Besten antrat, und das seit fast drei Jahrzehnten. Das Krebsprojekt und die Zellmembranproteine waren nur der jüngste Triumph. Davor hatte Cantor schon den Lasker-Preis für seine Arbeit über den Stoffwechselabbau von Beruhigungsmitteln erhalten. Und dann waren da seine Untersuchungen über Zellmembranstrukturen – »Es gibt keine Zelle ohne Membran«, wie er gern sagte –, die noch immer von einigen Leuten im Labor weitergeführt wurden. Cantors jahrzehntelange Beschäftigung mit diesem Thema hatte ihn ja erst auf die Krebsfrage gebracht. Doch in seinem letzten Antrag auf Forschungsmittel des National

Cancer Institute hatte er das Tumorgeneseprojekt nicht einmal erwähnt.

»Das Problem ist, Jerry, daß man ohne Geld – und zwar viel Geld – heutzutage keine ernsthafte Forschung betreiben kann; überlegen Sie nur einmal, was es gekostet hat, die Geräte zu beschaffen, die Sie benutzen. Wenn man einen Antrag auf Forschungsmittel einreicht, sitzt fast die ganze Konkurrenz in dem Ausschuß, der den Antrag prüft«, hatte Cantor erläutert. »Das ist wie mit den Zeitschriftengutachtern, nur daß diese Leute sich mit Ideen befassen und nicht mit einem abgeschlossenen Projekt. Ich sage nicht, daß sie unehrlich sind. Ich glaube nicht, daß *ich* das war, als ich diese Tätigkeit sechs Jahre lang ausgeübt habe. Aber derart zeitraubende Aufgaben übernimmt man nicht einzig und allein aus *noblesse oblige*, aus einer Art intellektueller Philanthropie sozusagen. Da ist immer auch ein gewisser Eigennutz mit im Spiel, dessen wichtigste Komponente es ist, als erster Zugang zu den letzten Neuigkeiten zu haben. Es läßt sich nicht verhindern, daß man das, was man gelesen hat, im Gedächtnis behält, und nach einiger Zeit, sagen wir einige Monate oder auch nur Wochen später, vergißt man, wo man es zum erstenmal gesehen hat und denkt allmählich, es sei die eigene Idee. Daher teilen ihnen die wahren Kenner nicht alles mit; sie schreiben in ihre Anträge weitgehend das, was sie bereits gemacht, aber noch nicht veröffentlicht haben. Nur Anfänger, die noch nie Zuschüsse bekommen haben, müssen alle Karten auf den Tisch legen. Mehr haben sie ja nicht. Es ist die übliche Geschichte; wer hat . . .«

Am Ende war ihre Wahl der Zeitschrift ohne jede Bedeutung. So wie Jean Ardley bei Yardley hätte bleiben können, hätte Cantor sich seine Befürchtungen bezüglich einer vorzeitigen Freigabe ersparen können. »Eine allgemeingültige Theorie der Tumorgenese«, von I. Cantor und J. P. Stafford, durchlief das Redaktionsverfahren von *Nature* ohne förmliches Gutachten. John Maddox, der Chefredakteur von *Nature*, war zwar Physiker von Beruf, hatte jedoch eine Nase für Sensationen auf jedem Gebiet. Das ging auf seine frühere Tätigkeit als

Wissenschaftsredakteur des *Guardian* zurück, wo er viel über Naturwissenschaften und über wissenschaftliche Praktiker gelernt hatte. Am Tag nachdem der Eilbrief aus Amerika in London eintraf, wartete ein Bote aus Maddoxs Büro im *National Institute for Medical Research* in Mill Hill, während einer von Maddoxs wissenschaftlichen Gewährsleuten das kurze Manuskript las. Seine kernige Anmerkung – »Veröffentlichen!« – genügte. Noch am gleichen Abend telephonierte Maddox mit Cantor. »Professor Cantor, normalerweise umgehen wir das Gutachterverfahren ja nicht. Schließlich dient es nicht nur unserem eigenen Schutz, sondern auch dem des Autors. Aber Ihr Artikel ist etwas Besonderes. Wenn es stimmt –«

»Was soll das heißen: ›Wenn es stimmt‹?« explodierte Cantor.

Maddox sprach ruhig weiter: »Ich will damit nur sagen, daß das ein Experiment ist, das von allen möglichen Leuten überprüft werden wird. Aber bevor das geschehen kann, werden Sie Ihre ausführliche Abhandlung woanders veröffentlichen müssen. Wir haben nicht genügend Platz für die experimentellen Einzelheiten. Wenn Ihr Experiment bestätigt wird, ist das ein sensationeller Fortschritt. Wenn nicht . . .« Er brauchte den Satz nicht zu Ende zu führen. Cantor kannte das Fassungsvermögen der Mülltonne, in der die aufgegebenen Hypothesen und angezweifelten Experimente aus dem Gebiet der Krebsforschung landeten.

Zehn Tage nach der Ankunft des Manuskripts in London erschien ihr Artikel im Druck, eine Tatsache, die einigen von Cantors Kollegen nicht entging, die gewöhnlich Monate warteten, bevor ihre Aufsätze herauskamen. In einer Fachzeitschrift, die auf Erstveröffentlichungen ebenso sensibel reagiert wie die Wissenschaft, tragen Artikel immer auch das Datum des Tages, an dem das Manuskript in der Redaktion einging. In den Vereinigten Staaten und in England ist die Zeitspanne, die bis zum Erscheinen eines Aufsatzes vergeht, direkt proportional der Anzahl der Hürden, die die Gutachter errichten. Denn dies ist ein Bereich, in dem Leistung zählt, wo es selbst Koryphäen passieren kann, daß ihre Manuskripte von verhältnismäßig kleinen Würstchen auseinandergenommen werden. Jeder produktive wissenschaftliche Autor, selbst ein so renommierter und sorgfältiger wie Cantor, hat schon sein Quantum an rasend machenden Auseinandersetzungen mit irgendeinem namenlosen Kritiker erlebt.

Stafford lernte, daß man die Wahl des Gutachters häufig zu seinen Gunsten beeinflussen konnte. Häufige Nennung der Arbeit eines anderen Wissenschaftlers in der Bibliographie der eigenen Abhandlung veranlaßte den Redakteur höchstwahrscheinlich, diese Person als besonders geeigneten Gutachter auszuwählen. Wenn man die Arbeit des potentiellen Gutachters als »elegant«, »zum Nachdenken anregend« oder einfach nur als »fundiert« einstufte, prüfte er den entsprechenden Aufsatz aller Wahrscheinlichkeit nach wesentlich milder. »Schmeicheln hilft immer«, riet Cantor.

Er war voller derartiger Weisheiten für angehende Akademiker. »Beleidigen Sie niemals einen Gutachter in Ihrer schriftlichen Widerlegung, und wenn seine Kommentare noch so dumm sind.«

Cantor erzählte nie Witze — zumindest nicht vor seinen Studenten —, aber er steckte voller Anekdoten. Darunter die über den *pli cacheté*, mit der er plötzlich aufwartete, um die Wurzel des Veröffentlichungsproblems darzulegen: den Wunsch nachzuweisen, daß man der erste war. »Das beschäftigt uns alle doch laufend«, gestand Cantor. »Wenn ich erfahren würde, daß jemand vor einem Monat oder gar nur vor drei Tagen einen Artikel über eine ähnliche Theorie der Tumorgenese bei einer so obskuren Zeitschrift wie *Neoplasma* oder dem *Japanese Journal of Medical Science* eingereicht hat, wäre ich fuchsteufelswild. Nun stellen Sie sich den Konflikt vor, in dem sich jemand befindet, der die Erstveröffentlichung nachweisen und gleichzeitig seine Arbeit geheimhalten will.«

»So wie wir?« fragte Stafford.

»Ich bitte Sie! Nur weil wir zunächst eine Mitteilung ohne experimentelle Einzelheiten veröffentlichen? Ich mache das Ganze bei *Nature* doch nicht nur um der Geheimhaltung willen. Ich mache es aus« – er suchte nach dem richtigen Wort, aber es fiel ihm nicht ein – »nennen wir es Public Relations. Wie oft kann ein Wissenschaftler in seinem Leben schon eine Bombe wie diese – ein wichtiges Problem, das vollständig gelöst wurde – bei jemandem wie Krauss einschlagen lassen? Ich will einfach den größtmöglichen ... Effekt erreichen bei den Leuten, die wirklich zählen. Nein, wenn ich von einem Konflikt spreche, dann spreche ich von Leuten, denen daran liegt, ihre Ergebnisse vor den anderen Wissenschaftlern tatsächlich geheimzuhalten und dennoch die Erstveröffentlichung nachzuweisen, falls die Konkurrenz zuerst publizieren sollte.«

Stafford war verdutzt. »Wie um alles in der Welt sollte das denn gehen?«

»Heute geht das zum Glück nicht mehr«, erwiderte Cantor, »weil es in völligem Gegensatz zu dem steht, was man mit den Ergebnissen der eigenen wissenschaftlichen Arbeit machen sollte: Man schöpft aus einem gemeinsamen Wissensreservoir, und zu dem sollte man lieber auch wieder etwas beisteuern. Aber noch vor wenigen Jahrzehnten, sogar noch in meiner Studienzeit, ging das bei einigen europäischen Fachzeitschriften. Es gab da einen Trick, den sogenannten *pli cacheté*.«

Stafford runzelte die Stirn. »Einen was? Was heißt das?«

»Das ist französisch und heißt ›versiegelter Umschlag‹, richtig versiegelt mit rotem Wachs oder etwas Ähnlichem. Das bedeutete, daß ein Artikel eingereicht werden konnte, so daß der Redakteur ihn bei Eingang mit dem Datum versah, ihn jedoch nicht öffnete, bevor der Autor darum bat, das Manuskript das übliche Redaktionsverfahren durchlaufen zu lassen. Der Autor eines *pli cacheté* bat im allgemeinen erst dann darum, wenn ein Konkurrent das gleiche Material veröffentlicht hatte oder veröffentlichen wollte. Natürlich erschien sein eigener Artikel aller Wahrscheinlichkeit nach später, aber er trug das ursprüngliche Eingangsdatum des *pli cacheté* und wies damit die zeitliche Priorität nach.«

»Was für Leute haben das gemacht?« fragte Stafford.

»Alle möglichen. Sogar Nobelpreisträger. Ich erinnere mich da an einen Artikel über Blumenessenzen in *Helvetica*

Chimica Acta von Leopold Ruzicka, der kurz vor dem Zweiten Weltkrieg den Nobelpreis für Chemie bekam. Eine faule Sache in der Parfumbranche hat die Redaktion dieser Schweizer Zeitschrift schließlich davon überzeugt, das *pli cacheté*-System abzuschaffen.«

Cantor war aufgestanden und ging hin und her, die eine Hand in der Tasche des Labormantels, so wie Stafford es vom Besuch seiner Vorlesungen kannte.

»Gerüchten zufolge hat irgendwann Ende der vierziger Jahre ein Chemiker aus der Forschungsabteilung einer Schweizer Parfumfirma zwei *plis cachetés* gleichzeitig eingesandt, die zwei verschiedene Lösungen für das gleiche Problem enthielten. Der Mann war nicht sicher, welche die richtige war, aber er meinte, daß er auf diese Art und Weise nicht schiefliegen könne. Falls ein anderer einen Artikel veröffentlichen sollte, der eine der beiden möglichen Schlußfolgerungen eindeutig bestätigte, wollte er den Redakteur einfach bitten, den Umschlag mit der richtigen Antwort zu öffnen. Dann konnte er für diese Arbeit die Priorität geltend machen, obwohl er das Problem eigentlich gar nicht gelöst hatte.«

»Nun hören Sie aber auf, I. C.!« rief Stafford aus. »Ich glaube einfach nicht, daß jemand so etwas probiert hat. Woher wissen Sie, daß das tatsächlich passiert ist?«

»Ich weiß es zwar nicht aus erster Hand«, räumte Cantor ein, »aber ich habe die Geschichte aus zuverlässiger Quelle erfahren. Anscheinend öffnete der Redakteur versehentlich den falschen Umschlag und entdeckte, was da geplant gewesen war. Das war das letzte Mal, daß diese Zeitschrift einen *pli cacheté* annahm.« Cantor blieb vor Stafford stehen. »Was hat mich bloß auf das *pli cacheté*-System gebracht? Hoffentlich war es kein unbewußter Wunsch meinerseits.« Cantor lachte in sich hinein. »Übrigens hatte der *pli cacheté* auch durchaus seine Berechtigung: Er half Leuten, die etwas patentieren lassen wollten. In Europa konnte man, wenn man seine Arbeit vorher veröffentlicht hatte, seine Entdeckung nicht patentieren lassen. Folglich reichte ein Erfinder seine Arbeit gelegentlich in Form eines *pli cacheté* ein und veröffentlichte sie erst, wenn sein Antrag vom Patentamt zugelassen worden war.

Ein klassischer Fall, auf zwei Hochzeiten gleichzeitig zu tanzen.«

»Haben Sie schon mal etwas patentieren lassen, I. C.?«

Cantor war bei seinem rastlosen Hin- und Hergehen gerade an Staffords Stuhl vorbeigekommen. Nun blieb er stehen und führte eine Pirouette aus, um der Frage frontal zu begegnen. »Einmal. Aber ich finde die Idee, eine an einer Universität gemachte Arbeit patentieren zu lassen, ziemlich geschmacklos. Ich weiß, daß das als altmodisch gilt, und ich bin bestimmt in der Minderheit. Und vermutlich ist auch nichts Unlauteres oder Ungesetzliches daran, seine eigene Entdeckung patentieren zu lassen; nur daß sich dabei eine wahre Pandorabüchse auftut. Nicht nur das offensichtliche Problem: die Konzentration auf den finanziellen Aspekt bis hin zur Vernachlässigung der eigenen Forschung. Noch heikler wird es bei der Zuerkennung des Verdiensts, was noch schwieriger ist als die Entscheidung, wer Mitautor eines Artikels sein soll...« Er sah mit einem schiefen Lächeln auf Stafford hinunter. »Wissen wir denn nicht alle, welche Ressentiments das auslösen kann? Im Falle von Patenten ist es noch viel schlimmer: Man teilt ja nicht nur Ruhm zu. Hier kann es um größere Summen gehen.«

Stafford war neugierig. Cantor hatte mit ihm – oder auch anderen Studenten, was das betraf – noch nie über seine Einstellung zur wissenschaftlichen Anerkennung und Priorität gesprochen. Indirekt vielleicht, aber nicht ganz so offen. Und über Geld? Dieses Thema war nie aufgekommen, obwohl Cantors Studenten oft über die Quelle seines Einkommens spekulierten. Seine Patek-Philippe-Armbanduhr, seine BMW-Limousine, die Seidenkrawatten im Labor – sogar der goldene Mont-Blanc-Füllfederhalter, den er so bewußt aufschraubte, wenn andere Wegwerfkugelschreiber benutzten –, all das deutete auf finanzielle Mittel hin, die in keinem Verhältnis zu dem von einer Universität im Mittleren Westen gezahlten Professorengehalt standen.

»Aber Sie haben doch etwas patentieren lassen, I.C. Warum haben Sie eine Ausnahme gemacht?«

»Ich habe keine Ausnahme gemacht. Einige Jahre bevor

Sie herkamen, haben wir ein neues Zellenzählgerät entwikkelt. Der Patentanwalt der Universität hatte davon gehört und meinte, daß es in klinischen Labors eine Menge Geld einbringen würde. Darum bestand er darauf, daß wir ein Patent anmeldeten.« Cantor zuckte die Achseln. »Es hat tatsächlich einiges an Tantiemen eingebracht. Wir haben das Patent der Universität übertragen. Aber selbst das hat für Verstimmung gesorgt: Einer meiner Postdoktoranden war an der Erfindung beteiligt, und er war keineswegs begeistert, als ich darauf bestand, daß alle Tantiemen an die Universität gehen. Er meinte, daß es nicht fair sei, wenn ein Professor seine Maßstäbe einem Mitarbeiter aufzwingt. Wie denken Sie darüber, Jerry?«

Stafford fuhr zusammen. »Sie meinen, über das Geld?«

»Nein. Über das Prinzip, daß die Maßstäbe eines Professors auch für seinen Schüler gelten.«

»Das kann ich nicht sagen«, erwiderte Stafford. »Es käme auf die Umstände an.«

10

»Himmel, hast du mich erschreckt!« rief Leah Woodeson, als sie die Wohnungstür aufschloß und Stafford erblickte, der ausgestreckt und mit einer Zeitschrift in der Hand auf dem Sofa lag. »Was machst denn du schon so früh zu Hause? Es ist ja nicht mal sechs. Sag bloß, du willst heute mit uns zu Abend essen.«

»Ich hab es abgeschlossen«, sagte er in sachlichem Ton. »Von nun an wirst du häufiger das Vergnügen mit mir haben. Du wirst sogar begreifen, warum die hinreißende Celestine Price sich in diesen brillanten Zellbiologen verknallt hat.« Er gab Leah ein Zeichen. »Komm, erzähl mir, was du so getrieben hast.«

»Nanu, du bist ja wie umgewandelt, Jerry! So gelöst, sogar höflich! Was hast du denn endlich abgeschlossen?«

»Das, was ihr zwei unverschämterweise mein supergeheimes Experiment genannt habt. Es ist fertig; I. C. schreibt heute abend den eingehenden Bericht darüber. Morgen gehe ich ihn mit ihm durch, und dann schickt er ihn an eine Fachzeitschrift. Er hat sich eine in England ausgesucht, damit niemand hier etwas davon erfährt, bis er tatsächlich im Druck erschienen ist.«

Leah schüttelte den Kopf. »Ihr Wissenschaftler! Erst reißt ihr euch den Arsch auf, schuftet Tag und Nacht, und dann könnt ihr in ein paar Stunden einen eingehenden Bericht über das Ganze schreiben. Ich habe nichts, worüber ich einen ›eingehenden Bericht‹ schreiben könnte. Bei mir ist es so, daß ich erst dann weiß, was ich über ein bestimmtes Thema denke, wenn ich darüber geschrieben habe. Und selbst dann würde ich es erst einsenden, nachdem ich es meinen Freunden, meinem Berater gezeigt hätte. Und wenn ich es eingesandt hätte, würde es Monate dauern, bevor die Zeitschrift es annimmt – falls sie es überhaupt annimmt –, und danach ein bis zwei Jahre, bevor es herauskäme. Aber was ich dabei wirklich nicht kapiere, ist, warum ihr es so wahnsinnig eilig habt, eure Arbeit in Druck zu geben, und trotzdem immer noch so geheimnisvoll tut. Kennst du denn nicht die lateinische Wurzel *publicare*, ›allgemein bekanntmachen‹? Was *wollt* ihr Wissenschaftler eigentlich?«

»Sei nicht so krittelig, Leah.« Er gab ihr einen Klaps mit der Zeitschrift. »Es ist nur noch ein paar Wochen lang ein Geheimnis. Ich glaube, I. C. will Krauss in Harvard und ein paar anderen Koryphäen imponieren.«

»He, was liest du denn da?« rief Leah aus, als sie die Zeitschrift in seiner Hand genauer betrachtete. »Meine *London Review of Books*? Was hat dich denn gepackt, Herr Dr. Stafford?« Sie strich sich das Haar zurück, das ihr über die Augen gefallen war. Diese Bewegung war einer ihrer häufigsten Manierismen und hatte Stafford veranlaßt, sie einmal zu fragen, warum sie sich das Haar nicht kurz schneiden ließ. »Das versteht ihr Wissenschaftler nicht«, hatte sie geantwortet. »Schriftsteller brauchen etwas, um ihre Hände zu beschäftigen, wenn sie nicht schreiben. Deshalb rauchen so viele von ihnen. Ich rauche nicht, also mache ich eben das.« Er hatte nur genickt und das Thema nicht mehr angeschnitten. Er hatte gelernt, Leah das letzte Wort zu lassen.

Ein spitzbübisches Lächeln huschte über sein Gesicht. »Ich wollte nur wissen, auf was die Literaturkritiker derzeit stehen. Und was finde ich? Sogar ihr bringt Veröffentlichungen von Wissenschaftlern! Und obendrein von einem Nobelpreisträger, nämlich Max Perutz.«

»Im Ernst? Zeig her!«

Er deutete auf einen Artikel über Klaus Fuchs. »Ein echter Schwindler, aber ein faszinierender Artikel. Den solltest du lesen.«

»Ein Schwindler? Ich dachte, Wissenschaftler seien ein Ausbund an Wahrheitsliebe und würden niemals schummeln.«

»Fuchs hat nicht auf wissenschaftlichem Gebiet geschummelt; da nahm er es sehr genau. Er hat für die Russen in Los Alamos spioniert, während des Atombombenprojekts. Aber genug davon. Kümmern wir uns lieber um das Abendessen. Heute abend koche ich.«

»Celly, laß uns ein paar Tage wegfahren. Schau dir mal den Schnee da draußen an. Du kannst mir Langlaufen beibringen. Du hast gesagt, daß du dem Knaben aus dem Süden ein paar von den Sportarten zeigen würdest, die ihr muskelbesessenen Weiber drüben im Westen betreibt. Wie wär's, wenn wir uns das Gehirn auslüften und uns etwas Bewegung verschaffen würden?«

»Schrecklich gern, Jerry,« sagte sie und schüttelte den Kopf, »aber das wird im Bett sein müssen. Ich kann jetzt nicht weg, ich lerne gerade, wie man etwas in Viren einbaut. Jean macht es mit mir zusammen, wir lernen es gemeinsam. Ich muß mich also weitgehend an ihren Terminkalender halten.«

»Kannst du nicht wenigstens ein paar Tage freinehmen? Um meinen Triumph zu feiern?«

»Ich kann nicht weg«, sagte sie bestimmt. »*Du* konntest ja nicht einmal ein paar Stunden freinehmen, um *meinen* Erfolg zu feiern. Was sagt denn I. C. dazu? Läßt er dich überhaupt aus dem Labor raus?«

»Diesmal hat er sicher nichts dagegen. Er hat zu mir gesagt, wenn wir den Aufsatz morgen abgeschickt haben, nimmt er den Freitag vormittag frei und kommt erst am Montag wieder. Los, laß uns was unternehmen. Wir sind noch nie zwei volle Tage zusammen weg gewesen.«

»Das weiß ich ja«, murmelte sie und dachte an Graham Lufkin, der zu ihr gesagt hatte, daß sechsunddreißig Stunden – zwei Nächte und ein Tag hintereinander – eine unerläßliche Voraussetzung seien, wenn sie einen Mann gründlich kennenlernen wolle. Selbst jetzt war sie noch nicht sicher, ob an dieser Behauptung etwas dran war, aber das Wochenende in New York mit Graham war sagenhaft gewesen. »Ich kann nicht weg, Jerry. Wir sind gerade in einem sehr wichtigen Stadium unserer Arbeit. Vielleicht in ein paar Wochen.«

»Und wenn der Schnee bis dahin geschmolzen ist?«

»Dann fahren wir eben in die große Stadt und machen in Kultur. Ich habe eine Tante aus Portland, die vor kurzem nach Chicago gezogen ist. Sie hat gesagt, daß ich jederzeit bei ihr wohnen kann. Sie hat bestimmt nichts dagegen, wenn du bei mir im Bett übernachtest. Apropos Bett – wollen wir . . .?«

»Und ob wir wollen!« sagte er. »Mein Gehirn ist schon randvoll.«

»Laß uns dieses Wochenende mal was anderes machen«, sagte Cantor am Telephon. »Mir ist nach Feiern zumute. Wie wäre es mit Opus 6 Nummer 6?«

»Schon wieder Haydn? Ich dachte, du wolltest mal was anderes machen, I. C.«

»Wer spricht denn von Haydn, Sol? Ich meine Boccherini.« Cantor freute sich diebisch, daß es ihm gelungen war, Sol Minskoff, ihren ersten Geiger, reinzulegen. Sie hatten zusammen am City College in New York studiert und den Kontakt nie abreißen lassen. Minskoff war ein erstklassiger Musiker; er war sogar so gut, daß er eine Zeitlang geschwankt hatte, ob er Geiger oder Anwalt werden sollte. Die Jurisprudenz hatte gesiegt, aber ganz gleich, wo Minskoff lebte, immer hatte er ein Liebhaberquartett an der Hand. Jetzt hatte er eine florierende Kanzlei in Chicago, und als er von Cantors Zweitwohnung in der Stadt hörte, hatte er sich ihn geschnappt. Bratschisten aus Liebhaberei waren eine Rarität – besonders echte Bratschisten, im Unterschied zu enttäuschten Geigern. Von den letztgenannten gab es genug; einen zweiten Geiger für das Quartett zu finden, selbst innerhalb kurzer Zeit, war leicht.

»Ah«, meinte Minskoff, während er diesen Leckerbissen verdaute. »Boccherini. Sogar noch produktiver als Haydn. Wußtest du eigentlich, daß er Haydn, was Streichquartette betrifft, 91 zu 83 schlägt?«

»Nein, das wußte ich nicht.« Sol muß immer gewinnen, wenn es um Musik geht, dachte Cantor.

»Die 91 Quartette waren nichts. Er hat auch nicht weniger als 125 Streichquintette komponiert. Falls ich jemals einen zweiten Cellisten finde, versuchen wir es mit seinem Opus 37 Nummer 7. Was für ein Rondo!« Er summte einige Takte. »Apropos Cellisten, du wirst einen neuen kennenlernen. Paula Curry . . .«

»Paula?« Cantors Betonung lag stark auf dem letzten Buchstaben. »Ich dachte, wir wären ein Männerverein.«

»Ach, richtig! Seit du zu uns gestoßen bist, haben wir keine Frau mehr dabeigehabt, stimmt's? Aber du weißt ja, daß es in deinem Fall beinahe schiefgegangen wäre. Es gab da nämlich eine Bratschistin, auf die die anderen beiden ziemlich scharf waren. Ich habe auf dir bestanden . . . Jedenfalls hat Herb einen Unfall gehabt und sich das Bein gebrochen. Und mit einem Gips kann man nicht Cello spielen. Gott sei Dank war sein Cello nicht mit im Auto. Und Gott sei Dank habe ich innerhalb so kurzer Zeit einen Ersatz gefunden. Sie soll gut sein, obgleich ich sie noch nicht kennengelernt habe. Sie ist neu hier.«

»Tut mir leid, das von Herb zu hören. Übrigens wollte ich vorschlagen, daß wir dieses Mal bei mir spielen. Die anderen sind noch nie hier gewesen. Nach dem Boccherini habe ich eine Überraschung für euch. Und sag den anderen lieber wegen Opus 6 Nummer 6 Bescheid, falls es einer vorher üben will . . .«

»Fang nicht schon wieder damit an, I. C.! Wir sind zwar Laien, aber doch keine Anfänger. Wir können alle vom Blatt spielen. Und wir spielen für uns, nicht für Publikum. Die erste Erfahrung mit einem neuen Stück, gemeinsam eine herrliche Passage zu entdecken, einen schwierigen Teil auf Anhieb zu meistern – all das macht man kaputt, wenn man vorher übt. nein, *njet, non*!«

»Wer ist da?« bellte Cantor in die Sprechanlage. Er hatte noch Rasiercreme im Gesicht, denn das laute Klingeln hatte ihn aus dem Badezimmer geholt. Er fragte sich, wer das sein konnte. Die drei Quartettmitglieder sollten erst in fünfundvierzig Minuten kommen.

»Paula.« Das Knacken in der Leitung war furchtbar. Wie oft habe ich dem Hausmeister schon gesagt, daß er das endlich in Ordnung bringen soll, dachte Cantor wütend. Schließlich handelte es sich hier angeblich um eine exklusive Eigentumswohnanlage direkt am See und nicht um ein zweitklassiges Mietshaus.

»Wer?« Der Name sagte Cantor überhaupt nichts.

»Paula Curry«, wiederholte die Stimme. »Ich bin die Cellistin. Ich bin leider etwas früh dran.«

»Früh?« brummte Cantor kaum hörbar. Er hatte nicht einmal eine Krawatte um. Als er die Sprechtaste drückte, kam er sich unbekleideter vor, als er eigentlich war. »Kommen Sie rauf. Fünfzehnter Stock. Links, wenn Sie aus dem Fahrstuhl kommen.«

Cantor wusch sich rasch das Gesicht und schnappte sich eine Fliege, eine Exzentrizität seiner Kleidung an Wochenenden in der Stadt; er band sie schnell und fachmännisch um den Kragen seines blauen Hemdes. Während der Woche trug er immer Krawatten unter seinem weißen Labormantel oder dem Jackett. Er hatte gerade noch Zeit, sich das Haar zu kämmen, bevor die Türglocke läutete.

Paula Curry mit dem Cello im rechten Arm überragte Cantor um einiges; als er die Frau ansah, die unter der offenen Tür stand, spürte er, wie ihm das Blut ins Gesicht schoß. »Treten Sie ein«, stammelte er, »ich hatte noch niemanden erwartet.« Pallas Athene mit ihrem Speer war alles, woran er denken konnte, als sie an ihm vorbeischwebte; oder vielleicht Brünnhilde in der *Walküre*? Ihr blondes Haar, das ihr in dichten Wellen auf die Schultern herabfiel, ließ ihn unwillkürlich daran denken, daß sie Glück hatte, keine Geigerin zu sein, weil es sich sonst in den Saiten verheddert hätte.

»Treten Sie ein«, wiederholte er. »Darf ich Ihnen aus dem Mantel helfen?« Dieses Ritual rief ihr erstes schallendes Gelächter hervor, da sie das Cello von der einen Hand in die andere nahm, während Cantor jeweils an dem belegten Arm zerrte. Als Cantor den Pelzmantel endlich in seinen Armen hielt, kam er zu dem Schluß, daß sie doch Pallas Athene war: Ihr ärmelloses, champagnerfarbenes Kleid hätte leicht für eines dieser togaartigen Gewänder gehalten werden können, die die alten Griechen trugen. Vorsichtig legte sie ihren Cellokasten auf den Boden und trat ins Wohnzimmer. »Was für eine Aussicht!« Sie schritt zu dem niedrigen Sofa vor dem breiten Fenster und beugte sich darüber, um den Michigansee zu betrachten, dessen Wasser sich an diesem Dezemberabend schwarz wie Samt vom schneebedeckten Ufer abhob. »Sehen Sie sich daran jemals satt?«

»Nein, nie. Aber ich verbringe ja auch nicht allzuviel Zeit hier – gewöhnlich nur das Wochenende.«

»Warum das?« Paula Curry hatte sich unaufgefordert auf das Sofa gesetzt und ihre nackten Arme, die einen blonden Haarflaum trugen, auf der Rückenlehne ausgestreckt. Die zusammengekniffenen Augen, in denen der Schalk steckte, der leicht geöffnete Mund, die rot geschminkten breiten Lippen, die hohen slawischen Wangenknochen, ihre vollen Brüste, die ihren ansonsten schlanken Körper geradezu deftig wirken ließen – für den vor ihr stehenden Cantor war diese Kombination ein umwerfender Anblick. »Sind Sie viel auf Reisen?« erkundigte sie sich.

»Nicht allzuoft. Aber der Ort, wo ich arbeite, ist zu weit entfernt, um zu pendeln.« Cantor wollte das Thema wechseln.

»Und wo ist das?« hakte sie nach.

Er erwähnte kurz die Universität, in der Annahme, daß sie wie ein Student seine Reserviertheit bemerken und respektieren würde. Zu seiner Überraschung stellte er jedoch fest, daß es ihm nur gelungen war, ihre Neugierde anzustacheln.

»Also unterrichten Sie?«

Cantor nickte. »Und ich arbeite in der Forschung. Tatsächlich sogar überwiegend.«

»Auf welchem Gebiet?«

»Zellbiologie.«

»Wenn das kein Zufall ist!« rief sie aus. »Ich habe eine Nichte, die dort Chemie studiert. Sie arbeitet gerade an ihrer Dissertation. Kennen Sie sie vielleicht? Celestine Price. Sie ist die Tochter meiner Stiefschwester.«

»Der Name ist mir nicht bekannt«, antwortete Cantor nach kurzem Nachdenken. »Wenn sie keine meiner Vorlesungen belegt hat, bin ich Ihrer Nichte höchstwahrscheinlich nie begegnet. Unsere Universität ist sehr groß – fast dreißigtausend Studenten –, und das Chemie-Gebäude liegt ziemlich weit von der Biowissenschaft entfernt.« Er beschloß, in die Offensive zu gehen, bevor sie weitere Fragen stellen konnte. »Miss Curry . . .«

»Sie können mich Paula nennen. Schließlich werden wir im gleichen Quartett sein. Wie heißen Sie mit Vornamen?«

Cantor wurde rot. Er fühlte sich nie wohl, wenn ihm eine gewisse Vertraulichkeit aufgezwungen wurde. Das war auch ein Grund, weshalb er nur unter seinen Initialen veröffentlichte. Das gleiche galt für seine Visitenkarte. »Ich werde einfach I. C. genannt«, brummte er.

»Ei, Sie? So wie ›ei, du‹? Wie sind Sie denn zu diesem Spitznamen gekommen?«

Cantor weigerte sich, daran etwas Komisches zu finden. »Nicht ›Ei, Sie!‹«, sagte er und buchstabierte akribisch seine Initialen.

»Ei, jetzt verstehe ich Sie«, sagte sie, um ihn zu necken. »Also I. C.; und wofür stehen –«

Cantor wußte, was nun kam. Er beschloß, diesem Thema endgültig einen Riegel vorzuschieben.

»Miss Curry . . . ich meine Paula . . . wie ich höre, sind Sie gerade erst aus Portland hierher gezogen. Was hat Sie nach Chicago geführt?«

»Kommen Sie, setzen Sie sich zu mir.« Sie tätschelte das Kissen direkt neben ihr. »Ich bin es nicht gewöhnt, von anderen überragt zu werden. Außerdem scheinen Sie nicht sehr bequem zu stehen.« Sie drehte sich herum und sah ihn voll an. »Was der Grund war, daß ich nach Chicago gekommen bin? Der übliche, prosaische Grund: ein Mann.«

»Und was macht Ihr . . .« Die Frage war Cantor entschlüpft, noch bevor er das Problem erkannte. Wie nenne ich den Mann bloß, dachte er hektisch: Ehemann, Liebhaber, Freund? ». . . dieser Mann?« fuhr er lahm fort. »Warum ist er hierher gezogen?«

Wieder klang ihm ihr Gelächter in den Ohren. »Damit wollte ich nicht andeuten, daß ich *mit* einem Mann hierher gezogen bin. Tatsächlich bin ich nach Chicago gegangen, um von einem Mann *wegzukommen*. Er ist noch in Portland. Gott sei Dank«, fügte sie hinzu und ließ sich wieder in die Kissen sinken. »Und wie ist es bei Ihnen, I. C.? Gibt es auch eine Dame des Hauses?«

Cantor errötete zum drittenmal an diesem Abend. »Ich bin unverheiratet.«

»Sind Sie schwul?« fragte sie. Cantors entgeisterte Miene veranlaßte sie, sich den Mund zuzuhalten. »Es tut mir leid, ich habe nur Spaß gemacht. Drüben im Westen, wo ich herkomme, ist das eine völlig harmlose Frage. Aber es geht mich ja auch wirklich nichts an.«

»Das ist schon in Ordnung«, sagte er steif. »Ich bin geschieden. Schon seit längerer Zeit.« Sind elf Jahre nichts weiter als eine längere Zeit? Er hatte seit Monaten nicht mehr an seine frühere Frau gedacht. Es würde ihm inzwischen sogar schwerfallen, Evas Gesicht zu beschreiben, so weit war es unter die abgelegten Akten seiner Erinnerungen gerutscht. Aber dafür erinnerte er sich noch gut an den Abend, an dem sie in sein schwach erleuchtetes Arbeitszimmer getreten war, wo er an seinem Schreibtisch gesessen und *PNAS* oder welche Zeitschrift auch immer gelesen hatte. Er wußte nicht, wie lange sie schon an der Tür gestanden und ihn beobachtet hatte. Erst ihr »I. C.!«, ausgesprochen mit einer Kälte, die ihn doch tatsächlich an Eis denken ließ, hatte ihn den Kopf heben lassen, während sein Finger noch auf dem Absatz lag, wo er unterbrochen worden war. »Laß uns Schluß machen mit allem«, hatte sie gesagt.

»Schluß womit?« fragte Cantor, den Kopf noch umnebelt von Begriffen, die wesentlich länger waren als diese markigen Worte.

»Mit all dem hier«, erwiderte Eva mit einer vagen Handbewegung, die das ganze Zimmer einschloß. »Lassen wir uns scheiden.«

Paula Curry ging hinüber zu den vier Stühlen, die hinter den Notenständern aufgereiht waren. »Ich habe beim Spielen noch nie auf einem Hepplewhite gesessen. Und das Sideboard da: Queen Anne, stimmt's?«

Cantor nickte wortlos.

»Aber was ist das für ein Stuhl?« fragte Paula. »Warum sind die Kerzenhalter so komisch auf den Armlehnen angebracht? Man würde sich ja die Ellbogen verbrennen, wenn Kerzen drin wären.«

»Nicht, wenn man richtig darauf sitzt. Dann wären sie nämlich vor einem, nicht hinten.« Cantor wurde lebhafter. »Das ist ein sogenannter Raucherstuhl, auf dem man rittlings sitzt. Wie auf einem Pferd«, fügte er hinzu.

»Natürlich! Wie dumm von mir.«

Er kam herüber und schwenkte die zwei drehbaren Kästchen auf beiden Seiten der Armlehnen aus. »Hier konnte man seine Raucherutensilien aufbewahren und die breite Rückenfläche als Lesepult benutzen. Da ich nicht rauche, hebe ich darin Papier und Bleistifte auf. Der Stuhl ist nicht schlecht, um Zeitschriften zu lesen. Man kann sich sehr gut Notizen machen.«

Paula Curry war beeindruckt. »Darf ich fragen, wo Sie ihn gefunden haben? Hier in Chicago?«

»Nein. In London.«

»Etwa zufällig bei Mallet in der Bond Street?«

»Nein. Auf einer Auktion.«

»Sotheby oder Christie?«

»Warum interessiert Sie das so?«

»Pure berufliche Neugier.«

Das war raffiniert, wie Cantor zugeben mußte; sie will, daß ich mich nach ihrem Beruf erkundige. »Verzeihen Sie«, konterte er und wechselte abrupt das Thema, »ich bin kein sehr guter Gastgeber. Darf ich Ihnen etwas zu trinken bringen? Ich habe –«

»Nein, danke, nichts.« Sie legte die Hand auf seinen Arm, um ihn am Aufstehen zu hindern. »Aber wenn ich es mir recht überlege, können Sie mir doch etwas bringen. Ihre Aussicht« – sie deutete aus dem Fenster, das den See überblickte – »und Ihre Möbel haben mich davon abgelenkt, weshalb ich früher gekommen bin. Könnte ich mir kurz die Boccherini-Partitur ansehen? Ich habe dieses Stück noch nie gespielt, und ich hatte keine Zeit, mir die Noten zu besorgen.«

»Nur wenn Sie Sol Minskoff nicht verraten, daß ich sie Ihnen gezeigt habe. Er hält nichts von vorherigem Üben.«

»Das habe ich mir schon gedacht. Ich werde kein Sterbenswörtchen sagen.«

Cantor hatte das Gefühl, daß sie sich wieder auf neutralem Gebiet befanden. »Wie hat Sol von Ihnen gehört?« fragte er.

»Durch einen Anwalt in Portland, mit dem ich früher gespielt habe.« Cantor merkte, daß sie seinen fragenden Blick erhascht hatte, bevor er wußte, daß er überhaupt fragend geschaut hatte.

»Bloß zweite Geige«, fügte sie lächelnd hinzu.

Für eine Premiere mit einem neuen Mitglied erwies sich das Boccherini-Quartett als voller Erfolg. Nach dem dritten Satz, dem Allegro, strahlten ihre Gesichter vor Freude. »Nicht schlecht, was?« krähte Minskoff. »Und wir haben nicht einmal geübt. Mal sehen, wie der letzte Satz läuft.«

Er wischte sich die Stirn mit seinem Taschentuch ab, bevor er es wieder in seinen Kragen steckte. Er wandte sich an die Cellistin, die ihm direkt gegenüber saß. »Paula, was schlagen Sie als Zugabe vor?«

Cantor blickte erstaunt auf und merkte, daß Ralph Draper, der zweite Geiger, ebenfalls die Stirn runzelte. Sie wußten, was dieses Signal zu bedeuten hatte: Sol Minskoff konsultierte seine Kollegen fast nie bei der Auswahl der Stücke. Entweder er schlug vor oder er lehnte ab.

»Spielen wir doch Opus 59 Nummer 1«, erwiderte sie ohne jedes Zögern. »Zumindest den ersten Satz.«

Wieder wechselten Cantor und Draper Blicke. Kam sie damit bei Sol etwa durch? Der erste Satz dieses speziellen Beethoven-Quartetts, des ersten der drei Rasumowsky-Quartette, war wegen des Celloparts berühmt, mit dem das Werk beginnt. Bei dieser Wahl endete die erste Violine zweifellos als zweite Geige. »Einverstanden«, sagte Minskoff.

Plötzlich stand Cantor eine weitere ungewollte Erinnerung vor Augen. Bei Gott, dachte er, ich muß Sol fragen, ob ihm die gleiche Szene in den Sinn gekommen ist. Während ihres letzten Studienjahres am City College waren Minskoff und

Cantor einmal über den Washington Square gebummelt, wo gerade eine Gemäldeausstellung im Freien stattfand. Beiläufig hatten sie sich die zahlreichen Landschaften, die grellen abstrakten Bilder und die kitschigen Sujets angesehen, die bei derartigen Veranstaltungen gang und gäbe sind. Doch dann hatte Sol auf ein großes Ölgemälde gedeutet, das an einem Baum hing. »Schau dir diese Titten an. Mit der würdest du wohl gern spielen, was?« hatte er mit einem obszönen Grinsen im Gesicht gefragt. Das Gemälde zeigte eine nackte Frau, die Schenkel um ein Cello geklemmt, den Bogen in der erhobenen rechten Hand, als sei sie im Begriff anzufangen. Das Bild, das sich an diesem Abend bot, war wesentlich subtiler und raffinierter: die blonde Paula Curry, die das glänzende Cello umarmte, den Kopf an den Hals des Instruments geschmiegt, die Augen halb geschlossen und mit einem verträumten Ausdruck im Gesicht.

»I. C.!« Minskoffs scharfer Befehlston holte ihn auf den Boden der Tatsachen zurück. »Wir spielen hier ein Quartett und kein Trio. Also noch mal von vorn.«

Cantor sprang auf, sobald der letzte Ton erklang, noch bevor Minskoff auch nur den Bogen gesenkt hatte. »Ihr könnt schon mal eure Instrumente einpacken und die Notenständer wegräumen. Ich bin in ein paar Minuten wieder da. Heute abend gibt es eine kleine Feier.« Cantor schloß die Küchentür hinter sich. Alles war schon vorbereitet: der Kaviar in seiner Glasschale, die nur noch in einen bis zum Rand mit zerstoßenem Eis gefüllten silbernen Behälter gestellt werden mußte; das dünn aufgeschnittene Schwarzbrot, das penibel arrangiert und mit Klarsichtfolie abgedeckt war; die geräucherte Forelle; und die Kristallkaraffe mit dem dunkelroten Wein. Nur das Eiweiß mußte noch steifgeschlagen werden. Cantor war gerade im Begriff, es unter die Soufflémischung zu ziehen, die er schon am Nachmittag zubereitet hatte, als hinter ihm die Tür aufging. »Kann ich helfen?« fragte Paula Curry. »Was machen Sie denn da?«

»Ich mache gerade das Dessert fertig. Es ist eine Überraschung. Würden Sie schon mal den Kaviar und die Forelle nehmen?« Er gab ihr ein Zeichen mit dem Kopf. »Ich stelle das nur noch in den Backofen. Ich komme sofort.«

Im Wohnzimmer zündete Cantor einige Kerzen an, dimmte die Lampen, richtete sich, etwas gezwungen, auf und verkündete: »Diese Woche haben wir ein sehr wichtiges Experiment abgeschlossen. Das muß gefeiert werden, und zwar mit Kaviar, Räucherforelle und« – er sah auf seine goldene Patek Philippe – »einem Überraschungsdessert in genau neunundzwanzig Minten.«

»Erzählen Sie uns von dem Experiment«, drängte Paula.

»Aber davor«, unterbrach Minskoff, »wüßte ich gerne, wo der Wodka bleibt. Wo gibt's denn so was, Kaviar ohne Wodka?«

»Hier gibt's das. Ich habe keinen im Haus.« Cantor wandte sich an Paula Curry. »Ich hoffe, es macht Ihnen nichts aus. Ich habe sehr selten Gäste. Ich hätte natürlich einen Weißwein besorgen können, aber das hier« – er hielt die Karaffe vor eine der Kerzen, um die klare rote Farbe zur Geltung zu bringen – »ist ein ganz besonderer Tropfen, ein 61er Château Margaux. Und falls unser Anwalt hier eine Rechtfertigung für Rotwein benötigt, so wird das Dessert sie liefern.«

»Na schön.« Minskoff schien zufriedengestellt zu sein, als er sich eine tüchtige Portion der glänzenden schwarzen Perlen auf den Teller häufte. »Aber wo ist das Eiweiß, die Zwiebel, die Zitrone?«

»Sol, das ist doch kein kaspischer Ausschuß, wie ihn deine Vorfahren in Schtetl gegessen haben, das ist Beluga! Ich lasse nicht zu, daß du seinen Geschmack mit Eiern oder Zwiebeln ruinierst. Zitrone vielleicht – wenn du darauf bestehst.«

Paula Curry hatte sich etwas Kaviar auf das Brot gestrichen. »Nun hört endlich mit eurem Männergewäsch auf und genießt lieber den Beluga.«

»*Brava!*« rief Draper aus und erhob sein Glas.

Das Schokoladensoufflé war ein echter Knüller. Sogar Minskoff sagte das. »I. C., *maestoso!*« Er erhob das Glas. »Wenn dein Laborexperiment nur halb so erfolgreich war wie das hier, dann wirst du berühmt!« Er leckte sich die Lippen und sah seine Begleiter an. »Zeit zu gehen. Paula, kann ich Sie mitnehmen?«

»Nein, danke«, erwiderte sie. »Ich bin mit dem Auto da. Ich bleibe noch ein bißchen und helfe I. C. beim Aufräumen. Er sollte das nicht allein machen müssen – nicht nachdem er solche Virtuosität entfaltet hat.«

Als die Eingangstür ins Schloß fiel, fuhr sie fort: »Jetzt, wo die Geiger weg sind, ist nur noch ein seltenes Duo übrig: Cello und Bratsche. Was können wir denn da spielen?«

Die Bemerkung überrumpelte Cantor. Er zögerte, während er in ihrem Gesicht zu lesen versuchte. Der Ausdruck in ihren Augen, deren Sprühen Paulas Befriedigung über ihren witzigen Einfall verschleierte, konnte fast alles bedeuten. Cantor beschloß, auf Nummer Sicher zu gehen. »Tja, da wäre das Beethoven-Duett in Es-Dur oder auch der Hindemith –«

»Vergessen Sie es«, unterbrach sie ihn und nahm seinen Arm. »Gehen wir lieber in die Küche und machen Ordnung. Haben Sie eine Schürze?«

Zusammen brauchten sie nur wenige Minuten, um den Geschirrspüler einzuräumen. Cantor trocknete gerade das letzte Weinglas ab, das er von Hand gespült hatte, als sein Gast ihn erneut überraschte.

»Ich mag Sie, I. C. Sie sind ein hervorragender Koch; ein Antiquitätenkenner; vermutlich sind Sie ein guter Zellbiologe . . .«

»Einer der besten, bei aller Bescheidenheit«, entgegnete er mit gespielter Selbstgefälligkeit.

»Ein passabler Bratschist . . .«

»Ich wußte ja, daß ein Aber kommen würde.«

»Nein, nein, kein Aber. Sie kämen zwar nicht gerade in die Bratschengruppe des Philharmonischen Orchesters, aber mir gefällt die Art, wie Sie spielen. Sie schlagen nicht ständig den Takt mit dem Fuß. Sie genießen die Musik ganz offensichtlich; Ihr Gesicht beweist es. Und wenn Sie bei dieser Sache mit dem ›vorher nicht üben‹ nicht geschwindelt haben, dann haben Sie sich bei dem Boccherini wacker gehalten. Ein richtiger Renaissance-Mensch. Ich glaube, ich werde Sie Leonardo nennen – das klingt viel wärmer als ›I. C.‹. Aber bevor ich gehe, Leonardo, müssen Sie mir verraten, was Sie sonst noch tun.«

Cantor, der bereits auf der Hut war, hatte seine Antwort parat. »Paula, ich habe Sie erst ein paar Stunden in Aktion gesehen. Aber ich wette, daß Sie das selbst herausfinden würden, wenn Sie es wirklich wissen wollten. Stimmt's?«

»Stimmt genau. Wie alt sind Sie übrigens, Leonardo?«

»Hat das etwas mit der vorhergehenden Frage zu tun?«

»Möglicherweise«, gab sie zu. »Also wie alt sind Sie?«

»Fast sechzig.«

»Wirklich? Ich hätte Sie auf Mitte fünfzig geschätzt. Sie scheinen ziemlich gut in Form zu sein. Mit was halten Sie sich fit? Mit Jogging?«

»Jogging?« Cantor bemühte sich, so viel Verachtung in dieses Wort zu legen, wie die zwei Silben ertragen konnten. »Paula« – er schaute bewußt mißbilligend drein –, »wenn mir nach sportlicher Betätigung zumute ist, lege ich mich sofort hin und warte, bis der Anfall vorbei ist.«

Paula betrachtete ihn zweifelnd. »Das ist mir doch ein bißchen zu geistreich. Haben Sie sich das gerade ausgedacht? Gestehen Sie, Leonardo.«

»Es ist mir gerade eingefallen.« Er zögerte kurz und fuhr dann, über das ganze Gesicht grinsend, fort: »Aber ich habe es mir nicht ausgedacht. Soweit ich mich erinnere, war der erste, der das gesagt hat, ein früherer Rektor der Universität Chicago.«

»Wenigstens sind Sie ehrlich, wenn schon nicht originell.«

»Natürlich bin ich ehrlich!« erwiderte er. »Wissen Sie denn nicht, daß alle Wissenschaftler ehrlich sind? Einige sind sogar ehrlich *und* originell. Wie Ihr Leonardo hier.«

»Da ich keine Vergleichsmöglichkeiten habe, will ich lieber das Thema wechseln. Wann fahren Sie wieder an Ihre Universität zurück?«

»Am Sonntag abend. Oder erst am Montag morgen. Ausnahmsweise sind wir im Labor mal nicht im Druck«, sagte er mit einem zufriedenen Seufzer.

»Wenn das so ist, dann kommen Sie am Sonntag doch zum

Essen. Ich werde Ihnen meine Vielseitigkeit demonstrieren. Mittags oder abends?«

»Sagen wir mittags«, antwortete er nach einer Pause.

»Hm«, murmelte sie, ohne aufzusehen, während sie ihre Adresse auf einen Zettel schrieb.

Zwei Wochen waren vergangen, ohne daß Neuschnee gefallen war. Es war immer noch kalt, aber Celestine zufolge war der Altschnee zu verharscht für einen absoluten Langlauf-Anfänger. »Laß uns mit dem Zug nach Chicago fahren«, schlug sie Stafford vor, »und über Nacht bei meiner Tante bleiben. Sie wird dir gefallen. Sie ist ziemlich ungewöhnlich.«

»Weiß Sie, daß du jemand mitbringst?«

»Noch nicht, aber sie hat bestimmt nichts dagegen. Sie ist sehr gastfreundlich. Ich sage ihr vorher noch Bescheid.«

»Weswegen?« Er grinste sie an.

»Wegen deiner Tischmanieren natürlich.«

»Und was macht sie so, diese Tante von dir? Gibt es auch einen Onkel?«

»Nein. Früher hat sie mit einem Mann in Portland zusammengelebt, einem Anwalt . . . Meine Tante ist nun mal der Außenseiter in der Familie. Aber in Chicago lebt sie allein.«

»Was macht sie beruflich?« bohrte Stafford.

»Sie gehörte zu den besten Innenarchitekten in Portland: schicke Büros, Yuppie-Appartements, Restaurierung alter Häuser, lauter solche Sachen.«

»Warum ist sie nach Chicago gezogen?«

»Warum, warum, warum! Du stellst zu viele Fragen, Jerry. Frag sie am Samstag doch selbst.«

»Warum sind Sie in den Mittleren Westen gezogen, Miss Curry?« fragte Stafford schon wenige Minuten, nachdem er Paula Curry für ihre Gastfreundschaft gedankt hatte.

»Warum sind Sie hierher gezogen?« Paula hatte die Angewohnheit, auf Fragen, die sie nicht beantworten wollte, mit Gegenfragen zu reagieren. »Sie hören sich nicht wie ein Mann aus dem Mittleren Westen an.«

»Ich bin aus South Carolina.«

»Und noch dazu Baptist«, lachte Celestine.

»Und was hat die unitarische Maid von ihrem baptistischen Verehrer gelernt?«

Celestine griff den spöttischen Ton ihrer Tante auf. »Sehr wenig. Meistens bin ich diejenige, die Unterricht gibt. Paula, weißt du eigentlich, wie sie die kleinen Baptisten aufklären? Sie erzählen ihnen –«

»Celly!« Stafford war sichtlich verlegen.

»Kümmern Sie sich nicht um sie. Ich weiß, wie frühreif meine Nichte ist. Aber sagen Sie, Doktor Stafford –«

»Bitte nennen Sie mich Jerry«, warf er ein.

»In diesem Falle nennen Sie mich Paula. Warum sind Sie aus South Carolina hierher gekommen, Jerry?«

»Damit ich bei einem bestimmten Professor promovieren konnte.«

»Sind Sie auch Chemiker wie Celly?«

»Nein, ich habe bei Professor Cantor in Zellbiologie promoviert.«

»Ich hole euch beiden noch etwas Kaffee«, sagte sie und stand abrupt auf.

Als Paula mit den Tassen und Untertassen zurückkam, hatte sie ihre Fassung wiedergewonnen. »Ihr Professor muß ja ein ziemlicher Star sein, wenn er sogar aus South Carolina Schüler anlockt. Wie war doch gleich sein Name?«

»Cantor. Allgemein bekannt als ›I. C.‹.«

»Ei, Sie? So wie ›ei, du, Cantor‹?«

»Nein«, sagte Jerry lachend und buchstabierte die Initialen.

»Und wie ist er so, Ihr Professor Cantor?«

»Er ist ein erstklassiger Wissenschaftler –«

»Das habe ich nicht gemeint«, unterbrach ihn Paula. »Wie ist er als Mensch?«

»Als Mensch? Das ist eine komische Frage. Er ist . . . er ist präzise. Sorgfältig. Ziemlich aufgeschlossen. Und er hat eine unheimliche Gabe, aus einigen wenigen isolierten Beobachtungen Denkmodelle aufzubauen. Ich nehme an, daß es bei den großen Diagnostikern in der Medizin so ähnlich gewesen sein muß, bevor es klinische Labors und die ganzen Geräte gab.«

96

»Nein, nein, als *Mensch*. *Außerhalb* des Labors.«

»Das ist schwer zu sagen. Wir wissen kaum etwas über sein Leben außerhalb des Labors.«

»Ich bitte Sie, lädt er Sie denn nie zu sich nach Hause ein? Gibt seine Frau denn keine Parties für die Studenten?«

»Er ist geschieden. Ich hab ihn noch nie den Namen einer Frau auch nur erwähnen hören. Und ich bin auch noch nie in seinem Haus gewesen.«

Stafford bemerkte nicht, daß Paula Currys Augen spitzbübisch funkelten. »Eigentlich erstaunlich, daß Sie so wenig von ihm wissen, stimmt's? Er könnte ja ein Doppelleben führen: Er könnte ein richtiger Frauenheld sein . . . oder ein Musiker . . . oder ein Antiquitätensammler . . . oder all das und noch mehr.«

»Unmöglich.«

»Warum sagen Sie das?«

»I. C. hätte gar nicht die Zeit dazu. Sie haben ja keine Ahnung, wie viele Fachzeitschriften der Mann lesen muß, all die Konferenzen, an denen er teilnimmt, all die Ausschüsse, in denen er sitzt. Er arbeitet sogar ein bißchen im Labor. Und er lehrt und veröffentlicht.«

»Und drangsaliert seine Mitarbeiter wie ein Sklaventreiber«, fügte Celestine hinzu. »Jerry hat fast drei Monate lang sieben Tage in der Woche Tag und Nacht gearbeitet. Ich habe den Typ kaum zu Gesicht bekommen.«

Paula betrachtete den jungen Mann mit unverhohlener Neugierde. »Wieso das?«

Celestine ließ ihn nicht zu Wort kommen. »Jerry ist nicht nur Cantors Liebling. Er behauptet auch, eine richtige Kanone im Labor zu sein. Also geht der Professor zu dem guten Jerry und sagt: ›Jerry, ich habe da eine phantastische Idee, aber ich brauche noch den experimentellen Nachweis. Ich möchte, daß Sie ins Labor gehen und erst wieder herauskommen, wenn Sie ihn haben.‹ Und was tut mein baptistischer Liebhaber?«

Stafford versuchte, Celestine den Mund zuzuhalten, doch sie stieß seine Hand weg. »Er tut genau das, was ihm sein Professor sagt und nimmt keine Notiz von seiner Liebsten.

Wenn Cantor für dich kein Sklaventreiber ist, dann bist du, mein lieber Doktor Jeremiah P. Stafford, zumindest für mich noch immer sein Sklave. Jetzt kennst du die ganze Geschichte, Paula.«

»An was haben Sie denn gearbeitet? War es wirklich so wichtig?«

Er nickte. »Ja, und Celly hat recht: Der Prof war so davon überzeugt, daß das Experiment klappen würde, daß er mich kaum in Ruhe ließ. Ich habe wirklich gedacht, wenn ich es nicht hinkriege, wird er . . .« Jerry unterbrach sich abrupt.

»Darf ich Ihnen Kaffee nachschenken?« fragt Paula. »Vorhin haben Sie ihn als erstklassigen Wissenschaftler bezeichnet. Was ist denn so erstklassig an ihm?«

Stafford warf ihr einen amüsierten Blick zu. »Er könnte durchaus den Nobelpreis bekommen.«

»Ach, was!« rief Paula aus und stellte die Kaffeekanne ab, die in ihrer Hand zu zittern begonnen hatte.

II

Als der Tumorgenese-Artikel in *Nature* erschien, war selbst Cantor über die Anzahl der Sonderdruck-Anforderungen erstaunt. Sie kamen schubweise. Die ersten trafen von Leuten ein, die immer die Bibliothek aufsuchen, sobald die neueste Nummer von *Nature* im Regal »Aktuelle Zeitschriften« ausliegt: die Übereifrigen, die keinen Tag auf die letzten Meldungen aus ihrem Fachgebiet warten können. Nach einer vorübergehenden Flaute, in der das Inhaltsverzeichnis dieser speziellen *Nature*-Ausgabe in *Current Contents* erschien, brach die zweite Lawine herein. Da die Preise für Zeitschriftenabonnements ständig steigen, ist *Current Contents*, das schlicht die Titel der in anderen Fachzeitschriften veröffentlichten Artikel, zusammen mit den Adressen der Autoren, aufführt, für Wissenschaftler aus Weichwährungsländern ein Geschenk des Himmels. Cantors Sekretärin, deren Bruder ein leidenschaftlicher Briefmarkensammler war, hatte plötzlich alle Hände voll zu tun, die Briefmarken von den ganzen Sonderdruck-Anforderungskarten aus Argentinien, Bulgarien, Indien und Dutzenden anderer Länder abzulösen.

Für Cantor dagegen war die befriedigendste Reaktion auf den Artikel jedoch ein Telephonanruf. Am Tag nach dem Erscheinen der Zeitschrift rief Kurt Krauss aus Harvard an, um ihm zu sagen, daß diese Abhandlung auf keinen Fall in Stockholm unbeachtet bleiben werde. »Wenn ich ein neidischer Mensch wäre, I. C., dann wäre ich jetzt grün. Aber Sie wissen ja, daß das nicht meine Art ist.« Die Worte klangen fast überzeugend. »Wenn ich schon nicht auf dieses Experiment kommen konnte, dann freut es mich wenigstens, daß Sie derjenige waren.« Cantor spürte, wie ihm vor Freude eine warme Röte ins Gesicht stieg. Aber Krauss war noch nicht fertig: »Sie wissen ja, I. C., daß die Schweden Leute auf der ganzen Welt um Nominierungen bitten. Sie selbst müssen doch auch schon derartige Formulare erhalten haben. Dieses Jahr bin zufällig ich an der Reihe – ich habe den Brief sogar vor mir liegen. Unter der Rubrik ›Gründe für die Nominierung‹ verlangen sie eine Bibliographie, biographische Angaben und andere Unterlagen. Warum machen Sie es mir nicht leichter und schicken mir einfach Ihren ganzen Kram? Um alles weitere kümmere ich mich dann.«

In solchen Augenblicken erfordert es die wissenschaftliche Etikette, Bescheidenheit zu mimen. Aber der sittsam zu Boden gesenkte Blick, die abwehrende Handbewegung wirken nur allzu oft geheuchelt, wenn man sie sieht. Das Telephon ist da gütiger.

Cantor zeigte sich der Lage gewachsen. »Ich wußte, daß es eine gute Idee war, Kurt.« *Es war die tollste Idee, die ich je hatte!* »Aber ich hatte auch Glück. Ich habe Ihnen doch schon von meinem Postdoktoranden Jeremiah Stafford erzählt? Der Mann hat goldene Hände – eine solche Geschicklichkeit im Labor haben Sie noch nicht erlebt. Ich weiß nicht, ob ein anderer das geschafft hätte.«

»Solche Leute hat doch jeder von uns«, sagte Krauss und lachte in sich hinein. »Man braucht nur Talent, um sie zu finden. Aber früher oder später muß jemand das Experiment wiederholen. Das könnten Sie ebensogut uns überlassen – schließlich haben Sie Ihre Idee ja auf meinem Seminar vorgestellt.«

»Ich habe noch nicht einmal begonnen, unsere detaillierte Abhandlung zu schreiben«, erwiderte Cantor. »Ich glaube, das hat keine Eile.«

»Hat es auch nicht«, sagte Krauss kategorisch. »Solange Sie nicht alle Einzelheiten veröffentlichen, kann niemand mit der Reproduktion beginnen. Schicken Sie die experimentellen

Einzelheiten einfach *uns*. Dann wissen Sie wenigstens, wer das Gütesiegel verleiht. Aber etwas müssen Sie mir noch verraten, I. C.«, fuhr erfort. »Wie haben Sie es bloß fertiggebracht, Ihren Artikel in weniger als zwei Wochen veröffentlicht zu bekommen?« Cantor freute sich, daß auch diese Nuance seines Triumphes Krauss nicht entgangen war.

Himalayabesteiger messen die Dauer ihrer Gipfeleuphorie in Minuten. Kaum ist das Foto gemacht – Fahne in der einen Hand, Eispickel in der anderen –, da beginnt auch schon der Abstieg zum letzten Lager, damit nicht der nächste Sturm aufzieht oder der Sauerstoffvorrat ausgeht. Nicht so bei wissenschaftlichen Everests. Ein paar Monate lang, bis Mitte Februar, sonnte sich Cantor auf dem Gipfel, bei Vorträgen, Seminaren und Symposien, wo er die Theorie darlegte und ihren experimentellen Nachweis umriß.

Für Stafford dagegen war diese Periode ein experimenteller Beweis für Leahs Bachtinische Analyse. Auf allen Veranstaltungen, bei denen Stafford selbst im Publikum saß, war Cantors Anerkennung des Beitrags seines Mitarbeiters mustergültig. »Ich bin nicht sicher, daß *wir* diesen Nachweis so schnell – oder überhaupt – hätten erbringen können ohne das technische Geschick von Doktor Stafford, der heute anwesend ist.« Das begleitende Lächeln wirkte echt und das Nikken in Staffords Richtung kaum mechanisch. Trotzdem zählte und wog Stafford jedes »Wir« und jedes »Ich«. Zugegeben, die »Ichs« waren wesentlich seltener. Aber hatten sie vielleicht die Funktion, die übrigen »Wir« in den Pluralis majestatis zu verwandeln? »Das Wort in der Sprache ist immer zur Hälfte das eines anderen.« Dieses Diktum Bachtins hatte Leah über dem Telephon an die Wand geklebt. »Ich werde langsam paranoid«, fluchte er kaum hörbar. Gerechterweise mußte er zugeben, daß Cantor sich große Mühe gegeben hatte, ihn, Stafford, die meisten Fragen bezüglich des Experiments beantworten zu lassen. Cantor hatte ihn sogar gebeten, Krauss die gewünschten Einzelheiten zu liefern, damit die Gruppe in Harvard mit der Wiederholung des Experiments beginnen konnte. Aber Stafford fragte sich stets, wie das »Wir« in seiner

Abwesenheit klang, wie sein experimentelles Geschick dargestellt wurde, wenn er nicht anwesend war.

Noch irritierender war Celestines Auftritt auf einem Sym-
posium über »Jüngste Fortschritte bei Insektenhormonen« an
der Northwestern University, wo nicht Jean Ardley, sondern
sie ihre Allatostatin-Ergebnisse vortrug. Als Stafford dort im
Publikum saß, mußte er daran denken, daß Cantor angedeutet
hatte, Stafford könnte bei einem zukünftigen Vortrag als
Sprecher fungieren. Aber dazu war es noch nicht gekommen.
»Ich weiß, daß Sie Ihr erstes Seminar-Fiasko nicht wiederholen werden«, hatte Cantor ohne eine Spur von Herablassung
in der Stimme gesagt, »aber Sie werden verstehen ...« Stafford verstand: Küchenschaben fielen nun einmal nicht in die
gleiche Kategorie wie Tumore. Aber kam es darauf wirklich
an? Das bleibende Dokument ihrer Arbeit, die allererste Veröffentlichung, die jeder andere Wissenschaftler auf diesem
Gebiet zitieren mußte, trug nur zwei Namen: Cantor und
Stafford.. Zumindest blieb Stafford das schmählichste Los
eines wissenschaftlichen Mitarbeiters erspart, nämlich die
anonymste Benennung überhaupt: *et al.* Das allein schon war
ein Grund, dankbar zu sein.

Auch wenn sich der Triumph auf dem Gipfel des wissenschaftlichen Himalaya länger auskosten läßt, dauert er doch
nicht ewig. Früher oder später mußten selbst Cantor und sein
rastloser Sherpa windwärts blicken, wo an einem Nachmittag
im Februar das erste kleine Wölkchen am klaren blauen
Himmel erschien. Kurt Krauss rief aus Harvard an und sagte,
daß sein bester Mitarbeiter, Yuzo Ohashi (»Sie erinnern sich
doch an ihn, I. C.? Das ist mein Stafford.«), nicht imstande
gewesen sei, Staffords Experiment zu bestätigen. Ein derartiger Mißerfolg war in ihrem Fach nichts Ungewöhnliches. Da
Cantor und Stafford nur einen Vorausbericht ohne experimentelle Einzelheiten veröffentlicht hatten – es war, als
würde ein Meisterkoch einem anderen ein köstliches Gericht
schildern, ohne das genaue Rezept auszuhändigen –, stand
Krauss und Ohashi nichts weiter zur Verfügung als das, was
Stafford ihnen mit der Post geschickt hatte. Höchstwahrscheinlich hatte er ein entscheidendes Detail übersehen.

»Jerry, ich hätte das Material mit Ihnen durchgehen sollen, bevor Sie es abgeschickt haben«, verkündete der Professor, »aber vermutlich waren wir viel zu sehr damit beschäftigt, uns in unserem Ruhm zu sonnen. Ich möchte, daß Sie die gesamte experimentelle Arbeit Punkt für Punkt schriftlich festhalten. Beim nächsten Mal muß der Mann von Krauss imstande sein, *Ihr* Experiment zu wiederholen.«

Leah Woodeson war bei ihrer Dissertation in einem Stadium angelangt, in dem sie die Schreibarbeiten hauptsächlich zu Hause erledigte. Es war nach zehn Uhr morgens, und sie war gerade in die Küche gekommen, um ihren Kaffeebecher aufzufüllen. Stafford stand in Bluejeans und T-Shirt barfuß an der Spüle.

»Jerry! Weißt du, wieviel Uhr es ist? Ich dachte, du wärst mit Celly weggegangen.«

»Ich gehe heute nicht rein.«

Sie musterte ihn besorgt. »Was ist los? Krank?«

»Gewissermaßen. Aber nicht so, wie du es meinst. Ich muß einen Haufen Material für I. C. zusammentragen. Das dauert Tage, und es stinkt mir, den ganzen Kram aufzuschreiben.«

»Tage?« Sie schnalzte mit der Zunge. »Ich dachte, ihr Typen hättet eure Meisterwerke immer binnen Stunden fertig. Mehr habt ihr doch für euren berühmten *Nature*-Artikel nicht gebraucht, stimmt's? Oder hat dir dein Professor noch nicht beigebracht, wie man schnell schreibt?«

»Das ist überhaupt nicht komisch«, sagte er mürrisch. »Was ich da schreiben muß, ist nicht irgendein überaus knapper Leserbrief. Ich muß quasi ein Kochbuch liefern: Stil zählt nicht und Kürze ist verpönt. Und es muß exakt sein. Nicht einfach: ›Einen Tropfen Tabasco zugeben, abschmecken und köcheln lassen, bis alles gar ist.‹ I. C. will eine genaue Beschreibung von allem, was ich in den drei Monaten gemacht habe, und zwar so detailliert, daß sie es in Harvard wiederholen können: die exakte Menge Tabasco, ob sie tröpfchenweise oder auf einen Schlag zugegeben wurde, die Temperatur und die Garzeit des Gerichts . . .« Er lachte höhnisch. »Und ich muß das Ganze bis Freitag abliefern.«

»Kopf hoch, Jerry! Ich habe eine Überraschung für dich und Celly. Hat sie dir schon mal was vom Kronos-Quartett erzählt?«

Stafford warf ihr einen argwöhnischen Blick zu. »Nie davon gehört.«

»Wirklich? Das überrascht mich. Na ja, das ist Cellys Sache. Jedenfalls habe ich Karten für uns drei für ein ganz besonderes Konzert, das sie am Samstagabend in Chicago geben. Wir fahren rechtzeitig los, damit wir dort noch essen können; ich habe da von einem griechischen Restaurant in Hyde Park gehört.«

»Den ganzen Weg nach Chicago bloß wegen einem Konzert und griechischem Essen? Da kommen wir verdammt spät heim.«

»Weißt du denn nicht, was der nächste Samstag für ein Tag ist?« Leah wurde allmählich wütend.

»Nein.«

»Das ist Cellys fünfundzwanzigster Geburtstag. Sag bloß nicht, du hast es vergessen.«

»Ich hab es nicht vergessen. Ich hab es gar nicht gewußt. Sie hat es nie erwähnt.«

Leah schwieg verlegen. Stafford sah ganz zerknirscht aus. »Danke, daß du es mir gesagt hast.«

»He, nimm's nicht so tragisch, Jerry. Jetzt hast du eine Chance, sie mit deiner Aufmerksamkeit zu überraschen. Und es wird dir gut tun, mal rauszukommen, nachdem du die ganze Woche geschrieben hast«, tröstete sie ihn. »Du kannst ja auf dem Heimweg im Auto schlafen oder sonst was tun.«

»Für ›sonst was‹ ist dein Auto zu klein.« Stafford hatte seine Niedergeschlagenheit schon fast überwunden.

»Dir wird schon was einfallen.«

Stafford, der in sechs Jahren keinen einzigen Tag wegen Krankheit versäumt hatte, meldete sich am Donnerstagmorgen telephonisch krank. Als Zeitpunkt für seinen Anruf wählte er die fünfzehn Minuten zwischen der Ankunft von Cantors Sekretärin und dem Eintreffen des Professors.

Die Nachricht verstimmte Cantor. Stafford, den Cantor

brauchte, um den Bericht für Krauss fertigzumachen; den Cantor immer im Labor vorgefunden hatte; der das Wort »Urlaub« mit einer Verachtung aussprach, in der Cantors eigener wissenschaftlicher Machismo mitschwang – dieser Stafford mußte ausgerechnet jetzt krank werden. Als ihm am Montagmorgen ausgerichtet wurde, daß Stafford aus South Carolina telephoniert und mitgeteilt hatte, sein Großvater habe einen Herzanfall erlitten, wuchs sich Cantors Verstimmung zu offenem Ärger aus. »Wem ist der Mann denn Loyalität schuldig«, brummte er, »seinem Großvater oder dem Labor?«

Eine derartige Taktlosigkeit war völlig atypisch für Cantor, aber einen Krauss ließ man nun einmal nicht warten. Cantor entschied sich für ein saloppes, aber simples Schnellverfahren; er wollte einfach die entsprechenden Seiten in Staffords Laborbuch photokopieren und sie mit einem kurzen Begleitschreiben nach Harvard schicken.

Es war nichts Unzulässiges daran, Staffords Laborbuch zu kopieren. Das Laborjournal eines Wissenschaftlers ist kein persönliches Tagebuch; seine einzige Daseinsberechtigung ist es, anderen auf Verlangen zur Einsicht vorgelegt zu werden. Laborbücher sind in der Regel Hefte, wie man sie in großen Schreibwarenhandlungen kaufen kann, fest gebunden und an den oberen Ecken bereits fortlaufend paginiert. Die Eintragungen spiegeln das solide, ordentliche äußere Erscheinungsbild wider: Alle werden chronologisch, vollständig und gewissenhaft vorgenommen, um anderen als Leitfaden zu dienen. So wie der Leiter einer Everest-Expedition in rasend machender Pingeligkeit auf scheinbar unerheblicher Disziplin besteht, so benahm sich Cantor, wenn es um Laborbücher ging. Alles mußte mit Kopiertinte protokolliert werden, nicht mit Bleistift; selbst triviale Berechnungen mußten eingetragen werden und durften nicht irgendwo auf Zetteln ausgeführt werden. Jeder neue Doktorand bekam den gleichen Vortrag zu hören: »Man kann nie zuviel in sein Laborbuch schreiben, aber man kann zuwenig hineinschreiben. Man weiß nie, welche Details sich einmal als entscheidend herausstellen.« Wenn die Doktoranden Cantors Labor verließen, mußten die Journale zurückbleiben. Ein abgeschlossener Bücherschrank im geräumigen Büro des Professors enthielt über zweihundert sorgfältig katalogisierte Laborbücher – Zeugnisse mehr als eines Vierteljahrhunderts experimenteller Arbeit.

Was Cantor in Staffords Laborbuch entdeckte, beunruhigte ihn. Das Versuchsprotokoll war zwar vorhanden, aber die konkreten Details kamen ihm erstaunlich dürftig vor. Stafford war ein solcher Star in Cantors Labor, daß der Professor nie Grund gehabt hatte, eines seiner Ergebnisse anzuzweifeln, und auch sein Laborbuch seit langem nicht mehr kontrolliert hatte. Nachdem er sich deswegen einen Morgen lang echauffiert hatte, beschloß er, Stafford in South Carolina anzurufen. Doch da tat sich ein weiteres Problem auf: Stephanie hatte weder seine dortige Nummer noch Adresse. »Dann verbinden Sie mich eben mit seiner hiesigen Telephonnummer«, befahl er schroff. Bei den ersten beiden Anrufen meldete sich niemand. Erst am Abend sagte eine Frauenstimme: »Hallo?«

»Guten Abend«, sagte er barsch, »spreche ich mit der Wohnung von Doktor Stafford?«

»Tja, der wohnt hier«, antwortete Leah, »aber er ist nicht da. Er ist verreist.«

»Haben Sie eine Nummer, unter der ich ihn erreichen kann?«

Cantors Ungeduld war deutlich durch das Telephon zu spüren, so daß Leahs Neugierde geweckt wurde. »Wer spricht bitte?« fragte sie.

»Mein Name ist Cantor.«

»Oh«, sagte sie überrascht, »einen Augenblick bitte.« Leah hatte eine Menge über den Professor gehört, aber sie hatte nie so richtig an seine Existenz geglaubt. Sie hielt die Sprechmuschel zu. »Celly! Komm doch mal an den Apparat. Cantor ist dran, er sucht Jerry. Er klingt ziemlich sauer«, sagte sie warnend und reichte ihr den Hörer.

»Kann ich Ihnen helfen, Professor Cantor?« fragte Celestine.

Der Gebrauch seines Titels besänftigte ihn, wie es immer der Fall war, wenn er feststellte, daß der andere von ihm gehört hatte, ohne daß er sich vorgestellt hätte.

»Ich bin Celestine Price«, fügte sie hinzu und hielt inne. Mal sehen, ob Jerry seinem Prof endlich was von mir erzählt hat, dachte sie. Aber Cantor reagierte nicht. Ihr Vorname kam ihm zwar irgendwie bekannt vor, aber er hatte schließlich Wichtigeres im Kopf. »Ich bin« – sie zögerte kurz und fuhr dann fort – »eine von Jerrys Mitbewohnerinnen.«

»Vielleicht können Sie mir helfen.« Cantor wischte das Privatleben seines Mitarbeiters weg. »Ich muß Jerry dringend sprechen. Haben Sie eine Telephonnummer, unter der er zu erreichen ist? Sein Großvater in South Carolina hat angeblich einen Herzanfall gehabt.«

Angeblich? Celestine stürzte sich auf dieses Wort. Sie hatte es letzten Freitag abend ebenfalls benutzt, als sie bei der Rückkehr aus dem Labor eine Vase mit Rosen und einen Briefumschlag von Jerry vorfand. Dies war erst der zweite Blumenstrauß, den er ihr geschenkt hatte. Der armselige Inhalt des Umschlags unterschied sich stark von Jerrys erstem Brief. Er bestand aus einer ziemlich kitschigen Geburtstagskarte, die ein Schiff und eine einsame Gestalt am fernen Ufer zeigte. »Tut mir leid, daß ich den Anschluß verpaßt habe. Herzlichen Glückwunsch zum Geburtstag« lautete der gedruckte Text. Darunter standen einige handgeschriebene Zeilen:

Mein Großvater hatte einen Herzanfall (einen leichten!). Ich fahre für ein paar Tage nach South Carolina. Du kannst mich unter (803)555-7182 erreichen. Tut mir leid, daß ich nicht mit Euch nach Chicago fahren kann. Wir holen es ein andermal nach. Alles Liebe, Jerry.

»Schau dir diese blöde Karte an«, hatte Celestine geschimpft. »Wenn der Herzanfall angeblich so leicht war, warum konnte Jerry dann nicht bis Sonntag warten? Er hätte in Chicago ein Flugzeug nehmen können. Ich wußte nicht einmal, daß er einen Großvater hat.«

»Celly, jeder Mensch hat einen Großvater.« Leah las die Karte über ihre Schulter. »Der arme Jerry. Aber mach dir keine Sorgen, Celly. Dann feiern wir eben allein. Ich laß mir von keinem den Geburtstag meiner Chemikerin verderben.«

Am Ende verbrachten sie einen denkwürdigen Abend: Die griechischen Kellner tanzten; das Kronos-Quartett spielte ein maßvoll modernes Wiener Programm – Schönberg, Webern und Berg; und als Zugabe bekam Celestine noch eine ungewöhnliche Überraschung serviert. Das Konzert fand in einem großen Saal mit Empore statt, auf der die beiden Frauen saßen. Leah hatte an alles gedacht. Sie hatte sogar ein Opernglas mitgebracht, mit dessen Hilfe sie die Musiker auf geradezu ungehörige Weise in allen Einzelheiten studieren konnten. Leah hatte sich an Celestines Schilderung der exzentrischen Kleidung erinnert, für die das Quartett bekannt war – so exzentrisch wie einige der Kompositionen, die Celestine mit Graham Lufkin gehört hatte.

»Gib mal das Fernrohr her«, hatte Celestine gesagt, als in der Pause die Lichter angingen. »Ich schau mir zu gern die Leute an.« Sie ließ den Blick langsam durch das Publikum gleiten. Plötzlich erstarrte sie. »Das darf doch nicht wahr sein!« flüsterte sie so leise, daß Leah es nicht hören konnte. »Da ist ja Paula.«

Ihre Verwunderung war nicht durch Paulas Anwesenheit ausgelöst worden; schließlich kannte Celestine die musikalischen Neigungen ihrer Tante. Sie hatte sie bei dem ersten Kronos-Konzert sogar gegenüber Lufkin erwähnt, als die Cellistin des Quartetts, Joan Jeanrenaud, auf der Bühne erschien. Was sie verblüffte, war Paula Currys Begleiter: I. Cantor. Sie hatte ihn zwar nie persönlich kennengelernt, aber sie war mit Jerry zu einem seiner Vorträge gegangen.

Und jetzt, zwei Tage später, sprach sie leibhaftig mit ihm. Wer hätte das gedacht, daß Cantor ein Doppelleben führte? Aber wie sah es denn bei Jerry selbst aus? Seine Abreise nach South Carolina war einfach zu plötzlich.

»Ja«, sagte sie zu Cantor, »sein Großvater hat angeblich einen Herzanfall gehabt. Einen leichten, wie er mir gesagt hat. Ich hole Ihnen die Nummer.«

»Hoffentlich geht es Ihrem Großvater besser.« Cantor ließ keine Gelegenheit für eine Antwort; er hatte es nicht als Frage gemeint. »Jerry, Sie wissen ja, daß Krauss einen seiner Postdoktoranden *Ihr* Experiment wiederholen läßt. Sie wissen, daß sie damit Probleme haben und daß ich Krauss nicht viel länger auf die Einzelheiten warten lassen kann. Gott sei Dank versuchen es nicht noch andere; die wären vielleicht nicht so höflich, uns über ihre Schwierigkeiten zu informieren. Sie könnten ihren Mißerfolg vielleicht sogar veröffentlichen. Ich dachte, ich schicke Krauss einfach Photokopien Ihres Laborbuchs.«

Cantor vernahm nur ein leises »Ja?«

»Ich hatte mir Ihr Laborbuch seit Monaten nicht mehr angesehen –«

Bevor Cantor fortfahren konnte, ging Stafford prompt zum Gegenangriff über: »Dazu hatten Sie auch gar keinen Grund, oder? Bis auf unseren *Nature*-Artikel« – in diesem Fall wies das »unseren« nicht die geringste Zweideutigkeit auf – »hatten Sie mich ja auch gebeten, den ersten Entwurf unserer letzten beiden Manuskripte zu schreiben. Sie wollten nur meine Entwürfe sehen.«

»Das weiß ich ja.« Wenn Cantors frühere Worte einen vorwurfsvollen Unterton enthalten hatten, so war dieser nun verschwunden. Im Gegensatz zu anderen Leuten, deren Namen er nicht erwähnen wollte, die aber so gut wie nie die Entwürfe von Manuskripten verfaßten, die später ihren Namen trugen, fertigte Cantor die Erstfassungen seiner Artikel fast immer selbst an. Mehr als einmal hatte er stolz auf den Unterschied zwischen seiner Praxis und der professioneller Nichtautoren hingewiesen, die dennoch als Autoren erschienen. Cantor mißbilligte ein derartiges Verhalten auf das Schärfste. Er fand, daß man, wenn der eigene Name auf einer Abhandlung stand, für alles in ihr verantwortlich war. Die beste Methode, diese Verantwortung wahrzunehmen, bestand darin, den entsprechenden Artikel selbst zu schreiben. Aber sogar er, Cantor – der gewissenhafte Superstar, der der Verlockung riesiger Forschungsgruppen widerstanden hatte, um seinen hohen Wertmaßstäben sowohl im Labor als auch in seinen Veröffentlichungen gerecht zu werden –, hatte in den letzten Jahren bei Jeremiah Stafford eine Ausnahme gemacht.

Cantors Ton war kleinlaut geworden. »Jerry, ich kann nicht

einfach Xeroxkopien Ihrer Journalseiten an Krauss schicken. Es fehlen zu viele Details. Sie erwähnen nicht einmal, welchen Puffer Sie in der ursprünglichen Extraktion benutzt haben; Sie geben nicht an, welches Trägermaterial sich bei der HPLC-Trennung in den Säulen des Hochdruckflüssigkeits- chromatographen befand; Sie sagen nicht, woher die Arginase kam –«

Stafford unterbrach ihn gebieterisch: »Aber, I. C., das sind doch Lappalien, Routinekram, und Sie wissen genau, unter was für einem Zeitdruck ich gearbeitet habe. Was *ich*« – die erste Person Singular war hörbar unterstrichen – »in nicht einmal drei Monaten geleistet habe, das soll mir erst mal jemand nachmachen. Vermutlich war ich bei den Laborbuch- Eintragungen nur ein bißchen schlampig. Ich kümmere mich um die fehlenden Angaben, wenn ich am Mittwoch zurück- komme. Sie haben sie am Freitagvormittag auf Ihrem Schreibtisch liegen.«

Genau das hatte Cantor hören wollen. Der Brief an Krauss ging in der Woche darauf zur Post.

Fast den ganzen März hindurch war die einzelne Wolke an Cantors strahlendem Horizont weder größer noch dunkler geworden. Aber so wie das Wetter auf dem Mount Everest kann sich auch der wissenschaftliche Himmel mit dramati- scher Geschwindigkeit verändern: in diesem Fall durch einen einzigen Telephonanruf.

»I. C., machen Sie sich mal keine Sorgen«, begann Krauss ganz unschuldig. »Jedenfalls noch nicht«, fügte er nach einer Pause hinzu, die so kurz war, daß nur das Ohr eines Zuhörers, das auf die feinsten Nuancen in Kraussens Sprechweise ge- eicht war, sie zu deuten verstand.

Cantor hatte kaum erwidert: »Was soll das heißen, Kurt?«, als er auch schon wußte, was kommen würde.

»Mein Postdoc, Ohashi – Sie wissen schon, der Mann, den ich auf Ihr Experiment angesetzt habe. Er ist ein erfahrener Enzymologe. Seine Fähigkeiten sind über jeden Zweifel erha- ben. Und das ist jetzt schon sein zweiter Versuch. Er ist noch immer nicht imstande, am Ende einen Arginin-Anstieg festzustellen. Und wenn es bei dieser Aminosäure keine Zunahme gibt, wo bleibt dann Ihre –«

Cantor unterbrach ihn mitten im Satz: »Ich weiß sehr gut, was das heißt. Was das heißen *würde*. Kurt, ich werde das Experiment persönlich mit Stafford wiederholen. Danach werde ich Ihren Ohashi einladen, in mein Labor zu kommen und es mit uns durchzuführen.«

»Ich dachte mir, daß Sie etwas Derartiges vorschlagen würden.« Krauss klang beruhigt und beruhigend. »Machen Sie sich unseretwegen keine Sorgen, I. C. Wir werden in diesem Stadium bestimmt nichts darüber veröffentlichen. Aber Sie haben Glück: Bis jetzt ist niemand sonst in der Lage, Ihre Arbeit zu wiederholen. Sie haben die experimentellen Einzelheiten doch weiter niemandem geschickt, oder?«

Cantor fragte sich, warum er so besitzergreifend klang. »Natürlich nicht.«

»In dem Fall braucht es Ihnen keine Sorgen zu machen.«

Sie wußten beide, was »es« bedeutete. In wenig mehr als einem Vierteljahr war »es« als das Cantor-Stafford-Experiment bekannt geworden. Ein Experiment oder eine Theorie nach den ursprünglichen Autoren zu benennen, ist die höchste Auszeichnung in der Wissenschaft: Das Boyle-Mariotte-Gesetz, die Avogadro-Konstante oder auch Millikans Öltröpfchenmethode, die ihm trotz gewisser fragwürdiger Meßdaten-Manipulationen 1923 den Nobelpreis eingetragen hatte, sind nur einige Beispiele. Eine derartige Auszeichnung wird jedoch nur selten ohne unabhängige Verifizierung verliehen, die Krauss hatte liefern wollen. »Es« konnte sich aber auch zum Cantor-Stafford-Fiasko entwickeln. Jedenfalls ein bis zwei Monate lang, bis das Experiment zusammen mit Dutzenden von anderen Fehlschlägen auf diesem Gebiet vergessen war. »Sie sollten sich beeilen«, wiederholte Krauss seine Warnung, »denn wenn Sie Ihre ausführliche Abhandlung erst einmal verfaßt haben und diese erschienen ist, weiß man nie, wer sie im Labor unter die Lupe nimmt.«

Cantor mußte nicht an den Zeitfaktor erinnert werden, auch wenn er das detaillierte Manuskript noch gar nicht begonnen hatte. Nur wenige Minuten später wurde Stafford in das Büro des Professors gerufen, die Tür geschlossen wie immer. »Jerry, wissen Sie, wie Krauss sich ausgedrückt hat? ›Machen Sie sich mal keine Sorgen . . . jedenfalls noch nicht.‹ Nun, ich fange an, mir tatsächlich Sorgen zu machen.« Cantor sah seinen jungen Mitarbeiter fest an, aber Staffords Augen hielten seinem Blick stand.

»Was haben Sie vor?« Staffords Stimme klang gedämpft.

Cantor tat der junge Mann leid. Er wollte ihm den Ernst der Lage klarmachen, nicht den Mut nehmen. »Wir werden *Ihr* Experiment gemeinsam wiederholen. Nicht draußen im Hauptlabor. Sondern in meinem Privatlabor. Dieses Mal gehe ich kein Risiko ein. Alles wird unter Aufsicht stattfinden. Es muß sich um etwas handeln, was so häufig passiert: Eine geringfügige, aber entscheidende experimentelle Variable, die von uns nicht erkannt wurde, muß daran schuld sein. Dieses Mal werden Sie jeden Schritt in meiner Gegenwart ausführen. Auf diese Weise werden wir herausfinden, was in Ihrem Bericht gefehlt hat. Ich lasse nicht zu, daß etwas Derartiges die ganze Theorie in Frage stellt. *Allons, enfants de la patrie*, auf ins Labor und angefangen!«

Cantors Jahr am Pasteur-Institut in Paris verleitete ihn noch immer zu gelegentlichen, leicht gezwungenen Bonmots. In diesem Fall sah Stafford, dessen Fremdsprachenkenntnisse sich im Grunde auf FORTRAN beschränkten, nicht einmal auf.

Staffords vorübergehender Umzug in das Privatlabor des Professors löste unter einigen Mitgliedern der Forschungsgruppe erhebliches Gerede und sogar Schadenfreude aus. Krauss' erster Fehlschlag, die in ihrem *Nature*-Artikel umrissene Arbeit zu wiederholen, war bei den wöchentlich stattfindenden Gruppenseminaren zwar nicht erörtert, aber auch nicht geheimgehalten worden. Da keiner der Doktoranden und Forschungsstipendiaten jemals aufgefordert worden war, in Cantors eigenem Labor zu arbeiten, war es nicht gerade eine Beförderung, daß der Musterknabe des Professors nun angewiesen worden war, sein spektakuläres Experiment unter dem wachsamen Auge seines Herrn und Meisters zu wiederholen.

Die Wochen im Labor verliefen problemlos. Natürlich hing

alles von der abschließenden Aminosäure-Analyse ab, die für Montag angesetzt war. Als Cantor an diesem Morgen nervös und besorgt eintraf, fand er einen beeindruckend zuversichtlichen und selbstsicheren Stafford vor. Einige Stunden später war Cantor bester Stimmung. Die Untersuchung war wie erwartet ausgefallen: Der Arginingehalt war sechsmal so hoch wie der des Kontrollwertes.

»Ich möchte die Gelegenheit ergreifen«, verkündete Cantor etwas hochtrabend auf der außergewöhnlichen Gruppenversammlung, die er in der Mittagspause einberufen hatte, »um noch einmal Jerrys grünem Daumen Tribut zu zollen.« Mehrere Augenpaare wanderten hinauf zur Decke, einige Gesichter verzogen sich zu Grimassen. Aber sobald Cantor fortfuhr, waren alle Augen nach vorn gerichtet, alle Grimassen verschwunden. »Doch ich werde ihn auch rügen, damit es jedermann zur Lehre gereicht.« Und dann gab Cantor offiziell bekannt, was bis dahin nur angedeutet worden war: daß Kraussens Gruppe in Harvard das Cantor-Stafford-Experiment nicht hatte wiederholen können. »Aber« – der rechte Zeigefinger schoß triumphierend in die Höhe – »*wir* haben es soeben wiederholt.« Nachdem Cantor ihre Arbeit erläutert und über die Gründe für den Fehlschlag in Harvard spekuliert hatte, sagte er abschließend: »Lassen Sie sich das eine Lehre sein, was Laborbücher betrifft.« Mindestens die Hälfte seiner Zuhörer wußte schon, wie der nächste Satz lauten würde: »Man kann nie zuviel in sein Laborbuch schreiben, aber man kann . . .«

Als Cantor in sein Büro zurückkehrte, trat er auf einen Briefumschlag mit der Aufschrift VERTRAULICH, der unter der Tür durchgeschoben worden war. Die Mitteilung, mit der Maschine geschrieben und nicht unterzeichnet, war nur eine Zeile lang:

Warum war Dr. Stafford am Sonntag abend in Ihrem Privatlabor?

12

Cantor steckte in einem gewaltigen Dilemma. Es spielte kaum eine Rolle, ob ein unbegründeter Verdacht, ausgelöst durch Konkurrenzneid, oder etwas Ernsteres hinter dem anonymen Brief steckte. Jeder der acht oder neun Männer, die sonntags immer im Labor waren, konnte ihn geschrieben haben. Die Korrektheit hätte es geboten, Stafford kommen zu lassen, ihn mit der Anschuldigung zu konfrontieren, das Experiment ohne ihn zu wiederholen und, falls es mißlang, Kurt Krauss zu informieren. Als ob das nicht schon traumatisch genug wäre, würde er dann auch noch in aller Öffentlichkeit Buße tun müssen: in Form eines in *Nature* veröffentlichten Briefes, in dem er das Cantor-Stafford-Experiment zurückzog. Die Standardformel am Schluß würde lauten »bis der experimentelle Nachweis erbracht ist«. Je nach Urheberschaft einer solchen Zurückziehung würde man unterschiedliche Schlüsse ziehen: Falls sie nur unter Cantors Namen publiziert wurde, würde jedermann Betrug vermuten; falls beide Namen angeführt wurden, Nachlässigkeit oder schlichte Unreproduzierbarkeit. In jedem Fall ist eine öffentliche Zurückziehung ein gräßliches härenes Hemd. Wenn Cantor es zu tragen beschloß, dann wurde aus seiner Tumorgenese-Theorie bloß eine weitere ad acta gelegte Mutmaßung auf dem Gebiet der Krebsforschung.

Bis jetzt hatte Cantor noch nie eine Veröffentlichung zurückgezogen; er hatte noch nie öffentlich über ein Experiment berichtet, das nicht anderswo wiederholt werden konnte. Ein

Fehler dieser Größenordnung – selbst wenn er von einem jüngeren Mitarbeiter begangen wurde – würde nie in Vergessenheit geraten. Schließlich war Cantor Mitautor der Abhandlung; es hätte auch keinen Unterschied gemacht, wenn sein Name an letzter Stelle gestanden hätte; die Verantwortung lag trotz allem beim Hauptautor. Cantor erinnerte sich – nun mit Schaudern – an die klammheimliche Freude, als er von der Demütigung eines renommierten Kollegen hörte. Es handelte sich um einen überaus gewissenhaften Professor in Cornell, der einen vielpublizierten Artikel zurückgezogen hatte, als er erkannte, daß die Meß- und Versuchswerte seines Mitarbeiters manipuliert waren. Erst nach der Lektüre der offiziellen Zurückziehung hatte Cantor Mitleid mit dem Mann empfunden, und Gewissensbisse wegen seiner eigenen Überheblichkeit, daß sich ein solcher Zwischenfall in seinem eigenen Labor unmöglich ereignen konnte.

In Anbetracht dessen, was auf dem Spiel stand, beschloß Cantor, nichts zu sagen – weder zu Stafford noch zu Krauss. Solange er nichts sagte, hielt er sich noch von einem möglichen Skandal für unbesudelt. Sein Schweigen konnte ihm jedoch nur eine bestimmte Frist erkaufen, in der er seine Theorie entweder verifizieren oder aufgeben mußte. Kostbare Wochen für einen weiteren Wiederholungsversuch des Stafford-Experiments aufzuwenden, kam nicht in Frage: Der Preis eines neuerlichen Mißerfolgs wäre zu hoch. Aber die Alternative war ebenfalls unerträglich: Seine Theorie war einfach zu grandios. Er fühlte es – »bis hinunter in meine Quarks«, wie er gern sagte –, daß sie richtig sein mußte. Schon bevor Cantor die anonyme Anschuldigung vor seinen Füßen entdeckt hatte, war er auf ein zweites Experiment gekommen, das eine unabhängige Verifizierung liefern konnte. Es war zwar riskant und keineswegs so unkompliziert wie das Cantor-Stafford-Experiment, doch Cantor kam zu dem Schluß, daß nun zuviel auf dem Spiel stand – nicht zuletzt der Nobelpreis. Statt nach Veränderungen im Aminosäure-Gehalt, insbesondere beim Arginin, zu suchen, konzentrierte sich Cantor nun auf die Beschaffenheit der Ribonukleinsäure – der Schablone, die für die Synthese seines Arginin enthaltenden Proteins verantwortlich war. Mit dem Nobelpreis vor Augen und dem Gespenst der Zurückziehung im Rücken verschwand er in seinem Privatlabor, das er jedesmal sorgfältig abschloß, wenn er es verließ, und sei es auch nur, um die Toilette aufzusuchen.

Cantors plötzliche Nichtverfügbarkeit überraschte und beunruhigte seine Mitarbeiter, allen voran Stafford. Früher waren die meisten Doktoranden, und natürlich Stafford, immer in das eingeweiht, was der Professor in seinem Labor machte. Stafford hatte es zwar nie ausgesprochen, aber insgeheim hatte er Cantors gelegentliche Ausflüge in sein Privatlabor schon seit langem als Herumpusseln eingestuft, wenn nicht gar als pure Stümperei. Schließlich war es der Professor selbst gewesen, der ihn gelehrt hatte, daß nur absolute Hingabe echte Resultate brachte. Aber nun wurde jeder Versuch Staffords, Cantor in seinem Labor zu sprechen, auf noch nie dagewesene Weise von Stephanie unterbunden, die den jungen Mann gewöhnlich einfach hineinwinkte. »Tut mir leid, Jerry, aber Professor Cantor ist mit einem äußerst wichtigen Experiment beschäftigt. Ich kann ihm höchstens etwas ausrichten.« Stafford merkte, wie seine frühere Herablassung schwand. Er war nicht ganz sicher, durch was er sie ersetzen sollte.

Stafford hatte lustlos in der neuesten Ausgabe des *Journal of Biological Chemistry* geblättert. Für Celestine war es offenkundig, daß er mit seinen Gedanken woanders war. Sie beugte sich von ihrem Ende des Sofas zu ihm hinüber und zerzauste ihm das Haar. »Was hast du denn, Jerry?« Der Blick, mit dem Stafford sie ansah, enthielt eine solche Mischung aus Schuldbewußtsein und Jammer, daß sie erschrak.

In den zurückliegenden Wochen hatte sie ihm oft ähnliche Fragen gestellt, doch er hatte immer Ausflüchte gebraucht oder drumherumgeredet. Er gehörte nicht zu den Menschen, für die es leicht oder wohltuend ist, offen über persönliche Gefühle zu sprechen. Doch an diesem Abend, gerade als es Celestine zum Bewußtsein kam, daß er wirklich Probleme hatte, drang sie zu ihm durch: vielleicht einfach durch die Art, wie sie ihn berührt hatte.

»Celly«, begann er mit erstickter Stimme und brach ab. Tränen traten ihm in die Augen.

»Ist ja gut, Jerry«, flüsterte sie und wischte ihm die Tränen mit der bloßen Hand ab. Sie unterdrückte den Drang, Fragen zu stellen. »Jeder muß ab und zu mal weinen. Laß dir ruhig Zeit, bevor du dich aussprichst.« Celestine legte den Arm um ihn, zog seinen Kopf an ihre Schulter und strich ihm langsam über das Haar.

»Celly«, sagte er mit leiser Stimme, »ich muß dir was gestehen: Mein Großvater hat überhaupt keinen Herzanfall gehabt.«

Ihre Hand hörte nicht eine Sekunde mit dem rhythmischen Streicheln auf. »Das hatte ich mir schon gedacht«, antwortete sie ruhig.

»Wirklich?« Stafford versuchte den Kopf zu heben, doch Celestine zog ihn wieder an ihre Schulter. »Wieso?«

»Das paßte ganz und gar nicht zu dir: die Art und Weise, wie du dich aus dem Staub gemacht hast, die Blumen, die Karte, die du dagelassen hast. Es paßte ganz und gar nicht zu den Blumen, die du mir damals geschickt hast. Ich habe nie meine ›unfehlbare Beständigkeit‹ vergessen, meine ›fürstliche Vortrefflichkeit‹ . . . meine ›wohlgestalteten Flanken‹.«

Stafford schien sie nicht zu hören. »Warum hast du denn nichts gesagt, als ich zurückgekommen bin?«

»Was hätte ich denn sagen sollen? Fragen, warum du geschwindelt hast? Ich dachte, du wirst schon einen Grund haben. Ich wußte, daß du es mir früher oder später erzählen würdest.«

Er hob den Kopf, um ihr ins Gesicht zu sehen. »Celly, du bist wunderbar.« Er streichelte ihre Wange. »Ich hätte mich anders verhalten, wenn die Rollen vertauscht gewesen wären.«

Sein schuldbewußter Jammerblick kehrte zurück. »Ich hab dir doch erzählt, daß Krauss in Harvard – der Mann, den I. C. mehr als jeden anderen schätzt – unser Experiment nicht wiederholen konnte. Besser gesagt, einer seiner Postdocs konnte es nicht wiederholen.«

»Schon, aber –«

»Warte, Celly. Laß mich ausreden. Das ist etwas ungeheuer Wichtiges. Zweifellos das Wichtigste, was jemals in I. C.s Labor passiert ist. Ich hab in meinem Laborbuch geschlampt . . .«

»Du hast zu hart gearbeitet, Jerry. Wir haben es ja in der ganzen Zeit kaum einmal gemacht.«

»Ich weiß.« Er schien ihren neckischen Ton, ihren Gebrauch des Wortes »es« nicht zu beachten. »I. C. hat sich verdammt anständig benommen, aber ich wußte, daß es ihn im stillen ganz schön ärgerte, daß ausgerechnet das Labor von Krauss Schwierigkeiten mit meiner Arbeit hatte. Erinnerst du dich noch, wie sehr er sich bemüht hat, Krauss zu imponieren und deshalb lieber in *Nature* statt in *Science* publiziert hat? Er hat sich sogar Vorwürfe gemacht, daß er sich nicht für *PNAS* entschieden hat. ›Dann hätten wir zumindest die Einzelheiten des Experiments vorlegen müssen‹, hat er gesagt. Ich wußte, was er meinte, weil er jedem im Labor einbleut: ›Beschreiben Sie Ihre experimentelle Arbeit so ausführlich, daß jeder sie reproduzieren kann.‹ Genau das hätte ich tun müssen. Ich hatte Angst, daß ich mich nicht mehr an alle Einzelheiten erinnern würde und daß die Gruppe in Harvard wieder Schiffbruch erleiden würde. Statt dessen habe ich Schiß bekommen und mich nach South Carolina verdrückt. Weißt du, was mich wieder zur Vernunft gebracht hat?«

»Du hast es mir erzählt, als du zurückgekommen bist: Cantors Anruf. Ich war ganz schön sauer, um ehrlich zu sein.«

»Dazu hattest du gar keinen Grund. Die ganze Sache hatte überhaupt nichts mit uns zu tun. Aber es war nicht der Anruf, sondern das, was I. C. tun wollte, nämlich Kopien meiner Journalseiten nach Harvard schicken.«

»Na und? Was ist denn schon dabei? Meiner Meinung nach war das die einfachste Lösung.«

»Nein!« Die Heftigkeit seiner Antwort überraschte sie. »Ich hab dir doch gesagt, daß mein Aufschrieb schlampig war. Es wäre sehr peinlich gewesen, wenn Krauss wieder anrufen und nach Einzelheiten hätte fragen müssen.«

»Aber dann hat Krauss doch wieder angerufen«, sagte sie leise.

»Tja. Ich kann dir gar nicht sagen, wie mir zumute war, als I. C. mich in sein Büro gerufen hat. Die Worte haben sich mir unauslöschlich eingeprägt: ›Machen Sie sich keine Sorgen . . . jedenfalls noch nicht.‹ Ich hab noch nie erlebt, daß Cantor bei einem Doktoranden oder Postdoc aus der Haut gefahren ist, aber ich hätte es ihm nicht übelgenommen, wenn er es in dem Moment getan hätte. Aber nichts dergleichen. Er sagte nur, es müsse sich um irgendwelche fehlenden Details handeln und daß wir es gemeinsam in seinem Labor wiederholen würden. Verstehst du jetzt, warum man bei ihm arbeiten möchte?«

»Es würde mich interessieren, was er wirklich gedacht hat«, meinte Celly nachdenklich.

Stafford schien sie nicht zu hören. »Ich hab dir nie gesagt, wie mir in all den Wochen zumute war.«

»Das brauchtest du auch gar nicht, Jerry. Ich habe es gespürt. Aber was soll's? Es ist ja alles gut ausgegangen. Oder nicht?«

Stafford schüttelte nur den Kopf. »Ich dachte, daß es gut ausgehen würde, aber dem war nicht so. Ich hab es dir nicht erzählt, aber seit drei Wochen ist I. C. wie umgewandelt. Er hat schon immer gern in seinem Labor herumgebastelt: Hie und da nimmt er sich einen kleinen Versuch vor, an dem einer von uns sitzt, und wiederholt ihn; oder probiert ein paar Tage lang was Neues aus und überläßt es dann einem anderen. Sicher, es ist schon beachtlich, daß er das überhaupt macht – jede Wette, daß Krauss und die meisten anderen in dieser Kategorie sich die Hände seit Jahren nicht mehr schmutzig gemacht haben.«

»Was ist denn nun passiert?« Neugierde und Sorge lagen in ihrer Stimme.

»Er hat sich in seinem Labor eingeschlossen und keinem gesagt, an was er arbeitet. So geht das jetzt schon einige Wochen. Er ignoriert praktisch jeden, und besonders mich. Früher ist I. C. fast täglich durch die Labors gegangen. Er hat immer gefragt, was jeder so macht – ich hab mir oft gewünscht, er würde uns nicht ständig im Nacken sitzen. Und jetzt --« Seine Stimme verlor sich.

»Warum fragst du ihn denn nicht, Jerry? Du hast mir

immer erzählt, wie aufgeschlossen der Mann ist. Geh doch einfach in sein Labor.«

»Das ist abgesperrt.«

»Im Ernst?« Ihr fröhlicher Ton klang forciert. »Dann klopf halt an die Tür, bis sie aufgeht«, meinte sie lahm.

»Das kann ich nicht, Celly. Ich hab Angst davor.«

»Jerry!« Sie streckte die Hand aus, um seinen Kopf zu streicheln, aber er schob sie weg.

»Ich will dir sagen warum«, flüsterte er. »Ich glaube, er wiederholt meine Arbeit. Und er will mich nicht in der Nähe haben.«

»Leonardo, Sie sind der einzige Mensch, den ich kenne, der keinen Anrufbeantworter besitzt. Hoffentlich rufe ich nicht zu spät an. Sie machen sich ja ziemlich rar.« Paula Curry verstand es, Unbehagen hinter leichtem Geplauder zu verbergen, aber die Anspannung hinterließ allmählich ihre Spuren. Bis jetzt hatte sie Cantor zum Mittagessen eingeladen; sie hatte das Kronos-Konzert vorgeschlagen und dann die Karten besorgt; als das Kammerorchester in ihrer Wohnung spielte, hatte sie ihm, natürlich ganz subtil, nahegelegt, noch zu bleiben und ihr beim Aufräumen zu helfen. Doch in diesem Fall war sie an einen Mann geraten, der nicht ständig auf ein Abenteuer aus war. Allerdings schien er des Guten doch zuviel zu tun – es wurde allmählich Zeit, daß er etwas unternahm. Als sie drei Wochen nichts von ihm gehört hatte, beschloß sie, es noch einmal zu versuchen. »Wissen Sie eigentlich, wie schwierig es ist, auf die Schnelle einen Bratschisten zu finden? Viel schwieriger als einen Cellisten. Wenn es nicht Ihren geliebten Boccherini gäbe . . .«

»Sagen Sie nichts: Sol hat verkündet, wie viele Trios für zwei Violinen und Cello er geschrieben hat.« Diesmal war Cantor fixer als sie.

»*Mais oui, Monsieur.*« Sie hatte Cantors Vorliebe für französische Ausdrücke schnell erfaßt. »Sechsundvierzig, um genau zu sein. Ist Sol nicht erstaunlich? Jetzt sind Sie dran, Leonardo. Wieviel hat Haydn komponiert?«

»Einundzwanzig«, antwortete er prompt.

»Richtig! Aber woher wußten Sie das?«

Cantor lachte vergnügt in sich hinein. »Wenn ich nicht so ein ehrlicher Mensch wäre, würde ich erwidern: ›Das weiß doch jeder.‹«

»Aber da Sie ehrlich sind . . .«

». . . und originell«, ergänzte er den Satz, »will ich gestehen, daß ich diese musikwissenschaftliche Bagatelle ebenfalls von unserem ersten Geiger erfahren habe. Als ich letztes Mal absagen mußte, hat er geklagt, die einzigen Stücke, abgesehen von den Mozart-Divertimenti, die er für zwei Violinen und Cello zu Hause habe, seien einige Haydn-Trios. ›Und hast du gewußt, daß er einundzwanzig komponiert hat, auch wenn drei verloren gegangen sind?‹ verkündete er, ohne daß ich danach gefragt hätte. Aber sagen Sie, Paula, wie ist es Ihnen ergangen?«

»Ich habe Sie vermißt, Leonardo. Ich hatte gehofft, Sie würden anrufen.«

Nach einer längeren Pause sagte er: »Ich auch.«

Sie fragte sich, ob er sich auf keinen Fall festlegen wollte oder bloß schüchtern war. Hol's der Teufel, dachte sie, jetzt ist eh schon alles egal. »Was ›auch‹?« fragte sie laut. »Haben Sie mich auch vermißt, oder haben Sie auch gehofft, daß ich anrufen würde?«

»Beides.«

»Und warum haben Sie dann nicht zum Hörer gegriffen? Ich dachte, Sie kämen fast jedes Wochenende nach Chicago.«

»Ich hätte bestimmt angerufen, aber die letzten Wochen waren ziemlich hektisch. Ich habe jeden Tag und fast jeden Abend im Labor gearbeitet . . .«

»Ich dachte, Sie würden über eine ganze Schar ergebener Sklaven gebieten.«

»Paula, wir nennen sie Mitarbeiter, Kollegen, Assistenten . . .«

»Oh, Verzeihung, Herr Professor.«

»Diese Arbeit mache ich ganz allein. Es könnte das wichtigste Experiment meines Lebens sein.« *Endlich habe ich es ausgesprochen, und sieh an, wen ich mir als Vertraute ausgesucht habe!* »Bitte reden Sie mit niemand darüber«, fügte er rasch hinzu,

»es könnte sich herausstellen, daß es nichts ist, wenn es nicht klappt. Tatsächlich weniger als nichts.«

Paula Curry war sprachlos. Wie viele Männer erzählen einem schon spontan, daß sie an der wichtigsten Sache ihres Lebens arbeiten? »Ich frage mich, ob Leonardo das auch gesagt hat, als er von einem Weibsbild gestört wurde, während er die Mona Lisa malte. Mein lieber Leonardo, natürlich werde ich schweigen. Aber irgendwann erzählen Sie mir doch mehr darüber?«

»Bestimmt.«

Paula war von seiner schnellen, fast explosiven Antwort überrascht. »Wann?«

»Könnten Sie am Sonntag herfahren? Es wird mir vermutlich gut tun, mal auszuspannen. Können Sie zum Mittagessen kommen?«

»Aber natürlich kann ich kommen. Ja, gerne.« Einen Moment lang fühlte sich die vierundvierzigjährige Frau wie ein Backfisch, der endlich zum Oberstufenball eingeladen worden ist.

Sonntag, der 24. Mai, war im Mittleren Westen einer der Tage, an denen am Morgen Frühling war, bis Mittag dagegen schwüler Sommer. Bei diesem ersten Besuch in Cantors Privatrevier bot das Wetter Paula Gelegenheit, sich auffallend anders zu kleiden, als er es gewohnt war. Sie fand, daß sie nichts zu verlieren hatte, wenn es etwas gewagter war, und hatte ihre Garderobe entsprechend gewählt: hauchdünne Strümpfe; einen malvenfarbenen Rock, der knapp oberhalb des Knies endete und auf der linken Seite einen dezenten Schlitz hatte; und Schuhe mit Pfennigabsätzen, Marke Charles Jourdan, die ihre muskulösen Joggerwaden betonten. Daß die hohen Absätze sie noch größer wirken ließen, schien ohne Bedeutung zu sein. Was für einen Unterschied machte es schon, ob sie acht oder zehn Zentimeter größer war als Cantor? Sie hatte sich längst damit abgefunden, daß sie die meisten Männer ihres Bekanntenkreises überragte; falls es Cantor etwas ausmachte, so hatte er es sich bisher nicht anmerken lassen. Vor dem Spiegel machte sie erst zwei, dann drei Knöpfe ihrer hellgrauen Seidenbluse auf. Nein, entschied sie, lieber zwei; man mußte ja nicht gleich übertreiben.

Paula kam fast zwanzig Minuten zu früh an und beschloß, ein bißchen durch die Stadt zu fahren und den ausgedehnten Campus zu umrunden, der den Ort äußerlich und wirtschaftlich beherrschte. Sie fuhr einmal die von Bäumen gesäumte Straße entlang, in der Cantor wohnte, und bemerkte die stattlichen Häuser, die sorgfältig gepflegten Rasenflächen, das Fehlen von Zäunen, die Einförmigkeit der Architektur. Sie war erstaunt. Sie hatte etwas anderes von Cantor erwartet, nicht dieses große, weiße, zweistöckige Haus aus den zwanziger oder dreißiger Jahren. Mit dem Picknickkorb in der Hand folgte sie dem von Wacholderbüschen eingefaßten Weg zu den Stufen und zur Tür, wo sie einen Brief fand, der ihren Namen trug. Der Inhalt lautete:

Paula, ich mußte etwas im Labor überprüfen. Der Schlüssel liegt unter der Matte. Ich bin bald zurück. L.

Es war der erste Brief, den sie von Cantor bekommen hatte. Die Unterschrift freute sie, trotz ihrer Kürze, besonders.

Als Innenarchitektin war Paula Curry ein echter Profi. Wenn sie das Heim eines potentiellen Kunden oder überhaupt eines anderen zum erstenmal besuchte, inspizierte sie es nie. Zumindest nicht so, daß es auffiel. Aber ihre Augen waren wie das Weitwinkelobjektiv einer Filmkamera; sie erfaßte, verglich und legte die resultierenden Bilder in ihrer riesigen Speicherbank ab. Da sie in Cantors Haus allein war, konnte sie sich diesmal den Luxus einer gemächlichen Erkundung, ohne die übliche Maske der Gleichgültigkeit, gönnen. Jetzt, wo sie da war, war sie nicht sicher, was sie eigentlich erwartet hatte. Cantors Chicagoer Zweitwohnung hatte sie auf einen Kenner englischer Möbel vorbereitet, einen einigermaßen wohlhabenden Mann von exzellentem Geschmack. Das einzige, was sie nach dem Boccherini-Beethoven-Abend moniert hatte – daß faktisch keine Bilder an den Wänden hingen –, hatte er ohne zu zögern begründet: »Ich mache mir nichts aus englischen Jagdszenen, und ich verstehe auch nichts davon.

Die englischen Maler, die ich mag und die mit dieser Art Einrichtung aus dem 18. Jahrhundert harmonieren würden, sind Hogarth und Romney. Ein Romney-Porträt wäre besonders passend, weil sein Vater Kunsttischler war.« Cantor hatte die Achseln gezuckt. »Aber die sind fast nicht zu bekommen, und wenn sie es wären, könnte ich sie mir auf keinen Fall leisten. Ich hätte nichts gegen einen kleinen Reynolds oder Gainsborough einzuwenden, aber da sieht es genauso aus. Da begnüge ich mich lieber mit meinen Büchern und natürlich« – er hatte auf das Fenster gedeutet – »dieser Aussicht.« Lag es nur daran, daß es hier keine derartige Aussicht gab, fragte sich Paula Curry, als sie die Kunstwerke an den Wänden des Wohnzimmers sah. Fasziniert zog sie die Vorhänge auf, um mehr Licht hereinzulassen.

So fand Cantor sie, als er über die Schwelle des Wohnzimmers trat; er hatte das Haus durch die Verbindungstür zur Garage betreten. Paula kniete mit einem Bein auf der geflochtenen Sitzfläche eines ungewöhnlichen Buchenholz-Sofas, die Hände auf der hohen Rückenlehne, den Rock straff gespannt, während sie sich vorbeugte, um das Aquarell an der Wand zu studieren. Cantor erschrak. Es war nicht nur wegen Paulas Haltung; er war auch wegen des hellen Sonnenlichts bestürzt, das ihm, aus Sorge um seine kostbaren Aquarelle, normalerweise ein Greuel war. »*Bonjour*, Paula«, sagte er schließlich, »willkommen in der Provinz.«

Paula sprang vor Überraschung auf. »Oh, I. C. . . . Ich habe Sie gar nicht gehört.« Sie reichte ihm die Hand. Händeschütteln und sie beim Überqueren der Straße am Ellbogen zu halten: Dies waren die einzigen Formen von Körperkontakt, die bislang zwischen ihnen stattgefunden hatten. »Leonardo«, platzte sie heraus, »warum haben Sie das nie erwähnt?« Ihre Handbewegung schloß das ganze Zimmer ein. »Es ist umwerfend. Und in diesem Haus!«

»Was soll das heißen? ›In diesem Haus‹?«

»Oh, es tut mir leid, aber Sie wissen schon, was ich meine. Nach außen hin ist es ein völlig normales Haus, aber . . .«

»Nur weiter, nur weiter!« Cantor strahlte.

»Wer hätte erwartet, hier einen solchen Stuhl zu finden? Ich

versuche mich darauf zu besinnen, wie er genannt wird . . .
Sitzapparat oder so . . .«

»Sitzmaschine«, sagte er stolz.

»Dieser Raum ist ja reinstes Jahrhundertwende-Wien! Josef Hoffmann! Kolo Moser! Schauen Sie sich nur diesen herrlichen Moser-Schreibtisch an: diese Messingintarsien! Was geht hier eigentlich vor, Leonardo? Englische Antiquitäten aus dem 18. Jahrhundert in der Stadt, Wiener Jugendstil auf dem Lande? Aber das da« – sie grinste und deutete wieder auf die Wand –, »das ist der Gipfel. Und Sie hatten die Unverfrorenheit, mir in Chicago weiszumachen, daß Sie keine Kunstwerke an den Wänden hätten! Daß Sie sich die passenden Romneys nicht leisten könnten! Und was sehe ich hier? Passende Schieles!«

»Ja, und?« Er mimte den Unschuldigen. »Egon Schiele starb 1918 in Wien. Was diesen Raum betrifft, arbeitete er am richtigen Ort und lebte zur richtigen Zeit. Außerdem gefallen mir seine Werke besser als die aller anderen modernen Maler. Ist die Frage damit beantwortet?«

»Ist die Frage damit beantwortet?« wiederholte sie mechanisch. »Wenn ich mir vorstelle, daß Sie mich letzten Monat bei dem Konzert die ganze Zeit einen Vortrag über Wiener Kammermusik haben halten lassen – über Musik, die in diesem Raum komponiert worden sein könnte – und kein Sterbenswörtchen verraten haben!«

»Nun seien Sie aber vernünftig, Paula!« protestierte er sichtlich entzückt. »Was hätte ich denn sagen sollen? ›Diese Programmfolge erinnert mich an mein gepflegtes Heim, wo ich, auf einer Sitzmaschine ruhend, meine Schieles betrachte und mir auf meiner Stereoanlage etwas Schönberg zu Gemüte führe?‹«

»Es gibt Momente, da wollen Sie einfach mit aller Gewalt geistreich sein.« Sie drohte ihm scherzhaft mit dem Finger. »Es geht mich natürlich nichts an. Aber wie können Sie sich« – sie begann zu zählen – »mindestens sieben Schieles leisten?«

»Es sind ja keine Ölgemälde«, sagte er mit gespielter Geringschätzung, »sondern nur Aquarelle und Zeichnungen.«

»Nur!«

»Ich habe sie in den sechziger Jahren gekauft. Heute könnte ich sie mir nicht mehr leisten.«

»Haben Sie denn keine Angst, daß sie gestohlen werden könnten?«

»Kaum.« Er benutzte die Gelegenheit, um die Vorhänge zuzuziehen. »Sie sind versichert. Außerdem habe ich nur selten Besuch. Und die Leute, die herkommen, haben noch nie von Schiele gehört. Bis heute jedenfalls. Ich habe gesehen, daß Sie das da studiert haben.« Cantor deutete auf die Wand. »Aus einem besonderen Grund?«

Sie sah ihm direkt in die Augen. Sie fand es an der Zeit, wieder für Gleichheit zwischen ihnen zu sorgen. »Ja. Es ist das erotischste von allen. Obwohl das Paar fast vollständig bekleidet ist. Diese Augen: sie wirken beunruhigt. Es liegt ein Schock der Erkenntnis darin – als ob jemand die beiden gerade dabei erwischt hätte, wie sie . . .« Sie zögerte. Sollte sie »bumsten« oder »sich liebten« sagen?

Cantor löste das Problem für sie. Er ging an die Wand und nahm die Zeichnung ab. »Hier«, empfahl er, »schauen Sie mal so darauf.« Er hielt das Bild senkrecht, so daß die Frau stand und der Mann ihre Taille umschlang, den Kopf an ihrem Bauch. Dann drehte Cantor es um neunzig Grad. Nun schien die Frau auf dem Rücken zu liegen und der Mann über ihr zu sein, als hätte er gerade aufgehört. Vielleicht knöpfte er sich sogar die Hose zu.

»Erstaunlich!« Sie nahm ihm das Bild aus der Hand und versuchte es selbst – erst auf die eine Weise, dann auf die andere.

»Was finden Sie . . .«

»Erregender?« unterbrach sie ihn. »Oh, die Senkrechte. Keine Frage.«

Cantor sah sie seltsam an. »Sie scheinen sich sehr sicher zu sein. Warum?«

»Erstens, weil sie stehen. Sich im Stehen zu lieben, hat etwas von einem Stelldichein an sich. Und dieses Paar sieht zweifellos so aus, als ob es bei etwas Verbotenem ertappt worden wäre. Zweitens, wenn man sich die relative Stellung der beiden betrachtet, dann haben sie nicht . . . kopuliert, es sieht eher wie Cunnilingus aus. Und« – sie sprach schnell weiter, den Blick noch immer auf das Bild gerichtet, als ob sie zu ihm statt zu Cantor spräche – »weil sie steht und er irgendwie kauert, kann man nicht einmal sagen, ob sie wirklich so viel größer ist.«

»Ich verstehe«, sagte er nach einer langen Pause und hängte das Bild wieder an seinen Haken. »Kommen Sie, wir essen draußen im Garten. Ich habe schon den Tisch gedeckt. Was für einen Wein soll ich aufmachen?«

Paula hatte ihre Tagesordnung, Cantor hatte die seine. Ursprünglich war es Paula nur darum gegangen, mehr über Cantor zu erfahren und sein Haus in der Universitätsstadt zu sehen. Jetzt war sie noch neugieriger auf seine Neigungen, seine Finanzen, sein Leben allein. Ein offenkundiger Junggeselle, umgeben von erotischer Kunst? Cantors Zweck dagegen war wesentlich konkreter, sein Ziel fast völlig egozentrisch: Er brauchte jemanden, mit dem er reden konnte. In den letzten Wochen war er faktisch ein Einsiedler gewesen. Als Vertraute jemanden wie Paula Curry zu wählen, die keine wissenschaftlichen Kenntnisse besaß, aber dafür intelligent, diskret und vielleicht auf dem besten Weg war, eine Freundin zu werden: Während des Essens fühlte Cantor, daß seine Wahl genau richtig gewesen war.

Sobald sie sich gesetzt hatten, wurde ihm jedoch klar, daß er erst einmal Paulas Neugierde befriedigen mußte. Als er sie zu kommen bat – oder hatte sie sich selbst eingeladen? –, war diese Einladung so spontan erfolgt, daß er keinen Gedanken darauf verschwendet hatte, welche Fragen seine häuslichen Verhältnisse in ihrem Kopf aufwerfen würden. Sie war die erste Innenarchitektin, die er je kennengelernt hatte, und noch dazu in Kunstgeschichte bewandert. Er beschloß, es hinter sich zu bringen – und zwar schnell und summarisch. Selbst die lächerlich niedrigen Preise der Schieles – zumindest nach den derzeit bei Kunstauktionen üblichen Maßstäben – schienen ihr denn doch die finanziellen Möglichkeiten eines jungen Professors in den frühen sechziger Jahren zu übersteigen. Sie hatte natürlich recht. Und da sie hartnäckig war, entlockte sie ihm im Laufe des Mittagessens eine Erklärung für seinen verhältnismäßigen Wohlstand und das verpflanzte Wiener Ambiente.

Die Erklärung war einfach, zumindest schien sie so für Cantor in seiner Ungeduld, die biographischen Details hinter sich zu bringen. Sein Schwiegervater – ein wohlhabender jüdischer Industrieller aus Wien, dessen einzige Tochter Cantor geheiratet hatte, als sie sechsunddreißig war – hatte ihn zum Erben seines halben Vermögens eingesetzt. Im Gegensatz zu den meisten anderen Wiener Juden hatte der alte Herr den Weitblick besessen vorauszusehen, daß der Hitler-Bazillus nicht an der österreichischen Grenze haltmachen würde. Zwei Jahre vor dem Anschluß verließ er Wien und ging mit seiner ganzen Familie, all seinem Geld, seinen Möbeln und seinen Kunstschätzen nach Amerika. »Verstehen Sie jetzt, warum ich eine Sitzmaschine und die Schieles besitze?« hatte Cantor in Erwartung eines verständnisvollen Nickens gefragt.

»Nein«, sagte Paula und strahlte ihn mit blitzenden Zähnen an. »Nicht so schnell. Warum hat er Sie zu einem seiner Erben eingesetzt? Und was ist mit Ihrer Frau: Was hat die bekommen? Und warum haben Sie sich scheiden lassen?«

Am Ende holte Paula alles aus ihm heraus. Papa Löwenstein, ein großartiger alter Herr, war entzückt gewesen, daß sein einziges Kind, Eva, nicht nur einen Ehemann gefunden hatte – als er schon alle Hoffnung aufgegeben hatte, daß sie jemals heiraten würde –, sondern sogar einen leibhaftigen Herrn Professor Doktor. Warum nicht dem Schwiegersohn die Hälfte des Besitzes hinterlassen? Zum Glück war dem alten Herrn der Kummer über ihre Scheidung erspart geblieben: Er war vier Jahre davor, zusammen mit seiner Frau, bei einem Verkehrsunfall ums Leben gekommen. Als Eva und I. C. sich trennten, warfen die güterrechtlichen Folgen keine Probleme auf, weil Evas Vater sie bereits in seinem Testament geregelt hatte. Beiden blieb genügend Geld. Eva war damit fertig, Mrs. Cantor zu sein, die Professorengattin. Nichts sollte sie mehr an diese Stellung erinnern – schon gar nicht das Haus und das Mobiliar.

»Aber ich habe Sie nicht eingeladen, um über diese Dinge zu sprechen.« Cantor konnte sich nicht länger zurückhalten.

»Wirklich nicht?« Paulas Augen weiteten sich zu einem spöttischen Lächeln. »Na gut. Ich nehme an, Sie haben meine Neugierde hinlänglich befriedigt. Wenigstens für den Augenblick. Worüber wollten Sie denn mit mir sprechen, Leonardo? Über das wichtigste Experiment Ihres Lebens? Oder das erfolgreichste?«

»Das erfolgreichste?« Cantor war einen Moment lang pikiert. »Ach, Paula, genau darüber muß ich mit jemand sprechen. Ich will versuchen, es kurz und einfach zu machen.«

»Einfach?« Wieder spielte ein Lächeln um ihre Lippen.

Cantor ertappte sich dabei, daß er ihr länger ins Gesicht sah, als angebracht schien. »Ich meine allgemein verständlich. Sehen Sie, meine Gruppe konzentriert sich schon seit Jahren auf die Tumorgenese.«

»Selbst auf die Gefahr hin, Sie gleich zu Beginn zu verärgern, muß ich Sie doch unterbrechen. Was genau heißt das?«

»Tumorgenese? Die Entstehung von Tumoren.«

»Versuchen Sie, Krebs zu erzeugen oder zu heilen?« Sie meinte es als Scherz, aber inzwischen hatte Cantor im Geiste bereits den Hörsaal betreten.

»Weder noch. Wir versuchen nur, den Vorgang zu verstehen. Letztes Jahr hatte ich eine, wie ich bei aller gebührenden Bescheidenheit sagen darf, echte Inspiration. Sie schien die meisten Beobachtungen im Zusammenhang mit dem Ausbruch bösartiger Krankheiten zu begründen und erklärte die Tumorbildung auf ganz allgemein anwendbare Weise.« Cantor nahm seine Papierserviette und zeichnete eine flüchtige Skizze einer Zellmembran. Rasch, und mit einem Minimum an Fachjargon, umriß er Paula die Grundlage seiner Tumorgenese-Theorie. »Nun hat es schon zahlreiche Hypothesen auf dem Gebiet der Krebsforschung gegeben – von denen viele inzwischen verworfen wurden –, aber noch keine von so allumfassender Reichweite wie meine. Sie hat ziemliches Aufsehen erregt, wenn ich so sagen darf. Ich war absolut sicher, daß sie richtig war. Aber es war nur eine Hypothese, und das mußte sie auch bleiben, bis« – er machte eine Pause, um die

Wirkung zu steigern – »bis wir den experimentellen Nachweis erbringen konnten. Im Spätherbst kam ich auf ein entsprechendes Experiment und setzte meinen besten jungen Mitarbeiter, einen Dr. Stafford, auf das Projekt an.«

»Einen Ihrer Sklaven.«

»Nein, einen meiner Mitarbeiter. Vielleicht der vielversprechendste, den ich je hatte. Aber ich habe ihn stark unter Druck gesetzt, wie ich zugeben muß. Ich war so davon überzeugt, daß die Theorie richtig war, daß ich etwas getan habe, was mir unter normalen Umständen nicht im Traum eingefallen wäre: Ich habe dem Mann praktisch gesagt, daß er die Sache in drei Monaten fertig haben müsse.«

»Und hat er es geschafft?«

»Ja. Wir haben die Arbeit veröffentlicht –«

»Wir?«

Cantor sah sie verdutzt an. »Ja, wir. Warum fragen Sie?«

»Wenn er doch die Arbeit gemacht hat, warum haben Sie sie dann mit ihm veröffentlicht?«

»Lieber Himmel, Paula« – er klang verärgert –, »wir haben tatsächlich einen kulturellen Abgrund zu überbrücken! Aber darauf möchte ich jetzt keine Zeit verschwenden. Ich kann Ihnen jedoch versichern, daß dies in der Wissenschaft *de rigueur* ist. *Ich* bin auf das Problem und auf die Lösung gekommen, *er* hat die eigentliche Arbeit gemacht, und *wir* haben sie gemeinsam veröffentlicht. So wird das immer gemacht.«

»Fahren Sie fort, Leonardo.« Paula gab ihrer Stimme einen besänftigenden Ton. »Es ist nicht weiter wichtig. Was geschah dann?«

»Nun, nachdem wir sie veröffentlicht hatten, war buchstäblich die Hölle los. Ich meine das im positiven Sinn.« Er grinste befangen. »Telephonanrufe, Glückwünsche, Einladungen zu Vorträgen, lauter solche Sachen. Aber« – er hob den Zeigefinger zur Betonung – »es gab auch ein Problem. Ein bedeutender Kollege – vielleicht sollte ich ihn besser den Mentor nennen, den ich nie hatte – in Harvard betraute einen seiner Postdoktoranden mit der Aufgabe, unsere Arbeit zu wiederholen.«

»Aber warum denn bloß? Dr. Stafford – ich meine, Sie

beide hatten sie doch bereits ausgeführt. Hat er Ihnen nicht getraut?«

»Paula, in der Wissenschaft haben wir etwas, das man einen ›Gesellschaftsvertrag‹ nennen könnte. Wir müssen uns auf die Zuverlässigkeit der Arbeit anderer Wissenschaftler verlassen können. Wenn Sie sich einmal eine wissenschaftliche Abhandlung anschauen – warten Sie einen Augenblick. Ich gehe nur schnell rein und hole Ihnen eine.«

Paula war von seiner jungenhaften Begeisterung gerührt, von der Art, wie er aufsprang und die Gartentreppe zwei Stufen auf einmal nahm.

»Hier, schauen Sie sich das Ende dieses Artikels an.« Er hatte den Sonderdruck der *Nature*-Veröffentlichung aufgeschlagen. »Hier stehen elf Verweise auf die Arbeit anderer – auf Arbeiten und Ergebnisse, die wir benutzt haben, um unsere eigene Forschung durchzuführen. Wenn ihre Arbeit nicht zuverlässig ist, dann kann unsere Arbeit es auch nicht sein. Die Wissenschaft ist ein Gebäude, das ganz auf Treu und Glauben gründet. Wenn es sich anders verhielte, würde sie auf schwankendem Boden stehen.«

»Ich begreife immer noch nicht, was Ihr Gesellschaftsvertrag damit zu tun hat, daß dieser Mann in Harvard Ihre Arbeit wiederholt.« Paula ließ nicht locker.

»Ah, genau das ist der springende Punkt. Um die Zuverlässigkeit eines Experiments zu beweisen, sollte es unabhängig wiederholt werden. Einfach um sicherzugehen, daß wir keinen Fehler gemacht haben. Natürlich ist das nicht bei jedem Experiment so. Aber alle *wichtigen* Experimente müssen diesen Prozeß durchlaufen, und unseres fällt zweifellos in diese Kategorie. Darum hat Kurt Krauss beschlossen, es zu überprüfen. Er ist einer der hervorragendsten Männer in der Krebsforschung. Nach ihm ist sogar ein Sarkom genannt.«

»Er hat Ihre Arbeit aus Freundschaft zu Ihnen wiederholt?«

Cantor zögerte. »Nein, nicht nur aus Freundschaft. Obwohl wir beruflich befreundet sind«, setzte er eilends hinzu. »Ich würde es auch einer gewissen Skepsis zuschreiben.«

»Aber ich dachte, Sie hätten gesagt, daß alles auf Treu und Glauben basiert.«

»Krauss nimmt nie etwas auf Treu und Glauben hin. Schon gar nicht, wenn es sich um etwas Bedeutsames handelt. Aber ungeachtet des persönlichen Motivs ist Skepsis in der Wissenschaft immer gesund.«

»Und was geschieht nun, nachdem er Ihre Arbeit verifiziert hat? Bekommen Sie jetzt den Nobelpreis?«

Cantor wurde rot. »Was bringt Sie denn auf diese Idee?«

»Oh, eine Theorie zu präsentieren, die den Krebs erklärt, scheint mir bedeutsam genug für den Nobelpreis zu sein. Finden Sie nicht?« Sie täuschte Naivität vor. »Leonardo Cantor, der Nobelpreisträger. Hört sich toll an!«

Er täuschte Bescheidenheit vor, wie es jeder ernsthafte Kandidat tut, wenn dieses Thema zur Sprache kommt, ob in der Öffentlichkeit oder in seinen eigenen vier Wänden. »›Die Welt ist voller Leute, die den Nobelpreis bekommen müßten, ihn aber nicht bekommen haben und auch nicht bekommen werden.‹ Arne Tiselius, der das gesagt hat, wußte, wovon er sprach. Er erhielt den Preis in Chemie und war Präsident der Nobelstiftung.«

Das beweist nur, daß er meint, er müßte ihn bekommen. Paula Curry erwog einen Moment lang, dieser Meinung Ausdruck zu geben, kam jedoch zu dem Schluß, daß Cantor bei diesem Thema vermutlich keinen Spaß verstand. Sie griff ihre frühere Frage wieder auf. »Und was passiert nun, nachdem Ihr Freund Krauss seine gesunde Skepsis widerlegt hat?«

Cantor lehnte sich in seinem Stuhl zurück und ließ die Augen über den Garten gleiten. Die Pause kam Paula so lang vor, daß sie sich schon fast veranlaßt sah, die Frage zu wiederholen. Endlich konzentrierte sich sein Blick auf sie. »Seine Skepsis wurde nicht widerlegt. Sie konnten Staffords Versuchsergebnisse nicht reproduzieren.«

»Was? Warum denn nicht? Er nennt Sie doch wohl nicht einen –« Paula brach ab, überrascht, wegen dieser eingebildeten Kränkung Cantors derart in Harnisch geraten zu sein.

Cantor brachte sie mit einer leichten Handbewegung zum Schweigen. »Aber, aber, Paula, nichts dergleichen. Sie verstehen die Bedingungen des Vertrags immer noch nicht. Das hat doch nichts mit Verunglimpfungen zu tun! So läuft das eben in der Wissenschaft: Wir müssen die Validität von Ergebnissen einwandfrei nachweisen. Auf jeden Fall war Kraussens Mißerfolg, zumindest ursprünglich, nicht allzu überraschend. Wir hatten nur einen knappen Bericht in *Nature* veröffentlicht – den, der hier vor Ihnen liegt.« Er zeigte auf den Sonderdruck auf dem Tisch. »Er ist wirklich sehr skizzenhaft: lediglich eine grundlegende Darstellung der Theorie und daß das Experiment gelungen war. Er nannte nicht genügend Einzelheiten, um in einem anderen Labor reproduzierbar zu sein. Aber als Stafford die Einzelheiten des Experiments ausführlich beschrieb und wir sie nach Harvard schickten, konnten sie seine Ergebnisse immer noch nicht wiederholen.«

»Heißt das, was Stafford gemacht hat, war falsch?«

»Nein!« sagte Cantor scharf. »Das heißt es überhaupt nicht. Sie stellen alles viel zu schwarz und weiß dar. Es könnte heißen, daß er unwissentlich versäumt hat, ein entscheidendes Detail zu erwähnen. Oder daß der Mann von Krauss es versäumt hat, ein Detail zu beachten. Mir ist das als Doktorand selbst einmal passiert. Ich habe eine Reaktion durchgeführt, eine sogenannte Decarbonylation, bei der eine Substanz in einem Reagenzglas über den Schmelzpunkt erhitzt werden mußte. Das erste Mal hat es prima geklappt, aber später bekam ich sehr unterschiedliche Werte. Ich habe lange gebraucht, um die Erklärung zu finden: Ursprünglich hatte ich weiches Glas benutzt, das leicht alkalisch ist, während ich später Pyrexglas genommen hatte. Es stellte sich heraus, daß die Reaktion durch Spuren von Alkali beschleunigt wurde.«

»Aber passiert so etwas denn oft?« Paula war fasziniert. Sie hatte immer angenommen, wissenschaftliche Experimente seien unzweideutig.

»Selbstverständlich!« Cantor lag viel daran, diesen Punkt klarzustellen. »Ich will Ihnen noch eine weitere wahre Geschichte erzählen, die Sie überraschen wird. Carroll Williams, ein hervorragender Insektenbiologe in Harvard, hatte einmal einen tschechischen Forschungsstipendiaten namens Karel Sláma, der in sein Labor kam, um an einem Forschungsprojekt weiterzuarbeiten, das er in Prag begonnen hatte. Er brachte das Insekt mit, das er daheim seit Jahren studiert hatte, doch siehe da, Sláma konnte die Insekten nicht dazu bringen, sich in Massachusetts voll zu entwickeln und fortzupflanzen, obwohl er ihnen das gleiche zu fressen gab. Wissen Sie, worauf es am Ende hinauslief?«

»Auf das zusammengeknüllte Zeitungspapier auf dem Boden der Glasbehälter, in denen er die Insekten hielt!« sagte Cantor triumphierend. »Das Papier sollte nur als inertes Trägermaterial dienen – so hatten sie es in Prag immer gemacht –, aber nachdem sie das Papier entfernt hatten, wuchsen die Insekten auch in Cambridge prächtig heran.« Cantor genoß es, die Geschichte auszuspinnen; sie ließ ihn sein wahres Problem vergessen. »Europäisches Papier wird aus anderen Bäumen hergestellt als nordamerikanisches, das aus der Balsamtanne gewonnen wird. Aus dem Papierbrei dieses Rohstoffs isolierten sie den ›Papierfaktor‹, wie er mittlerweile genannt wird, der bei den Insekten abnormes Wachstum und vorzeitigen Tod verursacht. Ich erinnere mich noch an den Schluß ihres ansonsten höchst ernsthaften Artikels: Der *Boston Globe* und das *Wall Street Journal* wirkten hemmend, während *Nature* und die Londoner *Times* harmlos waren.«

»Leonardo, ich staune über den Umfang Ihres Fachgebiets: Bei Tumoren haben wir angefangen und bei der hemmenden Wirkung des *Wall Street Journal* aufgehört.« Sie hob ihr Weinglas. »Trinken wir auf etwas ähnlich Amüsantes bei Dr. Staffords Experiment.«

»Das wäre schön«, antwortete er düster, »aber vielleicht kommen wir nie dahinter. Als Krauss das zweite Mal scheiterte, habe ich Stafford das Experiment mit mir zusammen in meinem eigenen Labor neben meinem Büro wiederholen lassen.«

»Und?«

»Und es klappte.«

»Das ist ja wunderbar!« strahlte sie. »Da waren Sie sicher sehr froh. Wie hat denn der Typ in Harvard darauf reagiert?«

Cantor fuhr fort, als hätte er ihre letzte Frage nicht gehört. »Vor ein paar Monaten habe ich mir einen weiteren Nachweis für meine Theorie ausgedacht. Konzeptionell komplizierter, aber experimentell einfacher. Ich beschloß, mich selbst an die

Arbeit zu machen.« Er sah sie leicht reumütig an. »Deshalb bin ich weder in Chicago noch sonstwo gewesen. Sie sind der erste Mensch, der erfährt, woran ich arbeite. Ich brauche nur noch ein bis zwei Wochen, um herauszufinden . . .« Er sprach den Satz nicht zu Ende. Was hätte er schon sagen sollen? Daß er dann wissen würde, ob er sich öffentlich kasteien mußte?

»Das verstehe ich nicht. Warum fangen Sie ein neues Experiment an? Wenn Stafford im Beisein von Ihnen keine Schwierigkeiten mit der Arbeit hatte, könnten Sie die Harvard-Leute es doch noch einmal wiederholen lassen. Oder noch einfacher: Fordern Sie doch jemand aus Harvard auf, in Ihr Labor zu kommen und das Experiment mit Stafford durchzuführen. So wie Sie.«

Paula läßt sich nichts vormachen, dachte er mit Bewunderung; dann wollen wir der Wahrheit mal etwas näherrücken. »Angenommen, es klappt beim nächsten Mal wieder nicht? Wohlgemerkt, das ist kein Experiment, das nur ein paar Tage in Anspruch nimmt: Es dauert Wochen, es abzuschließen. Wenn wir nur im Beisein von Stafford Erfolg haben, dann ist es kein echtes Experiment. Nicht im Kontext des Gesellschaftsvertrags, von dem ich gesprochen habe. Wissen Sie, was ich dann tun müßte? In der gleichen Fachzeitschrift eine Zurückziehung veröffentlichen und erklären, daß das Experiment aus unbekannten Gründen nicht reproduzierbar ist. Was Krauss und Leute wie ihn betrifft, wäre das das Ende meiner allgemeingültigen Tumorgenese-Theorie. Es geht hier nicht um den Nobelpreis, sondern um meine Glaubwürdigkeit. Wissen Sie, was Schadenfreude ist?«

»Natürlich.«

»Je tadelloser der Ruf eines Mannes ist und je signifikanter die Arbeit, die er zurückzieht, desto größer ist die Schadenfreude unter seinen Kollegen.«

»Ich kann das einfach nicht glauben!« rief Paula aus. »Ihr Wissenschaftler, ihr Verfechter des Gesellschaftsvertrags freut euch genauso diebisch wie gewöhnliche Sterbliche, wenn jemand einen Fehler macht? Selbst wenn er den Fehler zugibt?«

Cantor stieß einen Seufzer aus. »Die Antwort lautet leider

›Ja‹. Ich bin da auch nicht ganz unschuldig. Ich meine, was die Schadenfreude angeht«, fügte er schnell hinzu. »Eine Veröffentlichung habe ich noch nie zurückziehen müssen, und ich hoffe bei Gott, daß ich das auch diesmal nicht tun muß. Wegen der Seltenheit derartiger Vorkommnisse, ob unbeabsichtigt oder mit Bedacht –«

»Was heißt ›mit Bedacht‹?« warf Paula ein.

»Manipulierte Werte, sogar glatte Fälschung . . .«

»Kommt das vor?«

»Nicht oft«, erwiderte er bestimmt. »Aber wie ich schon sagte, eben wegen der Seltenheit derartiger Zurückziehungen haben die Leute ein unglaublich langes Gedächtnis: vermutlich so lang wie ein Menschenleben. Weil wir alle aufeinander angewiesen sind und absolutes Vertrauen für uns eine Grundvoraussetzung ist, kann die Glaubwürdigkeit eines Wissenschaftlers, wenn sie erst einmal angezweifelt wurde, niemals völlig wiederhergestellt werden. Meist ist sie ein für allemal dahin.«

»Was erwarten Leute wie Sie eigentlich voneinander? Absolute Vollkommenheit?« rief Paula.

»Natürlich nicht. Aber wenn die Arbeit bedeutsam ist, wenn sie das Denken oder die Forschungsrichtung vieler anderer beeinflußt, würde der Vorwurf lauten: ›Warum haben Sie so überstürzt veröffentlicht? Warum haben Sie nicht gewartet, bis Ihre Ergebnisse bestätigt wurden?‹«

»Und wie würde Ihre Antwort lauten, Leonardo, wenn Sie gefragt würden? Warum haben *Sie* so überstürzt veröffentlicht?«

»Um ganz ehrlich zu sein, die meisten Wissenschaftler leiden an einer Art Persönlichkeitsspaltung: auf der einen Seite der Rigorist, der an die experimentelle Methode glaubt, mit ihren festen Regeln und ihrem höchsten Ziel, das Wissen zu mehren; auf der anderen der fehlbare Mensch mit all den dazugehörenden emotionalen Schwächen. Ich spreche jetzt von den Schwächen. Wir alle wissen, daß das größte Berufsrisiko in der modernen Wissenschaft die gleichzeitige Entdeckung ist. Wenn meine Theorie richtig ist, dann bin ich absolut sicher, daß früher oder später – und auf einem hartumkämpf-

ten Gebiet wie dem meinen wird es wohl eher früher sein –
jemand die gleiche Idee hat. Die Motivation eines Wissenschaftlers, seine Selbstachtung basieren eigentlich auf einem
ganz simplen Wunsch: Anerkennung zu finden bei den Kollegen, den Kraussens dieser Welt. Diese Anerkennung wird nur
für Originalität verliehen, was, ganz kraß, bedeutet, daß man
der erste sein muß. Kein Wunder, daß der Veröffentlichungs-
druck enorm ist. Und die einzige Methode, mit der wir – ich
eingeschlossen – die Priorität nachweisen, ist, zu fragen, wer
zuerst veröffentlicht hat. Sie scheinen auf einmal sehr nachdenklich zu sein, Paula. Habe ich Sie enttäuscht?«

Sie zögerte eine ganze Weile, bevor sie antwortete: »Nicht
so sehr enttäuscht wie desillusioniert. Haben Sie deshalb
niemand etwas von Ihrer neuesten Idee erzählt, die eine
unabhängige Bestätigung Ihrer Theorie liefern könnte? Damit niemand sie zuerst veröffentlicht?«

Er nickte. »Wahrscheinlich.«

»Eine letzte Frage, Leonardo.« Sie beugte sich über den
Tisch. »Warum machen Sie diese Arbeit selbst, vergraben sich
in Ihrem Labor, sprechen mit keinem? Warum haben Sie nicht
Ihren Stafford gebeten, die Arbeit für Sie durchzuführen, so
wie beim ersten Mal? Ist er denn nicht der Beste in Ihrer
Gruppe? Was ist diesmal anders?«

»Ein guter Wissenschaftler verändert jeweils nur eine Variable.«

Paula war verwirrt. »Was soll das heißen?«

»Daß ich Stafford nicht mehr traue.«

13

Am Ende ging das zweite Experiment – Cantors unabhängiger Nachweis seiner Tumorgenese-Theorie – genau so aus, wie der Professor gehofft hatte: Die Veränderungen in der Struktur des inkriminierenden Proteins spiegelten sich exakt in der Zusammensetzung der Schablone des Proteins, der Ribonukleinsäure. Sein früherer Optimismus hatte sich bestätigt: erst eine grandiose Theorie und nun ein noch grandioseres Experiment! Doch statt schleunigst in *Nature* zu veröffentlichen, ließ Cantor sich dieses Mal auf kein Risiko ein. Er rief Krauss an: Es sei nicht nötig, daß sich die Harvarder Gruppe weiter um die Verifizierung des Cantor-Stafford-Experiments bemühe, weil er soeben einen zweiten und experimentell wesentlich einfacheren Nachweis abgeschlossen habe.

»Warten Sie nur ab, bis Sie die Einzelheiten sehen, Kurt: Es ist ein Gedicht! Und im Gegensatz zu dem, was ich erwartet hatte, stellte sich heraus, daß es einfacher war, sich die RNA anzuschauen als das Protein. Aber vorerst schreibe ich noch keinen ausführlichen Bericht darüber – nicht bevor jemand in Ihrem Labor Zeit hat, einen Blick darauf zu werfen. Ich schicke Ihnen Photokopien meines eigenen Laborjournals durch Eilboten. Sie haben sie morgen.« Ganz subtil hatte Cantor Krauss gezwungen, seine Aufmerksamkeit auf Cantors eigenes Experiment zu konzentrieren und nicht mehr auf Staffords. Krauss blieb gar nichts anderes übrig, als einzuwilligen, der unantastbare Zeuge von Cantors wissenschaftlicher Glaubwürdigkeit zu werden.

Da Cantor sicher war, daß seine jüngste Arbeit in Harvard bestätigt werden würde, hatte er keinen Grund, länger zu zögern, seinen Erfolg gerüchtweise anzukündigen – ein weiteres alterprobtes Mittel, den Prioritätsanspruch festzunageln. Er beraumte eigens ein Seminar der Abteilung an und gab bekannt, daß er sprechen würde, ohne jedoch einen Titel zu nennen. Diese Masche zieht nur bei Superstars. Wenn auf der Ankündigung steht »Der Titel wird noch angegeben«, laufen weniger große Leuchten Gefahr, vor einem leeren Saal zu stehen.

In Cantors Fall gingen, auch ohne den geheimnisvollen Vortrag ohne Titel, bereits wilde Gerüchte um: Sein wochenlanges faktisches Verschwinden aus den Blicken der Öffentlichkeit garantierte ein volles Haus. Der Hörsaal war dicht besetzt, als Stafford absichtlich erst im letzten Moment eintraf. Als er sich im hinteren Teil niederließ, war er überzeugt, gleich seine eigene öffentliche Kreuzigung mitzuerleben – vielleicht auch nur seine Demütigung, wie er sich sarkastisch sagte, als er die bekannten Gesichter zählte. Doch kurz nachdem Cantor begonnen hatte, wurde Stafford klar, daß er nicht einmal eine Statistenrolle in dem Drama hatte, das sich vor dem plötzlich still gewordenen Publikum entfaltete. Ohne sich auch nur ein einziges Mal darauf zu beziehen, daß Krauss nicht in der Lage gewesen war, Staffords Arbeit zu reproduzieren, beschrieb Cantor seinen *zweiten* experimentellen Nachweis der allgemeingültigen Tumorgenese-Theorie.

Als der Applaus einsetzte, bemerkte in der Aufregung niemand, daß Stafford aus dem Hörsaal schlüpfte. Er steuerte schnurstracks das Büro des Professors an.

Staffords Stimme war gelassen, als er sich im Büro der Sekretärin auf einen Stuhl sinken ließ: »Stephanie, I. C. hat gerade den sagenhaftesten Vortrag gehalten, den Sie sich vorstellen können. Ich würde hier gerne auf ihn warten. Ich möchte ihm sagen, wie ich das Referat fand.«

Stafford mußte lange warten; es machte ihm nichts aus. Er hatte dadurch Zeit, sich seine Worte zurechtzulegen.

Während er noch schwankte, ob er artige Glückwünsche aussprechen oder überschwengliche Begeisterung an den Tag legen sollte – eine reine Stilfrage –, erschien Cantor. Der junge Mann sprang auf. »Prof« – unter den gegebenen Umständen hielt er »I. C.« nicht für angebracht, und »Professor Cantor« war eindeutig zu förmlich – »könnte ich Sie kurz sprechen?«

Cantor blickte nur flüchtig auf seinen Schüler und winkte ihn dann in sein Büro. Sobald die Tür geschlossen war, legte Stafford mit Volldampf los: »I. C., ich war sicher, daß Sie drunten von allen umringt sein würden. Ich wollte Ihnen nur sagen, daß das der phantastischste Vortrag war, den ich je von Ihnen gehört habe. Ich hatte mir schon Sorgen gemacht, weil ich Sie die ganzen letzten Wochen nicht gesehen habe, aber jetzt bin ich erleichtert.«

Der Ältere verzog keine Miene. »Das sollten Sie wahrhaftig auch sein«, war alles, was er sagte.

Staffords Gesicht wurde puterrot. »Was meinen Sie damit?« stotterte er.

Den Everest auf zwei verschiedenen Routen zu besteigen, ist sensationell; fast niemand ist zweimal oben photographiert worden. Diesmal jedoch endete Cantors Schwelgen in der Gipfelsonne schneller als beim ersten Mal. Wieder war die Botschaft aus Harvard, der Überbringer Kurt Krauss. Er informierte seinen Freund, daß die Verifizierung des zweiten Experiments in vollem Gange war, daß sich keinerlei Schwierigkeiten ergeben hatten. Cantor war in Hochstimmung; eine potentiell verheerende Situation war im Begriff, entschärft zu werden.

Doch dann fuhr Krauss fort: »Übrigens, I. C., neulich hat Ihr Stafford angerufen. Er fragte, ob ich eine Postdoc-Stelle für ihn in meinem Labor hätte. Er sagte, er habe seine ganze Laufbahn in Ihrer Abteilung verbracht und würde gerne mal an anderen Projekten arbeiten, bevor er sich nach einem Lehrauftrag umsieht.

Bei jedem anderen hätte ich nicht einmal angerufen. Aber da er mit Ihnen zusammenarbeitet, wollte ich feststellen, ob Sie etwas dagegen hätten, wenn er in meine Gruppe käme. Ich weiß, was für eine sagenhaft hohe Meinung Sie von ihm haben. Aber Sie kennen ja die Hochschulbürokratie. Wir brauchen Empfehlungsschreiben für die Akten, und eines davon muß unbedingt von Ihnen kommen. Schließlich sind Sie sein Doktorvater. Aber Stafford hat Sie nicht einmal als Referenz angegeben; das hat mich gewundert, aber als ich ihn fragte, sagte er, er wolle Sie mit einer solchen Bagatelle nicht belästigen. Offen gesagt, ich glaube, er dachte, Sie würden sich ärgern, daß er in einem anderen Labor arbeiten will.«

Cantor war sprachlos. Krauss hielt sein Schweigen für Mißbilligung. Er sprach eilends weiter: »I. C., Sie müssen zugeben, daß nahezu alles, was der Mann von nun an bei Ihnen machen würde, ein Abstieg wäre. Nach der spektakulären Arbeit, die Sie beide in *Nature* veröffentlicht haben, ist es nur natürlich, daß er neue Welten erobern will. Könnten Sie mir einen Brief über ihn schicken? Er darf durchaus kurz sein. Schreiben Sie einfach, was Sie mir schon früher gesagt haben: daß er der beste Mann ist, den Sie jemals in Ihrem Labor gehabt haben.«

Leah war gerade um die Straßenecke gebogen, als sie in der Ferne Stafford sah, der einen Koffer zum Auto trug, das vor ihrem Haus geparkt war. Sie holte ihn ein, als er gerade anfuhr.

»Jerry!« rief sie. »Was ist denn geschehen?« Sie deutete auf den Rücksitz, wo Kartons mit Büchern und Kleidung aufgestapelt waren.

»Hat dir Celly gestern abend nichts erzählt?« konterte er mürrisch.

»Ich war gestern abend gar nicht da«, grinste sie. »Ich komme nur nach Hause, um zu duschen und mich umzuziehen, bevor ich in die Bibliothek gehe.«

»Dann frag sie halt«, sagte er und machte eine ruckartige Kopfbewegung in Richtung des Hauses, »sie ist droben. Ich muß jetzt los.«

Leah schloß behutsam die Tür auf. »Bist du da, Celly?« rief sie. Sie hielt inne, als sie das vom Weinen geschwollene Gesicht ihrer Freundin sah.

»Laß mich in Ruhe, Leah. Ich bin fuchsteufelswild.«

»Okay, okay, du bist fuchsteufelswild.« Sie versuchte, Celestine zu umarmen, die sie jedoch wegschob. »Erzähl mir, was passiert ist.«

»Dieser Scheißkerl! Und das nach allem, was er mir noch vor ein paar Wochen versprochen hat.« Sie scheuerte mit der Faust an ihren Augen herum. »Erinnerst du dich noch, daß du mich mal gefragt hast, was ich eigentlich an Jerry finde? Warum ich mich weiter mit ihm abgegeben habe, nachdem er zu dem Essen mit Jean Ardley nicht erschienen war?«

»Natürlich erinnere ich mich. Du hast gesagt, ich würde das nicht verstehen.«

Celestine hatte sich etwas beruhigt. »*Das* wirst du bestimmt verstehen.« Leah nickte und setzte sich, wie immer die gute Zuhörerin.

»Als ich Jerry kennenlernte, schien er so jung zu sein. In gewisser Hinsicht hatte ich ein Gefühl, wie Graham es gehabt haben muß: die Erregung, einem Jüngeren die Freude am Sex beizubringen. Jerry schien so unerfahren und unberührt zu sein . . . bedürftig ist vielleicht das richtige Wort. Er brauchte nicht nur eine Geliebte, im Grunde brauchte er auch eine Mutter. Weißt du noch, wie wir uns einmal über die ideale Beziehung unterhalten haben? Den Liebhaber, Freund und Gefährten in einer Person? Bald nachdem wir miteinander geschlafen hatten, fing Jerry an aufzutauen – sich zu öffnen wie eine Blume. Und dann ist seine ganze Lebensgeschichte aus ihm herausgesprudelt. Hast du gewußt, daß sein Vater ein überzeugter Pfingstler ist? Er spricht in Zungen, er ist ein Anhänger der Schöpfungslehre, er duldet nicht, daß das Wort ›Evolution‹ in seinem Haus auch nur ausgesprochen wird. Ich wurde Jerrys Vertraute; kein schlechter Anfang für eine Gemeinschaft. Und als er zu seinen persönlichen Wünschen und Ambitionen kam – was wissenschaftliche Forschung für ihn bedeutet, was er beruflich vorhat, sogar nach welchen Gesichtspunkten er sich seinen Doktorvater ausgesucht hat –, da wurde mir klar, daß wir eine Menge gemeinsam haben. Freunde brauchen das.«

Leah sah sie versonnen an. »Das hast du mir nie erzählt.«

»Warum sollte ich? Es hatte ja nichts mit der Freundschaft

zwischen uns zu tun.« Sie streckte die Hand aus und zerzauste Leahs Haare. »Jerry und ich haben ganz ähnliche Prioritäten: Wir wollen beide eine Anstellung an einer Universität, und wir wollen uns beide als Wissenschaftler einen Namen machen. Also haben wir eine Vereinbarung getroffen, zumindest dachte ich das. Jerry war damit einverstanden, so lange als Postdoc in Cantors Labor weiterzuarbeiten, bis ich meinen Doktor habe – was höchstens noch ein Jahr dauert –, und danach wollten wir uns in der gleichen Gegend nach Stellen umsehen. Wenn er zum Beispiel eine Anstellung in Berkeley bekam, würde ich was in Stanford finden. Zumindest hatten wir uns das so vorgestellt.«

Celestines Ton nahm eine ärgerliche Schärfe an. »Gestern abend kommt Jerry wie ein Hund mit eingezogenem Schwanz hereinspaziert und verkündet, daß sich eine Gelegenheit ergeben hat, die er nicht ausschlagen kann. Erinnerst du dich an Krauss, den Krebsmenschen in Harvard, von dem uns Jerry erzählt hat? Der, bei dem sogar Cantor Eindruck schinden will? Jerry sagt, Krauss habe ihm ab nächsten Monat eine Postdoc-Stelle angeboten und daß er entschlossen sei, sie anzunehmen. Das würde ihn an das Krauss-Netzwerk ankoppeln, was für spätere Posten wichtig sei. Genau das hat er gesagt: ›ankoppeln‹. Und weißt du, was ich ihm geantwortet habe? ›Man kann sich auch an ein Netzwerk *an*koppeln und gleichzeitig eine Verbindung *ab*koppeln.‹ Darauf er: ›Aber Celly, wir können uns doch an den Wochenenden sehen. Ich fliege von Boston aus her, und du kannst mich in Harvard besuchen.‹ ›Und wenn ich nicht will?‹ habe ich ihn gefragt. ›Was ist, wenn ich zu beschäftigt bin, um nach Harvard zu fahren? Und was ist, wenn ich mal dienstags oder donnerstags jemand brauche?‹«

»Was hat er darauf gesagt?«

»Das weiß ich nicht mehr«, brummte Celestine. »Aber er sah schuldbewußt aus. Er hat sogar ein paar Tränen vergossen. Er hat mich gebeten, ihm zu glauben . . . Ich hab ihm gesagt, er soll seinen Kram packen und verschwinden. Er war eine Bindung eingegangen, aber im Grunde seines Herzens hat er sich alle Möglichkeiten offengelassen. Nun, ich hab ihm gesagt: ›Jetzt werd *ich* mir mal alle Möglichkeiten offenlassen.‹ – ›Heißt das, daß du mich nicht mehr sehen willst?‹ hat Jerry gefragt. Ich hab ihm gesagt, wenn er die Antwort sofort haben will, dann lautet sie ›Ja‹. Er flehte mich an, es mir zu überlegen.«

»Und überlegst du es dir?«

»Ja.«

»Eine kleine Dosis Psychoanalyse würde dir nicht schaden, bevor du dich entscheidest«, riet Leah gutherzig. »Du sagst, du und Jerry hättet so viel gemeinsam, was eure wissenschaftliche Ader betrifft. Vielleicht findet dein Zugang zu Jerrys Verstand über deine Sexualität statt . . .«

»Jetzt hör aber auf, Leah, bleib auf dem Teppich! Du glaubst doch nicht, daß Menschen tatsächlich so funktionieren?«

»Doch, Celly, das tun sie. Nimm nur mal deine Affäre mit Lufkin. Offensichtlich war deine Investition in diesem Fall pure Übertragung: eine Projektion des Verlangens nach deinem Vater auf einen geeigneten älteren Mann.«

»Nun mach mal halblang«, protestierte Celestine in einem Ton, in dem Ärger und Belustigung lagen. »›Übertragung‹, ›Projektion‹ – ist das Psychogelaber aus einer deiner Vorlesungen?«

»Na schön.« Leah tat den Einwand mit einer Handbewegung ab. »Vergiß Lufkin –«

»Du sagst: ›Vergiß Lufkin.‹« Celestine schnaubte verächtlich. »Ich habe Neuigkeiten für dich. Er ist nächste Woche hier. Und selbst wenn er nicht aufkreuzt«, fügte sie hinzu, »bezweifle ich, ob ich jemals mein erstes Abendessen mit ihm vergessen werde.«

Celestine hatte in seiner luftigen weißen Küche am Kühlschrank gelehnt, an ihrem Wein genippt und zugeschaut, wie Lufkin letzte Hand an das Hauptgericht legte. »Das hätten wir«, sagte er in zufriedenem Ton und trat einen Schritt zurück, um die Quiche zu bewundern, »eine halbe Stunde in den Backofen damit, und sie ist fertig. Ich mache nur noch rasch den Salat an, dann können wir essen. Übrigens«, fügte er hinzu, ohne Celly anzusehen, »wie viele Männer haben schon bemerkt, daß Sie unsymmetrische Ohrläppchen haben?«

Celestine brach in Gelächter aus. »Keiner, außer meinem Vater.«

»Das dachte ich mir.« Er legte das Salatbesteck hin und stellte sich direkt vor Celestine, die den Stiel ihres Weinglases mit beiden Händen vor der Brust hielt. Nur der Anflug eines Lächelns war in seinen Augen zu sehen, als er ihre Ohrläppchen nahm und sie zwischen Zeigefinger und Daumen zu kneten begann, wobei er mit den Zeigefingern hin und wieder um den Innenrand ihrer Ohren fuhr. Celestine erschauerte vor Wonne; der Typ hatte ihre zweitempfindlichste erogene Zone entdeckt, und er ließ nicht los. Langsam zog er sie an den Ohren näher an sich heran. »Ich würde dich gerne kosten, bevor wir uns zu Tisch setzen«, flüsterte er. Seine Zunge wanderte sanft über ihre Lippen, bis sich ihr Mund allmählich öffnete, gerade so weit, daß seine Zunge eindringen konnte, um dort mit der Erkundung fortzufahren. Plötzlich zog er die Zunge aus ihrem Mund heraus und ließ sie langsam, ganz langsam, über Cellys Hals gleiten, genau zu der Stelle, wo Celly sie zu spüren begehrte. Als seine Zungenspitze in ihr Ohr eindrang, ließ sie das Glas los und packte Lufkins Kopf mit beiden Händen – um ihn samt seiner vorwitzigen Zunge dort festzuhalten oder um ihn wegzustoßen, das wußte sie bis heute nicht. Als das Glas zu ihren Füßen zerbrach, riß sie sich los. »Es tut mir leid«, keuchte sie.

»Mir nicht«, lachte er und wandte sich wieder dem Salat zu, während sie sich bückte, um die Scherben aufzuheben.

»Sie sind doch schon einundzwanzig?« fragte er, als sie an dem runden Frühstückstisch in der Küche zum Essen Platz nahmen.

»Ja. Aber warum fragen Sie?«

Lufkin warf ihr einen spöttischen Blick zu. »Ich wollte nur sicher sein, daß ich nicht gegen ein Gesetz verstoße.« Er deutete auf die Weinflasche.

Das Dessert – Cassis-Sorbet mit frischen Himbeeren und Schlagsahne – aßen sie im Wohnzimmer. Während Celestine noch die letzten Reste in ihrem Schälchen zusammenkratzte, ging Lufkin an den kleinen Schrank, der seine Schallplattensammlung enthielt. Er bückte sich und ließ den Zeigefinger über die Rücken der Plattenhüllen gleiten. »Wieweit sind Sie mit der Musik von Carl Orff vertraut?« fragte er.

Celestine zuckte die Achseln. »Die *Carmina Burana* sind so ziemlich alles, was ich von ihm gehört habe.«

»Da ist sie nun volljährig und hat noch nie seine *Catulli Carmina* gehört! Gegen diesen Mangel müssen wir schleunigst etwas unternehmen.« Lufkins Wahl war raffiniert. Er hatte sich daran erinnert, daß Celestine ihm von ihrem umfassenden Lateinunterricht in der Schule erzählt hatte. Einige Minuten später hatte Celestine sich auf dem Sofa zurückgelehnt, die Schuhe ausgezogen, und Orffs Musik ertönte rings um sie her. »Passen Sie auf!« rief Lufkin ihr zu und übersetzte den lateinischen Text, den er auswendig gelernt hatte: »Die Jünglinge singen: ›Ach, dein Zünglein, das immer rege, das Schlangenzünglein.‹ Die Mädchen antworten: ›Hüt' dich vor diesem Zünglein, daß es nicht sticht.‹ Die Jünglinge locken sie mit ›Beiß zu!‹; die Mädchen antworten: ›Küß mich, küß mich‹, und dann hört man ihr ›Ah‹. Aber das ist nur die Einleitung. Warten Sie, bis der Chor der Greise den Einzug des Catull ankündigt.«

Lufkin saß neben Celestines nackten Füßen. Er hatte ihren linken Fuß in seine kräftigen Hände genommen und angefangen, abwechselnd jeden einzelnen Zeh zu massieren und den Daumen fest auf das Gewölbe ihres Fußes zu pressen. Ihr Gesicht konnte er nicht sehen: Es war hinter Orffs Text versteckt, den sie mit beiden Händen hochhielt. Aber an der Art und Weise, wie sie die Zehen des anderen Fußes spreizte, war deutlich zu erkennen, daß dieser die gleiche Behandlung begehrte. Die Musik hatte den Dialog zwischen Catull und Lesbia erreicht. Lufkin ließ sich auf den Boden sinken und nahm Celestines kleinen Zeh in den Mund. Mit unerträglicher Langsamkeit und Zartheit lutschte er ihn, bevor er seine Zunge in den Zwischenraum zwischen den letzten beiden Zehen gleiten ließ. Und dann in den nächsten. Niemand hatte Celestine jemals auf diese Weise liebkost. Als er bei dem

146

großen Zeh ihres linken Fußes angelangt war, lag sie der Länge nach auf dem Boden; wenn die Musik nicht so laut gewesen wäre, hätte man deutlich ihr Atmen hören können.

»Keine Angst«, murmelte er, »ich hatte eine Vasektomie.«

Beim Frühstück hörte Celestine, in Lufkins Bademantel gehüllt, wie er ihre Haut als Satin-Teflon bezeichnete.

»Was ist denn das für ein Kompliment?« fragte sie gespielt schmollend.

»Das höchste«, sagte er, stand auf und kam mit einer Bratpfanne zurück. »Da, befühle mal diese Oberfläche und fahre dir dabei mit der anderen Hand die Innenseite des Schenkels hinauf. Kannst du dir etwas Passenderes vorstellen als Satin-Teflon? Es erinnert einen an Sex und Labor gleichzeitig.«

Bei dem Wort »Labor« mußte Celestine an die geradezu unterschwellige Art denken, in der Lufkin in seinen Vorlesungen Themen angeschnitten hatte, die von Studentinnen bei männlichen Professoren oft als anstößig empfunden werden, die er aber irgendwie akzeptabel zu machen verstanden hatte, indem er sie mit seinen amourösen Insekten in Zusammenhang brachte.

»Nehmen Sie beispielsweise die weibliche Stechmücke einer bestimmten Spezies«, hatte er in einer seiner Vorlesungen gesagt. »Nach dem ersten sexuellen Kontakt ist sie absolut steril, trotz späterer Paarungen mit verschiedenen männlichen Tieren. So steril wie ein vasektomierter Mann, der niemals Kinder zeugt, ungeachtet der Anzahl der Sexualpartnerinnen und der Koitushäufigkeit«, hatte er lässig hinzugefügt.

»Professor.« Celestine beäugte ihren sechsundfünfzigjährigen Liebhaber über den Frühstückstisch hinweg; trotz seines Drängens lehnte sie es rundweg ab, ihn Graham zu nennen. »Du warst derart aalglatt, daß es mir nicht einmal in den Sinn gekommen ist, mich darüber zu wundern, warum du die weibliche Stechmücke mit einem vasektomierten Mann verglichen hast statt mit einer Frau mit Tubenligatur.«

»Hast du gewußt, daß einige Insekten, beispielsweise die männliche Skorpionsfliege, als Transvestiten auftreten können?« erwiderte er.

»Was hat denn das mit meiner Frage zu tun?«

»Nichts.«

»Nichts?«

»Nichts. Ich habe das Thema gewechselt.«

»Okay, Professor«, lachte Celestine, »du hast gewonnen. Erzähl mir etwas über männliche Skorpionsfliegen-Transvestiten.«

»Erst wenn du mich geküßt hast. Ich liebe deine Zunge.«

»Erpresser.«

Als sie sich schließlich von seinem Mund entfernte, ließ Lufkin seine Finger über ihren Nacken und durch ihr kurzgeschnittenes hellbraunes Haar gleiten. Sie hatte es während ihrer Zeit als Leistungsschwimmerin in Branner so zu tragen begonnen; Lufkin hatte es gleich bemerkt, als sie nach dem Unterricht zum erstenmal zu ihm gekommen war, um ihn um ein Literaturverzeichnis zu bitten. Die Frisur ließ ihre Ohren sehen, die nahezu perfekt geformt waren, bis auf die eine geringfügige Asymmetrie, die kaum jemand bemerkte. Jetzt zog er ihren Kopf so nahe an sein Gesicht heran, daß sie drei Augen zu haben schien – drei zusammengekniffene Augen, dem Anschein nach fast orientalisch, die zuganz schmalen Schlitzen wurden, sich jedoch nie völlig schlossen, nicht einmal auf dem Höhepunkt sexueller Leidenschaft.

»Na schön«, fuhr er fort, »dann werde ich dir jetzt etwas über die Transvestiten-Skorpionsfliegen erzählen. Bevor das weibliche Tier einem männlichen Tier gestattet, sich mit ihr zu paaren, muß er ihr eine Delikatesse bringen – eine Morgengabe. Sie kostet sie, und nur wenn sie ihr schmeckt, bietet sie sich dem männlichen Tier dar. Nun ist dir natürlich klar, daß das männliche Tier Risiken eingeht, während es auf derartige Leckerbissen Jagd macht. Es kann von räuberischen Lebewesen, beispielsweise Spinnen, erbeutet werden und nie zurückkehren. Doch dann gibt es da noch einige schlauere männliche Tiere, nämlich die Transvestiten, die sich wie weibliche Tiere verhalten. Sie nehmen die Gabe eines jagenden Schwerenöters an und machen sich damit aus dem Staub, um sie einem echten weiblichen Tier darzubieten. Dieses paart sich dann mit dem

Transvestiten, der sein Leben überhaupt nicht aufs Spiel gesetzt hat. Raffiniert, was?«

»Professor, warum erzählst du so viele schlüpfrige Geschichten über Insekten?«

»Weil ich nichts dagegen hätte, holde Ignorantin, wenn der *Callosobruchus* ein menschliches Gegenstück hätte.«

»*Callosobruchus?*«

»Ein japanischer Käfer. Das weibliche Tier dieser Spezies scheidet ein Sekret namens ›Erectin‹ aus, das – wie du vielleicht errätst – beim männlichen Tier eine sexuelle Schwellung hervorruft. Kapiert?«

»Kapiert.« Celestine zog ihren Kopf leicht zurück, bis zwei tanzende Augen auf Lufkin gerichtet waren. »Ich glaube, ich werde dich *Callosobruchus* nennen. Es hört sich so gelehrt und unanständig an – wie du. Ich glaube, ich werde wiederkommen – falls du mich dazu auffordern solltest.«

»Nur damit du noch mehr Geschichten hören kannst?«

»Nein. Weil hinter dir noch mehr stecken muß.«

14

»Seminieren« ist offiziell noch kein transitives Verb. Dennoch haben sich die meisten Studenten an großen forschungsorientierten Universitäten gelegentlich eher als hilflose Opfer denn als aktive Teilnehmer eines Seminars gefühlt. »Zu Tode seminiert« beschreibt dieses Gefühl der Übersättigung. In Celestine Prices Fall begann das Seminieren jede Woche Montag, nachmittags um vier Uhr, mit den Seminaren des Fachbereichs Chemie; dienstags überschnitten sich Professor Ardleys Gruppenseminare mit der zweistündigen Mittagspause, während die Seminare in Organischer Chemie donnerstags wieder um vier stattfanden. Dazu kamen die Gastdozenten mit ihren brandaktuellen Vorträgen, von denen jeder etwas mit Celestines Dissertation zu tun haben konnte und folglich besucht werden mußte: die Biochemiker an der Medizinischen Fakultät, die Evolutionsbiologen im angrenzenden Biologiekomplex und sogar einige der Gäste an der Landwirtschaftlichen Fakultät, die gute zehn Minuten mit dem Fahrrad vom Chemie-Gebäude entfernt lag. Unter diesem Druck war es kein Wunder, daß die Doktoranden und Postdoktoranden bei der Auswahl der Vorträge, die sie tatsächlich besuchten, die Latte ziemlich hoch aufgelegt hatten. Sofern nicht dasSeminarthema von echtem Interesse war oder die Abwesenheit des Studenten mißbilligt wurde – das wöchentliche Seminar der Abteilung war so ein Fall –, bedurfte es eines echten Stars oder eines sehr zugkräftigen Titels, um Celestine oder ihre Laborkollegen zu noch einem weiteren

Vortrag außerhalb ihres speziellen Interessengebietes zu schleifen.

Professor Graham Lufkin hatte ein feineres Gespür für das Seminarsättigungssyndrom als die meisten Gastredner, weil er nicht in die Kategorie der Superstars fiel. Er war realistisch genug, sich nicht einmal zu den Stars der zweiten Garnitur zu zählen. An der Johns-Hopkins-Universität, seiner akademischen Heimat seit einem Vierteljahrhundert, kannte und schätzte man ihn als einen Mann, der ausgezeichnet vortrug. Seine Kollegen im Fachbereich Biologie waren mit seinen Forschungsleistungen auf dem Gebiet der Pheromone vertraut: Sie beschrieben sie als »solide« (ein Adjektiv von so geringer Aussagekraft, daß es schon fast abwertend war), »leidlich produktiv«, aber »keineswegs spektakulär«. Seine derzeitige Forschungsgruppe bestand nur aus zwei Diplomanden und einem Doktoranden. Wenn er an der Hopkins-Universität über seine Forschungsarbeit sprach, kamen die Leute, weil sie Graham Lufkin, den Pädagogen mit dem Showtalent hören wollten; wissenschaftliche Glanzleistung erwarteten sie nicht. Doch nun sah er sich vor die Aufgabe gestellt, rund tausend Kilometer westlich von Baltimore einen Vortrag an der chemischen Fakultät zu halten, an die Jean Ardley mit ihrer Forschungsgruppe gegangen war.

Lufkin wußte, warum er eingeladen worden war. An der Hopkins-Universität hatte zwischen ihm und Jean Ardley eine berufliche Beziehung von der Art bestanden, die gut für sein Ego war: Er übte die Funktion des unvoreingenommenen Ratgebers und wissenschaftlichen Vertrauten aus, sie die einer sehr intelligenten, aber deutlich jüngeren Frau. Was ihn betraf, hatte Sex – oder auch nur eine Anspielung darauf – in ihrem persönlichen Verhältnis nie eine Rolle gespielt. Jean Ardley war zwar an die zwanzig Jahre jünger als er, aber nicht sein Typ. Seit sie in den Mittleren Westen gegangen war, beschränkte sich der Kontakt zwischen ihnen auf die üblichen Weihnachtsgrüße, den gelegentlichen Austausch von Sonderdrucken mit an den Rand gekritzelten persönlichen Mitteilungen und nicht viel mehr. Aber vor einigen Wochen waren sie sich zufällig auf einem wissenschaftlichen Kongreß begegnet.

Lufkin hatte angenommen, daß Jeans Bemerkung beim Abschied – »Graham, Sie müssen uns unbedingt einmal besuchen« – nur eine Höflichkeitsfloskel war, die außer einem unverbindlichen Lächeln keine weitere Antwort erforderte. Zu seiner Überraschung sah er sich einige Tage später damit beschäftigt, zwischen drei Vortragsterminen zu wählen, die in Jeans schriftlicher Einladung genannt waren. Er begann umgehend einen Plan auszutüfteln, wie er den Hörsaal füllen konnte. Der Name Graham Lufkin und seine Provenienz als Biologe stellten an einem weit entfernten chemischen Fachbereich vermutlich nicht gerade eine Zugnummer dar. Doch der Realist in Lufkin wußte, was zum Ziel führen würde: seine neueste Forschungsarbeit über die Furchenbiene, verpackt in eine erotische Sprache.

»Du hast dich nicht verändert, Celly«, murmelte Lufkin, als er die Arme um Celestine legte, bereit, sie auf den Mund zu küssen. »Wie nett, daß du mich abholst.«

»Du hast dich auch nicht verändert, Graham«, lachte Celestine und küßte ihn flüchtig auf die Wange, während sie gleichzeitig diskret, aber entschieden seine Hände von sich wegschob.

»Was ist denn?« konterte er mit gespieltem Erstaunen. »Was ist denn dabei, eine ehemalige Geliebte nach zwei Jahren auf einem belebten Flughafen zu küssen? An solchen Orten küssen sich die Leute doch ständig.«

»Manche Leute schon. Vielleicht sogar manche Ex-Geliebten, aber nicht die da. Erinnerst du dich nicht mehr, wie ich zu deiner Ex wurde?«

»Celly, das ist doch über zwei Jahre her.«

»Was mich über zwei Jahre älter macht.«

»Na und?«

»Und viele Jahre klüger.«

»Ich verstehe.« Lufkins Ton hatte vom Intimen zum Pragmatischen gewechselt. »Warum bist du dann gekommen, um mich abzuholen? Erweist du diesen Dienst allen berühmten Besuchern?«

»Berühmt? Du?« Celestine dachte, daß ihr eine Spur Sarkasmus helfen würde, zur Sache zu kommen. »Nein, deshalb bin ich nicht hier.«

»Na schön, dann hat dich eben deine Professorin gebeten, mich abzuholen.« Er war inzwischen eindeutig verärgert.

»Reg dich ab, Graham. Jean wollte dich selbst abholen, aber sie mußte zu einer Fakultätssitzung. Sie führt dich heute abend zum Essen aus. Jean brauchte mich wirklich nicht darum zu bitten – ich habe mich freiwillig angeboten, weil ich mit dir sprechen wollte. Allein«, fügte sie hinzu. »Laß uns hier in den Coffee Shop gehen.«

Celestine nahm einen dritten Löffel Zucker. »Du hast dich wirklich nicht verändert«, bemerkte Lufkin und zeigte mit seinem Löffel auf ihre Kaffeetasse. »Du bist immer noch zuckersüchtig.«

»Stimmt«, antwortete sie, während sie langsam ihren Kaffee umrührte. »Was Zucker betrifft, bin ich noch die gleiche. Und wie steht's mit dir? Dein Haar scheint grauer zu sein, aber nach dem Titel deines Vortrags zu schließen, bist du immer noch der gleiche alte Graham Lufkin.«

»Gefällt dir der Titel denn nicht? Ist er nicht lasziv genug? Glaubst du nicht, daß er die Chemiker reizen wird, sich einen Biologen anzuhören?«

»Nein . . . Ja . . . Ja«, sagte Celestine langsam und ohne jede Betonung.

»Was soll das nun wieder heißen?« fragte Lufkin mißtrauisch.

»Nein, der Titel ›Solonummern unter Insekten. Beweise für ein Antiaphrodisiakum bei *Lasioglossum zephyrum*‹ gefällt mir nicht. Ja, er ist lasziv genug. Ja, er wird die Chemiker anlokken. Immerhin werde ich wohl die einzige Chemikerin im Saal sein, die dich kennt.«

»Die einzige? Was ist mit Jean Ardley?«

Celestine griff über den Tisch und legte ihre Hand auf seine. »Graham, ich gehe davon aus, daß Jean dich nicht im biblischen Sinn kennt.« Ihre Stimme war ernst geworden. »Genau darüber möchte ich mit dir sprechen.«

»Darüber?« Lufkin klang argwöhnisch.

»Graham.« Celestine lehnte sich zurück, als wollte sie plötzlich die größtmögliche Distanz zwischen sich und ihn legen. »Warum hast du, ein sechsundfünfzigjähriger Professor, eine Studentin verführt, die gerade eben mündig war? Was hat dich dazu veranlaßt?«

»Was fällt dir eigentlich ein, Celly!« zischte er. »Wieso hast du mich das nicht vor drei Jahren gefragt? Wenn ich dich tatsächlich verführt habe, warum bist du dann fast ein Jahr lang zu mir gekommen? Wieso ...«

»Wieso bin ich mit dir nach New York gefahren, um meine erste Oper zu hören?« vollendete sie den Satz. »Aber war dir denn nicht klar, daß wir nicht auf der gleichen Stufe standen? Ich spreche jetzt nicht nur von unserem Altersunterschied.«

»Celly, du hast vielleicht Nerven, mir das vorzuwerfen! Immerhin war ich derjenige, der das schließlich aufs Tapet gebracht hat.«

»Sicher«, antwortete sie, »aber das maßgebliche Wort ist ›schließlich‹. Du hast dazu ja auch nur zwölf Monate gebraucht.«

Lufkin fand, daß es an der Zeit war, seine defensive Haltung aufzugeben. »Sag mal, warum hast *du* dich mit einem rund dreißig Jahre älteren Mann eingelassen, der außerdem auch noch dein Ex-Lehrer war?« Die Betonung auf »Ex« ließ das Wort hörbar zischen. »Wir haben nicht miteinander geschlafen, während du meine Studentin warst.«

»Sei nicht spitzfindig, Graham. Ich beschuldige dich ja nicht der sexuellen Belästigung einer Abhängigen. Ich wollte nur etwas klarstellen zwischen uns beiden. Ich habe lange gebraucht, um dem wahren Sachverhalt ins Auge zu sehen ...« Sie brach ab und rührte langsam noch etwas Zucker in ihren Kaffee. »Tut mir leid, Graham, ich sollte mich darüber nicht so aufregen.«

»Ich auch nicht, Celly.« Er griff nach der Zuckerdose und deckte sie zu. »Und wie war der Sachverhalt?«

»Du warst ein hervorragender Lehrer, und zwar nicht nur im Hörsaal. Aber als du mich verführt hast, hast du einen Vertrauensbruch begangen.«

»Jetzt fängst du schon *wieder* an«, unterbrach er sie. »Denk doch mal zurück an den Abend, an dem wir« – er zögerte, ehe er weitersprach – »sexuell intim wurden. Du hast Musik von Orff gehört –«

Jetzt war es an ihr, ihm ins Wort zu fallen. »Und einen ungemein schlüpfrigen Dialog gelesen, den du ganz zufällig im Haus hattest. Jetzt willst du mir wohl weismachen, daß das purer Zufall war, daß du nur meine Lateinkenntnisse testen wolltest.«

»Nein, das will ich nicht behaupten. Aber während du zugehört hast, habe ich nur deine Zehen gestreichelt. Wenn es dir nicht gefallen hätte, hättest du mich ja daran hindern können.«

»Und hättest du aufgehört?«

»Selbstverständlich! Ich habe dir sogar eine Möglichkeit gegeben, dich elegant aus der Affäre zu ziehen. Du hättest sagen können, du seist kitzlig.«

»Ich verstehe.« Celestines Ironie war unüberhörbar. »Denk doch mal einen Moment lang darüber nach. Du hast mich gefragt, warum ich, ein einundzwanzigjähriges Mädchen –«

»Frau«, warf er ein.

»Mädchen, Frau – was auch immer. Warum ich bereit war, mit einem Mann zu schlafen, der älter war als mein Vater.«

»Ach du lieber Himmel, du wirst mir doch jetzt nicht mit Freud kommen?«

»Nein, aber das könnte ich. Es gibt Zeiten, da ist eine Zigarre nun mal schlicht eine Zigarre. Ich glaube nicht einen Moment lang, daß ich bei dir nach einer Vaterfigur gesucht habe. Andere junge Frauen vielleicht. Ich nehme an, es hat andere gegeben?«

»Andere?«

»O Graham«, rief sie aus, »tu doch nicht so! Laß uns ein einziges Mal ehrlich sein. Hast du viele wie mich gehabt?«

»Keine wie dich, Celly.«

»Graham!« Celestine machte kein Hehl aus ihrer Verärgerung. »Du weißt, was ich meine: so jung wie ich.«

»Ein paar.«

»Okay. Ich will nicht fragen, wieviel ein paar sind. Gab es auch welche nach mir?«

Lufkin sah Celestine kurz an und senkte dann die Augen. »Eine.«

»Ich verstehe.« Sie löffelte Zucker in ihre leere Tasse und winkte der Kellnerin, ihr Kaffee nachzuschenken.

Die Pause war lang genug, um ein gewisses Gleichgewicht zwischen ihnen wiederherzustellen. Celestine nahm die Unterhaltung wieder auf. »Ich glaube, was ich in unserer Beziehung haben wollte, war Parität. Intellektuell konnte ich ja nicht gut mit dir konkurrieren, aber ich wollte auch nicht bloß ein Sexobjekt sein. Zumindest wollte ich dir etwas bedeuten, und als du mir dann aus heiterem Himmel den Laufpaß gegeben hast, habe ich das sehr übelgenommen.«

»Ich weiß«, antwortete er. »Ich wußte es schon, noch bevor ich überhaupt etwas gesagt habe. Aber auch ich wollte Parität. Wie lange konnte ich denn für dich sexuell anziehend bleiben –«

»Red nicht solchen Unsinn!« stieß Celestine hervor. »Von was für einer sexuellen Anziehungskraft sprichst du eigentlich? Dein Sexuallockstoff, Lufkins persönliches Pheromon, ist Wissen. Was eine junge Frau zu einem älteren Mann hinzieht, ist intellektuelle Überlegenheit. Und die hast du mißbraucht.«

»Wie kannst du so etwas behaupten?« rief Lufkin aus. »Ich will dir sagen, was du für mich bedeutet hast. Dich als Sexobjekt zu bezeichnen, würdigt unsere Beziehung herab.«

»Ha!«

»Komm mir bloß nicht so, Celly!« antwortete er bitter. »Weißt du nicht, was deine Jugend für mich bedeutet hat? Als wir in New York in die Oper gingen, habe ich dich fast die ganze Zeit aus den Augenwinkeln beobachtet, statt die Sänger auf der Bühne zu verfolgen. Für dich war alles neu. Weißt du nicht, was das für jemanden wie mich bedeutet?«

»Doch, das weiß ich«, sagte sie sanft. »Es war ein wunderbares Wochenende.«

»Und daß wir damals sexuell unseren Spaß miteinander hatten, machte doch nichts Schmutziges daraus, oder?«

»Nein, Graham. Damals nicht. Aber später schon. Vielleicht würde ich anders empfinden, wenn ich die einzige gewesen wäre. Aber du hast mir gerade gesagt, daß es noch andere gab, vor und nach mir. Was haben *sie* in deinem Leben verkörpert?«

Lufkin sagte nichts. Er blickte hinunter auf seine Kaffeetasse, während der Mittelfinger seiner rechten Hand ungeduldig auf die Kunststoffplatte des Tisches trommelte. Celestine erinnerte sich noch an diese Angewohnheit: Es war seine Methode, bis zehn zu zählen. Diesmal dauerte das Getrommel so lange, daß Celestine schon fast versucht war, die Frage zu wiederholen. Doch das war nicht nötig. Lufkin begann mit leiser, fast zorniger Stimme, die Augen auf seine Tasse geheftet, als spräche er zu sich selbst.

»Als ich die Professur an der Hopkins bekam, war ich ein vielversprechender Forscher. Aber in Wahrheit fiel die Entscheidung aufgrund meiner Fähigkeiten als Lehrer. Ich habe das Unterrichten immer sehr ernst genommen, und schon vor fünfundzwanzig Jahren war ich verdammt gut darin. Aber in der Forschung bin ich nie richtig vom Fleck gekommen. Ich wollte mir das nicht eingestehen, zumindest nicht in den ersten zehn oder zwölf Jahren, aber es stimmte. Erst allmählich dämmerte mir, daß ich nie ein Star werden würde. Ich habe das noch nie irgend jemandem gesagt. Ich glaube nicht, daß ich diese Worte mir selbst jemals laut gesagt habe.« Er blickte abrupt von der Tasse auf; Celestine war verblüfft, wie rot seine Augen waren, wie alt sie aussahen. »Du überlegst wohl, was das mit deiner Frage zu tun hat.«

Zum zweiten Mal an diesem Morgen griff Celestine nach Lufkins Hand. »Sprich weiter.«

»Im Laufe der Zeit wurde mir klar, daß ich bei den Wissenschaftlern, die ich am meisten bewunderte, keine große Anerkennung finden würde. Dafür war meine Forschungsarbeit einfach nicht bedeutend genug. Also habe ich mich schließlich auf meine Studenten konzentriert statt auf meine Kollegen. Hervorragende Studentenbeurteilungen in meinen Seminaren zu bekommen, im Unterricht begeisterte Gesichter zu sehen, spontanes Lachen und gute Fragen zu hören, manchmal sogar Applaus – all das sind Befriedigungen. Aber am Ende genügten sie mir doch nicht. Nicht, als die Jahre vergingen. Vielleicht hätte es sich anders verhalten, wenn ich nicht Junggeselle geblieben wäre, aber es genügte eben nicht. Also habe ich mich statt dessen auf einzelne Studenten konzentriert.«

Lufkin starrte auf seine Kaffeetasse, um die er beide Hände gelegt hatte, wie um sie zu wärmen. Doch plötzlich schob er sie in die Hosentaschen und sah Celestine an. »Danke, daß du so geduldig bist«, sagte er mit einem schiefen Lächeln. »Wie du siehst, arbeite ich mich allmählich zu deiner Frage vor.«

»Ich interessierte mich nur für die intelligenteren Studenten«, fuhr er fort, »für diejenigen, von denen ich mir einbildete, sie könnten sich zu solchen Wissenschaftlern entwikkeln, wie ich einer hatte werden wollen. Studenten wie du, Celly.« Wieder hob er den Blick und sah ihr in die Augen.

»Ich nehme an, es waren alles Frauen?« fragte sie. Als sie sein Nicken sah, fragte sie: »Warum keine Männer?«

»Warum keine Männer? Weil Sex ebenfalls wichtig war und ich nun mal nicht schwul bin. Kann es denn einen überzeugenderen Beweis der Anerkennung geben als Sex? Einer jungen intelligenten Frau meine Attraktivität in Konkurrenz mit jungen attraktiven Männern zu demonstrieren, war bei mir fast zu einer fixen Idee geworden. Du hast es richtig ausgedrückt: Das Pheromon ist mein Intellekt. Der entscheidende Beweis für seine Wirksamkeit – in dem Sinn, daß ich mir beweisen wollte, daß ich noch nicht alt und klapprig bin – ist jedoch, ob eine intelligente junge Frau mich ihren physisch weitaus verführerischen Altersgenossen vorzieht. Das ist vielleicht keine schöne Antwort, aber dafür eine ehrliche.«

»Graham, laß uns mal um der Debatte willen davon ausgehen, daß es für dich wichtig ist zu beweisen, daß du für junge Frauen attraktiv bist.«

»Nein, es ist mehr als das«, warf er ein. »Ein junger frischer Geist –«

»Junger frischer Geist! Graham, das klingt ja wie die klinische Beschreibung einer Versuchsperson.«

»Celly, du weißt genau, so meine ich das nicht.«

»Lassen wir das mal beiseite. Was ich sagen wollte, ist folgendes. Du wirfst dein Netz aus, dessen Köder schlüpfrige Vorlesungen und erotische Insekten sind. Du achtest darauf, alle Studentinnen wieder ins Wasser zu werfen, denen du noch keinen Schein gegeben hast oder die zufällig noch unter einundzwanzig sind. Und siehe da, du ziehst Celestine Price an Land: jung, intelligent, all das. Du bist so subtil, daß sie nicht einmal merkt, daß sie eingefangen worden ist. Und du? Du bekommst deine notwendige Bestätigung, so daß du deine Angst vor dem Verlust der Jugend oder irgendwelche andere Probleme vergißt, die die Wechseljahre des Mannes für dich aufwerfen.«

Lufkin verzog das Gesicht, als ob er Schmerzen hätte.

Sie fuhr fort, als ob sie es nicht gesehen hätte: »Du hast mich eingefangen, ich bin bereitwillig gekommen, und wir haben uns miteinander vergnügt. Du hast mir eine Menge beigebracht, und ich meine nicht nur das, was wir im Bett gemacht haben. Es dauerte lange genug, daß ich nicht das Gefühl bekam, benutzt zu werden. Und dann – päng! Eines schönen Morgens, nur ein paar Stunden nach einer leiden-schaftlichen und zärtlichen Nacht, hast du mich einfach da-vongejagt.«

»Davongejagt? So nennst du das? Drücke dich bitte nicht so drastisch aus«, bat er.

»Aber genau das hast du getan! Als du mir gesagt hast, daß es aus ist, nur Minuten nachdem ich vor Lust gestöhnt hatte, da fühlte ich mich so gedemütigt. Du hattest mich zu einem Sexobjekt erniedrigt, zu einer Reaktion auf irgendwelche Techniken, die du mit Gott weiß wieviel ›jungen frischen Geistern‹ entwickelt hattest.«

»Celly . . .«

»Komm mir bloß nicht so! Erinnerst du dich noch an den Grund, den du genannt hast, als du mir deinen Entschluß mitgeteilt hast? *Deinen* Entschluß, Graham, nicht *unseren*! Weil du im Begriff seist, dich in mich zu verlieben! Als ob das eine Krankheit wäre, die du dir einfangen könntest. Bisher hast du nur darüber geredet, was diese Art von Beziehung *dir* einge-bracht hat. Jetzt will ich dir mal sagen, was sie für mich bedeutet hat. Um meine Selbstachtung zu bewahren, um jedesmal ganz beruhigt zu sein, wenn du mich gestreichelt, liebkost, geküßt, angespornt hast, deine Wünsche zu befriedigen, mußte ich sicher sein, daß uns mehr als Sex zusammengebracht hatte. Ich mußte unseren Altersunterschied vergessen, weil ich das Gefühl haben mußte, daß wir in gewissem Sinne gleichaltrig oder zumindest gleichgestellt waren, daß jeder von uns dem anderen etwas gab. Ich mußte glauben können, daß du es nicht nur mit einem Gesicht oder einer speziellen Haut oder dem Jahr auf meinem Führerschein treibst. Ich mußte glauben können, daß du es *mit mir* treibst, mit einem ganz bestimmten Menschen, mit Celestine Price, jemand, auf den es im Endeffekt genauso ankommt wie auf dich.« Celestine hielt abrupt inne, als wäre sie plötzlich erschöpft. Als sie wieder sprach, war ihre Stimme resigniert. »Aber dem war wohl nicht so, stimmt's?«

»Nein, das stimmt nicht. Du hast mir nicht richtig zugehört. Du willst Parität zwischen einer jungen Frau und einem alten Mann –«

»Älteren Mann, Graham, nicht alten.« Celestine hatte angefangen, sich zu beruhigen.

»Danke für die Berichtigung. Aber wie sieht es mit der Parität zwischen dem älteren Mann und der jungen Frau aus? Mit meiner Angst, daß unsere Beziehung aufgrund *deiner* Initiative enden wird? Angesichts unseres Altersunterschieds war es in der Tat unvermeidlich, daß dies passieren würde. Je tiefer unsere Beziehung war, je länger unser Verhältnis dauerte, desto größer mußte schließlich mein Schmerz sein.«

»Und nun willst du mir weismachen, daß du deshalb beschlossen hast, Schluß zu machen? Bevor es für dich zu schmerzhaft wurde? Wo du doch vielleicht zu alt warst, um einen Ersatz für mich zu finden?«

»Ja«, sagte Lufkin, »darauf läuft es mehr oder weniger hinaus.«

»Graham«, sagte Celestine kategorisch, »ich glaube einfach nicht, daß es so einfach ist.« Sie schob ihren Stuhl zurück und stand auf. »Gehen wir. Ich habe Jean versprochen, dich bis elf in ihrem Büro abzuliefern.«

Celestine traf nur wenige Minuten vor vier im Hörsaal ein. Beeindruckt stellte sie fest, daß er fast voll war. Ihr Stammplatz – auf halber Höhe des rechten Ganges, geeignet, um sich schnell zu verdrücken – war bereits besetzt. Sie kannte den Typ nicht, der sie verdrängt hatte, aber es war keiner von den Chemikern. Offensichtlich hatten Lufkins »Solonummern unter Insekten« für Zulauf gesorgt. Celestine war gespannt, wie Lufkin die Erwartungen der Leute erfüllen würde. Ihr fiel ein, daß sie Lufkin noch nie einen wissenschaftlichen Vortrag hatte halten hören. Sie hatte früher immer nur mit Lufkin, dem Lehrer, zu tun gehabt und dabei selbst die Rolle der bewundernden Schülerin gespielt. Nun sollte sie, als anspruchsvolle Kritikerin, Lufkin über seine eigene Forschung sprechen hören.

Die ersten Minuten waren Lufkin in Reinkultur. Faktisch alle Sexuallockstoffe, so erläuterte er, würden von weiblichen Insekten abgesondert, jedoch seien in der entomologischen Literatur sporadische Berichte aufgetaucht, die auf das Vorhandensein von Antiaphrodisiaka bei männlichen Tieren hindeuteten. »›Antiaphrodisiaka? Bei männlichen Insekten?‹ werden Sie fragen.« Er gab sich erstaunt. »Warum?« Einige Studenten im Saal begannen zu kichern, doch Lufkin behielt seinen unbewegten Gesichtsausdruck bei, wie immer, wenn er über gewagte Themen sprach. Es gehörte zu seinem Vortragsstil, der Frivolität keinen Vorschub zu leisten. Eben diese Mischung aus ernster Miene, gemessenem Tonfall und gleichzeitiger Schilderung empörender sexueller Verhaltensweisen unter Insekten hatte Celestine bei seinen Vorlesungen an der Hopkins-Universität so unwiderstehlich gefunden. Offenkundig hatte er seinen Touch noch nicht verloren. »Denken Sie nur mal einen Moment über den Zweck des Keuschheitsgürtels bei den Menschen nach. Bestimmte Insektenarten sind einfach schlauer als wir. Statt eines unförmigen Keuschheitsgürtels haben sie einen chemischen Anzeiger entwickelt, um bei ihren weiblichen Partnern sexuelle Monogamie zu erzwingen.

Das frühere Beweismaterial für Antiaphrodisiaka bei Insekten war nur ein Indiz«, verkündete Lufkin. Doch nun wollte er seinen Zuhörern beweisen, daß sie tatsächlich vorhanden waren. Celestine konnte förmlich spüren, wie sich die Zuhörer aufsetzten, als hätte ihnen jemand einen Rippenstoß gegeben. Sie lächelte in sich hinein. Die üblichen chemischen Vorträge begannen bestimmt nicht so. Lufkin hatte recht. Sex ist unwiderstehlich, besonders in der Wissenschaft.

»Nehmen wir *Lasioglossum zephyrum*«, sagte er deutlich und langsam, während er die beiden Wörter an die Tafel schrieb, »auch bekannt als die Furchenbiene. Vor etwa zehn Jahren berichtete Barrows von der Universität Kansas, daß männliche Furchenbienen die Nester abpatrouillieren und sich auf weibliche Tiere stürzen. Diese Vorstöße scheinen durch einen weiblichen Duftstoff gefördert zu werden, der mit einem Aphrodisiakum gleichzusetzen ist. Barrows fiel auf, daß es viele Vorstöße gab, aber nur sehr wenige Begattungen. Aha, dachte Barrows, die weibliche Furchenbiene paart sich also nur einmal.«

Lufkins Augen schweiften langsam über seine Zuhörer. Es war kaum ein Laut zu hören, während sie auf seine nächste Enthüllung warteten.

»Da tritt Penelope Kukuk aus Cornell auf den Plan. Als sie nämlich einige gefesselte weibliche Tiere am Lehmufer eines Baches – einem bevorzugten Lebensraum der Furchenbiene – vorbeikommenden männlichen Tieren aussetzte, stellte sie fest, daß jeweils mindestens ein halbes Dutzend Männchen ein angebundenes Weibchen ansteuerte. Ein bis zwei Minuten später verschwanden die Männchen bis auf eines, das sich mit dem weiblichen Tier paarte. Ein weiterer Versuch mit dem gleichen, nun aber deflorierten Weibchen ergab, daß es jetzt unattraktiv war.«

»Defloriertes gefesseltes Weibchen!« Typisch Graham, dachte Celestine; ich wette, der halbe Saal denkt an Sadomasochismus. Aber wie fesselt man eine Furchenbiene?

»Sie werden sich fragen, wie man eine Biene fesselt«, fuhr Lufkin fort, als gönnte er sich ein vertrauliches Zwiegespräch mit Celestine. »Das ist leicht. Man klebt sie mit durchsichtigem Klebestreifen an den Flügeln auf ein Holzstäbchen. Kann ich bitte das erste Dia haben?«

Die Dias zeigten den natürlichen Lebensraum der Furchenbienen; die gefesselten weiblichen Tiere, die mit Klebestreifen

quasi ans Kreuz geschlagen waren; die kleinen Glasfläsch-
chen, die Pollen, Honig und Wasser sowie eine einzelne gefan-
gene unbegattete weibliche Biene enthielten. Diese Bienen-
jungfrau wurde nun jeden Tag in ein anderes Fläschchen
gesetzt, während der Inhalt des Gefängnisses vom Vortag
– Celestine hatte bereits ihr Urteil über das Versuchsprotokoll
gefällt – mit Methylchlorid extrahiert wurde, was eine WTM
Sexualduftstoff ergab. Celestine hatte nicht mitbekommen,
was eine WTM war. »Eine ›weibliche Tagesmenge‹ Duftstoff«,
fügte Lufkin hinzu.

Nachdem man mehrere WTMs gesammelt hatte, wurden
künstliche Weibchen, bestehend aus schwarzem Nylon, der um
die Spitze eines Stäbchens gewickelt war, mit einigen WTMs
parfümiert. Mehrere dieser Kruzifixe wurden so aufgestellt,
daß die parfümierten Kunststoffjungfrauen gerade eben über
die Kante des senkrechten Bachufers vorragten, wo die männlichen Bienen hin und her patrouillierten. Wenn eines der
geilen Männchen sich einer unbegatteten Biene bis auf zwei
Zentimeter näherte und länger als fünf Sekunden bei ihr
verweilte, wurde sein Verhalten als eine »Umschwirrung«
gezählt. Vorstöße, bei denen es zum Körperkontakt mit dem
Nylonmodell kam, wurden als Schein-Paarungen eingestuft.
Die statistische Auswertung der Daten bewies eindeutig, daß,
wenn eine parfümierte Nylonjungfrau einige Male von einem
männlichen Tier berührt worden war, eine signifikante Ver-
ringerung an »Umschwirrungen« um sie herum stattfand. Das
Antiaphrodisiakum wurde zweifellos von den Männchen bei-
gesteuert.

Die Isolierung dieses aktiven Hemmfaktors, die Lufkins
persönlichen Beitrag darstellte, erwies sich zwar als unproble-
matisch, war aber äußerst schwer zu erläutern. Trotz der
faszinierenden biologischen Reaktion hatte sich herausge-
stellt, daß die elementare chemische Struktur erstaunlich unkompliziert war. Das überraschte Celestine nicht. Sie erinnerte sich, die gleiche Enttäuschung empfunden zu haben, als
Lufkin in seiner Vorlesung über die unglaublich schwierige
Isolierung des ersten Pheromons aus dem Seidenspinner *Bombyx mori* gesprochen hatte und dann enthüllte, daß der von

den deutschen Chemikern isolierte Reinstoff ein einfacher, seit langem bekannter organischer Alkohol war. Damals hatte Lufkin eine leicht schnodderige Bemerkung gemacht, die Celestine im Kopf behalten hatte. »Wir dürfen nicht vergessen, daß *Bombyx mori* sein Pheromon synthetisiert, um ein anderes Insekt anzulocken und nicht etwa, um einen Organiker anzulocken und dessen intellektuelle Fähigkeiten auf die Probe zu stellen. Es geht hier mehr um die geschlechtliche Fortpflanzung – die Erhaltung der Art – als um das Kitzeln des menschlichen Intellekts.«

An diesem Nachmittag hatten sich die Zuhörer anscheinend nicht an dem enttäuschenden chemischen Endergebnis gestoßen. Sie waren sowohl stimuliert als auch zufriedengestellt worden, wie ihr begeisterter Applaus bewies.

Plötzlich verstand Celestine, was Lufkin im Coffee Shop des Flughafens gemeint hatte. Lufkins Vortrag – der kein Wort über moderne Molekularbiologie, über rekombinante DNA, über Proteinrezeptoren oder Klonen oder monoklonale Antikörper enthalten hatte, nicht einmal über neue Aspekte analytischer oder spektroskopischer Verfahren außer denen, die alle Chemiker bereits benutzten – dieser Vortrag hatte ein Publikum gefangengenommen, das nicht nur größer, sondern auch vielfältiger war, als man es üblicherweise auf den hochgestochenen Seminaren traf, die in diesem Fachbereich abgehalten wurden. Nach den erhobenen Händen potentieller Fragesteller im Publikum zu schließen, hatte Lufkin den Studenten zweifellos gefallen, dachte Celestine, aber kein Wunder, daß seine wissenschaftlichen Kollegen nicht beeindruckt waren. Aus seinem Vortrag war nicht einmal ersichtlich, welcher Teil Angaben aus der Literatur – aus Kukuks Labor in Cornell – behandelt hatte und was an der Hopkins-Universität von Lufkin und seinen Studenten erarbeitet worden war.

»Professor Lufkin«, fragte Celestine mit lauter Stimme, »ich hoffe, Sie betrachten das nicht als eine theologische Frage. Aber warum hat die männliche Furchenbiene diesen chemischen Anzeiger entwickelt?«

Lufkin schielte hinauf zu den oberen Rängen des Hörsaals.

»Theologisch? Heißt das, daß Theologiestudenten Chemie-Seminare besuchen?« Es war ein geschickter Schachzug, der ihm Zeit gab, sich die richtigen Worte zurechtzulegen. Mehrere der kichernden Studenten drehten sich suchend nach dem Ausgangspunkt der Frage um.

»Verzeihen Sie« – Lufkin gestattete sich den Anflug eines Grinsens –, »ich weiß, Sie haben das ernst gemeint. Ich kann nur raten. Eine Möglichkeit ist, daß es der Furchenbiene in erster Linie um die Erhaltung der Art geht und weniger um sexuelle Eifersucht. Eine einzige Paarung genügt, um sie zu befruchten. Wenn dann durch eine Markierung angezeigt wird, daß sie ihre Fortpflanzungsaufgabe erfüllt hat, so verschwenden andere männliche Tiere ihr Fortpflanzungspotential nicht an sie, sondern setzen es bei anderen, unbegatteten Bienen ein.«

»Wenn das so ist«, konterte Celestine, »warum dann Begriffe wie ›Solonummern‹? Sind das nicht eher typische Schlagworte für das Verhalten von Menschen?«

»Schlag-Worte? Eine hübsche Bezeichnung im Zusammenhang mit Insekten.« Lufkin blickte vergnügt in das kichernde Publikum.

Celestine hatte keinen Sinn für Lufkins vorwitzige Antwort. »Professor Lufkin«, rief sie, »die Wahl der Worte mag nicht gerade präzise gewesen sein, aber meine Frage ist durchaus angebracht.«

Lufkin sah Celestine kurz und scharf an. Dann griff er zu seinen Notizen und schob sie, wie ein Moderator am Schluß einer Nachrichtensendung, zu einem ordentlichen Stapel zusammen. Auf diese Weise hatte er etwas zu tun, während er sich eine Antwort überlegte. War dies eine Fortsetzung ihres Gesprächs am Flughafen? Wenn ja, wollte er es umgehend beenden.

»Nun gut. Nehmen wir ›Solonummer‹. Anscheinend gefällt Ihnen so etwas nicht, und folglich protestieren Sie dagegen, daß ich dieses Wort benutze. Vielleicht war es ein Mißgriff, für einen ernsthaften wissenschaftlichen Vortrag einen eher frivolen Titel zu wählen, aber er hat seinen Zweck erfüllt, stimmt's?« Er machte eine Handbewegung in Richtung des vollen Hörsaals. »Aber weiter wollte ich damit nicht gehen. Ich habe diesen Ausdruck nur als Synonym für ein kurzes, einmaliges Ereignis verwendet. Sie dürfen der Furchenbiene – oder auch mir, was das betrifft – nicht gleich männlichen Chauvinismus unterstellen. Die männliche Biene hat die weibliche nicht wirklich ausgenutzt. Was ich sagen will, ist, daß Sie einen Fehler machen, wenn Sie das sexuelle Verhalten von Insekten unter anthropomorphen Gesichtspunkten betrachten. Wenn es keine weiteren Fragen gibt . . .?« Er blickte noch einmal kurz ins Publikum, nahm sein Manuskript und begab sich gemessenen Schrittes vom Podium zur ersten Reihe, wo Jean Ardley saß.

15

Sie fuhren in Paulas Wagen von Sol Minskoff zurück, den Cellokasten im hinteren Teil der Kombilimousine festgeschnallt. »Leonardo«, sagte Paula und brach das Schweigen, das seit der Ravenswood Avenue geherrscht hatte, »Sie sind wie ein Wetterhahn, ganz anders als mein erster Eindruck von Ihnen. Sie sind so trübselig, daß es sogar in Ihrem Spiel zum Ausdruck kommt. Sie waren heute furchtbar – Dvořák hat sich vermutlich im Grab die Ohren zugehalten.«

Cantor lächelte gequält. »Ich weiß.«

»Wollen Sie mir nicht erzählen, was los ist? Noch vor ein paar Wochen schienen Sie im siebten Himmel zu schweben: Das wichtigste Experiment Ihres Lebens verlief genau so, wie Sie prophezeit hatten. Sie haben mir selbst gesagt, daß es noch nie vorgekommen ist, daß jemand wie Sie die ganze Laborarbeit alleine gemacht hat. Und jetzt?«

»Paula. Beantworten Sie mir zunächst eine Frage. Warum verkehren Sie mit jemandem wie mir?« Er klang nachdenklich.

»›Verkehren‹? Mein Gott, Leonardo, was für ein schreckliches Wort! So nennen Sie das, was wir tun? Verkehren?«

Cantor seufzte. »Wie würden Sie es denn nennen?«

»Was spricht gegen ›Freundschaft‹?«

»Nichts. Nichts spricht gegen Freundschaft, aber warum gerade ich?«

»Ach, Leonardo«, sagte sie und griff mit der rechten Hand nach seiner, um sie zu drücken. »Was sind Sie bloß für ein

Dummkopf! Das ist doch ganz einfach – oder war es zumindest. Weil Sie mich nicht langweilen.«

»Vielleicht liegt das daran, daß wir einander nicht allzu oft sehen.«

»Schon möglich, aber seien Sie nicht so bescheiden. Sie sind ein komplizierter Mensch; ein sehr vielschichtiger Mensch. Wissen Sie, wie Sol Sie in bestem Jiddisch genannt hat? ›Der I. C. *is a mensch*.‹ Aus seinem Munde war das ein echtes Kompliment.«

»Na ja, wir kennen uns eben seit der Studienzeit.«

»Das macht es zu einem noch größeren Kompliment. Es ist . . . wie nennen Sie das doch gleich? Biostatistisch noch bedeutsamer.«

»Nicht schlecht, Paula.« Cantors verkrampfter Körper schien sich in der Dunkelheit etwas zu entspannen. »Dann also, weil ich *a mensch* bin?«

»Nicht nur deswegen«, antwortete sie rasch und wandte ihre Aufmerksamkeit einen Moment lang von der Straße ab. »Ich möchte wissen, was Ihre verschiedenen Persönlichkeiten zusammenhält. Und jetzt, gerade wo ich anfange, Sie besser zu verstehen, geht etwas aus dem Leim. Was ist passiert? Oder gehört es sich nicht, danach zu fragen?«

Cantor sagte nichts. Die Pause wurde so lang, daß Paula besorgt auf ihren Fahrgast blickte, dessen Gesicht von den Scheinwerfern der entgegenkommenden Autos beleuchtet wurde. Sie zögerte. »Ich hätte Sie das lieber nicht fragen sollen.«

»Nein, das ist es nicht.« Cantors Stimme fehlte ihr übliches männliches Timbre. »Halten Sie da vorn doch mal an.« Er deutete auf den Straßenrand. Als der Wagen stand, griff Cantor nach dem Zündschlüssel und stellte den Motor ab. »Stafford hat gekündigt«, sagte er schroff, »er hat beschlossen, zu Krauss nach Harvard zu gehen, und hat mir nichts davon gesagt. Ich habe es erst erfahren, als Krauss wegen eines Empfehlungsschreibens anrief.«

»Oh, jetzt verstehe ich«, sagte Paula mitfühlend.

»Nein, Sie verstehen keineswegs.« Cantor gab den Worten einen ärgerlichen Klang.

»Aber das ist so undankbar . . . «

»Gewiß.« Er ging mit einer Handbewegung darüber hinweg. »Aber was ist mit dem Empfehlungsschreiben?«

Paula sah ihn verdutzt an. »Seien Sie großzügig, Leonardo. Sie haben doch gesagt, daß er einer Ihrer besten Leute war. Und er hat immerhin dieses überaus wichtige Experiment durchgeführt.«

»Das!« Er stieß ein kurzes, sardonisches Lachen aus. »Begreifen Sie denn nicht, daß genau da der Haken liegt?« Bei diesen Worten öffneten sich die Schleusentore. »Dieses Experiment, das Sie ›dieses überaus wichtige Experiment‹ genannt haben, war fast mit Sicherheit manipuliert.«

Cantor erzählte ihr von dem Brief, den er in seinem Büro gefunden hatte; warum er ihn gegenüber niemandem erwähnt hatte; warum es unbedingt erforderlich gewesen war, einen zweiten, unabhängigen Nachweis seiner Tumorgenese-Theorie zu liefern; und daß er jetzt, gerade wo er damit Erfolg gehabt hatte, vor einem ungeheuerlichen Dilemma stand. Wenn er sich weigerte, ein entsprechendes Schreiben zu schicken, war er Krauss eine Erklärung schuldig. Schließlich konnte Cantor nicht einfach behaupten, daß er Stafford behalten wollte und seinen besten Schüler nur aus diesem Grund nicht empfahl. Aber wenn Cantor ein solches Schreiben verfaßte, dann gelang es ihm nie mehr, das Cantor-Stafford-Experiment aus der Welt zu schaffen, ohne damit in Verbindung gebracht zu werden. Ein enthusiastisches Empfehlungsschreiben an Krauss würde eine Zurückziehung für immer und ewig unmöglich machen. Stafford hatte ihn mit einer verdammt raffinierten Erpressung herausgefordert, und ihm blieb nichts anderes übrig, als das Lösegeld zu zahlen. »Ich habe ja schon immer gewußt, daß Jerry sehr intelligent ist, aber ich habe ihn nie für gerissen gehalten.« Cantor sank in seinen Sitz zurück und starrte durch die Windschutzscheibe.

Schließlich brach Paula das Schweigen. »Leonardo«, sagte sie ruhig und berührte seinen Ärmel, »woher wissen Sie, was Stafford in Ihrem Labor gemacht hat? Woher wissen Sie, daß er gemogelt hat? Vielleicht war es nur eine gehässige Geste von jemand, der auf Stafford eifersüchtig war. Finden Sie nicht, daß Sie ihn fairerweise damit hätten konfrontieren sollen?«

»Konfrontieren?« fragte Cantor entgeistert. »Wenn er gestanden hätte, hätte ich den *Nature*-Artikel zurückziehen müssen. Keiner hätte das jemals vergessen – selbst wenn ich das zweite Experiment veröffentlicht hätte. Wenn man erst einmal in einen Skandal verwickelt ist . . .«

»Aber es war doch nicht Ihre Schuld!«

»Natürlich war es meine Schuld! Jeder hätte das gedacht, und ich auch. Wenn man gemeinsam veröffentlicht, muß man Lob und Tadel teilen.«

»Ist das wieder dieser Gesellschaftsvertrag, von dem Sie gesprochen haben?«

»Genau.«

»Aber angenommen, Stafford hätte für seine Anwesenheit in Ihrem Labor an dem besagten Sonntagabend eine absolut plausible Erklärung gehabt?«

»Das ist so ähnlich wie bei Othello. Wenn der Keim des Argwohns erst einmal gesät ist . . .«

»Aber Leonardo«, sagte sie sanft, »dieses Experiment ist doch nicht Desdemona. Und außerdem hätten Sie Staffords Experiment ja von sich aus wiederholen können, oder?«

»Das hätte Wochen gedauert! Und wenn es nicht geklappt hätte, woran hätte das gelegen? An einer weiteren unbekannten Variablen? An meiner unzulänglichen Labortechnik? Oder an Staffords Manipulation? Was ich gemacht habe, war klüger.«

»Sicherer. Nicht unbedingt klüger.«

»Wir wollen nicht spitzfindig sein«, begann er ärgerlich. »Es steht außer Frage, daß Krauss oder sonst jemand, was das betrifft, in der Lage sein wird, *mein* Experiment zu wiederholen. Damit werden alle strittigen Punkte bezüglich meiner Tumorgenese-Theorie geklärt. Vielleicht nehme ich mir Staffords Versuch irgendwann einmal vor und sehe zu, ob ich ihn wiederholen kann. Wenn nicht, füge ich in einer späteren Veröffentlichung vielleicht eine diskrete Fußnote an, die darauf hinweist, daß wir Schwierigkeiten hatten, Staffords Experiment zu reproduzieren. Bis dahin wird niemand der Sache mehr große Beachtung schenken: Es wird einfach eine historische Fußnote ohne echte Konsequenzen sein. Verstehen Sie jetzt? Die Tatsache, daß Stafford sich hinter meinem Rücken bei Krauss beworben hat, beweist eindeutig, daß er schuldig ist.«

»Sind Sie da so sicher? Sie selbst haben mir doch gesagt, daß Sie sich praktisch in Ihrem Labor eingeschlossen haben; daß Sie mit kaum jemand zusammenkamen, auch mit mir nicht. Haben Sie Stafford jemals etwas über Ihre Arbeit erzählt?«

»Nein.«

»Na bitte! Ihr engster Mitarbeiter steht buchstäblich draußen vor der Tür. Was glauben Sie wohl, wie er sich dabei vorgekommen ist? Vielleicht hat er Ihr Mißtrauen gespürt. Womöglich hat er gedacht, sein Wechsel zu Krauss – zu dem Mann, der die ersten Zweifel an seiner Arbeit geäußert hat – würde ihn reinwaschen.«

Am darauffolgenden Montag verfaßte Cantor das Empfehlungsschreiben. Ende Juli war Stafford bereits nach Harvard abgereist.

16

Fünfundzwanzig Minuten lang war der 11. Oktober der schönste Tag in Cantors Leben. Kurz nach sechs Uhr morgens, als er gerade unter der Dusche stand, klingelte das Telephon. Die Hartnäckigkeit des Anrufers trieb ihn schließlich triefnaß an den Apparat im Schlafzimmer.

»Professor Isidor Cantor?« Die Männerstimme mit dem Akzent war ihm unbekannt; außerdem hatte ihn seit Jahrzehnten kein Mensch mehr »Isidor« genannt.

Trotz der Erregung, die sich seiner bemächtigte, beschloß er, sich nichts anmerken zu lassen. »Wer spricht da?«

»Ulf Lundholm von *Svenska Dagbladet* in Stockholm.«

»Ja?« Cantor brachte das Wort fast nicht heraus, in dem so viel bange Erwartung, Verlangen, Triumph und ein wenig Unaufrichtigkeit lag. Er wollte kühle Gleichgültigkeit vortäuschen, doch sein Herz hämmerte. Wie er feststellte, fragte er sich in dem Teil seines Geistes, der noch normal funktionierte, während alles übrige aus den Fugen geriet, warum der erste Anruf unweigerlich von einem Reporter kam. »Ja«, setzte er energischer hinzu, »hier spricht Professor Isidor Cantor.« Isidor Cantor? Du lieber Himmel, das klingt ja wie ein wildfremder Mensch! »Womit kann ich Ihnen dienen?«

»Ich habe die Ehre, Ihnen anläßlich der Verleihung des Nobelpreises für Medizin gratulieren zu dürfen.« Die hochtrabende Ausdrucksweise störte Cantor nicht; tatsächlich hatte er sie kaum registriert. »Möchten Sie dazu einen Kommentar abgeben?«

»Einen Kommentar? Nein. Ich weiß ja nicht einmal, ob es wahr ist.« Cantor erinnerte sich an die peinliche Lage von Vincent du Vigneaud, der öffentlich seine Freude bekundet hatte, als ihm ein Reporter zum Nobelpreis gratulierte – voreilig, wie sich herausstellte. In Vigneauds Fall war der Reporter ein ganzes Jahr zu früh dran gewesen.

»Professor Cantor!« Ulf Lundholm klang empört. »Sie glauben doch nicht, daß ich aus Stockholm anrufe, um einen Witz zu machen?«

»Woher weiß ich, daß Sie aus Stockholm anrufen?« Cantor glaubte, sich Vorsicht erlauben zu können, selbst auf die Gefahr hin, den Anrufer zu beleidigen. Außerdem amüsierte er sich.

»Ich werde Ihnen die Nummer von *Svenska Dagbladet* geben«, schoß Lundholm zurück, »damit Sie mich hier in Stockholm anrufen können.«

»Bemühen Sie sich nicht«, erwiderte Cantor, der sich inzwischen blendend amüsierte. »Ich werde einen Kommentar abgeben, aber vorläufig ist er noch inoffiziell.«

»Wie fühlen Sie sich, nachdem Sie« – Cantor konnte förmlich sehen, wie der Mann aufstand und sich tief verbeugte – »den Nobelpreis erhalten haben?«

»Offen gesagt, ich habe noch nicht darüber nachgedacht, aber wenn es wahr ist, dann ist es eine große Überraschung. Wenn es wahr ist«, wiederholte er zur Betonung, »dann ist dies nicht nur eine außerordentliche Ehre, sondern auch eine Anerkennung für die über Jahre hinweg geleistete Arbeit meines gesamten Mitarbeiterstabes.«

Das war die Art von gestelzter Antwort, die die meisten Reporter, insbesondere schwedische, als pure Phrase erkennen. Selbst der institutionelle Ulf Lundholm brauchte etwas Handfesteres. Er versuchte es anders. »Und was werden Sie mit dem Preisgeld machen, Herr Professor? Haben Sie schon beschlossen, wofür Sie es ausgeben werden?«

Cantor war verblüfft. Seine ersten Worte hatte er oft genug geübt. Aber an das Geld hatte er eigentlich nie gedacht. »Nein . . . nein, natürlich nicht. Ich habe noch nicht einmal darüber nachgedacht.«

Obwohl seine Antwort absolut spontan war, klang der Reporter skeptisch. »Aber Sie wissen doch, wieviel Geld mit dem Preis verbunden ist?«

Wieder war Cantor überrascht, sich unvorbereitet zu finden. Seine Antwort erfolgte in dem zerstreuten Ton, den Reporter in Augenblicken wie diesem lieben – da sie ihn natürlich mit weltfremdem Desinteresse verwechseln. »Tja, ich weiß, daß es eine ganze Menge ist, aber ich weiß nicht genau wie viel.«

Sobald der Stockholmer Reporter aufgelegt hatte, schaltete Cantor das Radio ein. Er verpaßte die entscheidenden Worte nur um Sekunden: ». . . damit ist die Liste der diesjährigen Nobelpreise fast komplett. Der Träger des Preises für Literatur wird nächste Woche bekanntgegeben.«

Verdammt, dachte Cantor, muß ich jetzt auf die Sieben-Uhr-Nachrichten warten, um den Namen zu hören, oder soll ich vielleicht den Rundfunksender anrufen? Tatsächlich brauchte er gar nichts zu tun. Der erste Telephonanruf kam kurz danach. Der Anrufer war Kurt Krauss.

»I. C.« Seine Stimme war herzlich und erregt. Aufrichtige Freude schien durch die Leitung zu strömen. »Ich hoffe, daß ich einer der ersten bin, der Ihnen gratuliert. Sie haben diesen Nobelpreis wirklich verdient. Und es beweist, daß ich es verstehe, die richtigen Kandidaten auszuwählen.«

Cantor begann, etwas Bescheidenes zu sagen, doch zu seiner Irritation machte Krauss so gut wie keine Pause. »Ich muß Ihnen etwas erzählen, was Sie bestimmt amüsieren wird. Raten Sie mal, was Lurtsema sagte, als er die Nachricht gerade im Radio verlas.«

»Ich habe keinen blassen Schimmer«, entgegnete Cantor. »Ich weiß nicht einmal, wer Lurtsema ist.«

»Der Sprecher des Senders WGBH. Aber das tut nichts zur Sache. Nun kommen Sie schon«, drängte Krauss, »raten Sie doch mal, was er gesagt hat!«

»Na schön.« Cantor beschloß, das Spiel mitzumachen. »›Nobelpreis für Krebsexperten aus dem Mittleren Westen.‹«

»Falsch!« triumphierte Krauss. »Lurtsema begann mit: ›Wieder einmal geht ein Nobelpreis an einen Mann aus

Harvard.‹ Unser Lokalpatriotismus übertrifft doch alles, stimmt's? Typisch Harvard.«

»Das verstehe ich nicht.« Cantor klang verwirrt. »Warum sollte er so etwas sagen?«

»Was heißt hier, das verstehen Sie nicht? Sie sind mir ein schöner Hinterwäldler! Wir sind so verdammt versessen darauf, die Reihe unserer Preisträger zu verlängern, daß jeder hier Stafford in die Liste der Harvard-Leute einschließt. Lachhaft, nicht wahr?«

Es war 6.28 Uhr morgens. Der frierende und halb nackt im abgedunkelten Schlafzimmer stehende Cantor fand, daß der Tag eine Wendung zum Schlechten genommen hatte.

Die Cantor-Stafford-Paarung erschien den meisten Leuten vermutlich als gerecht: Die entscheidende Veröffentlichung – der Artikel, der kurz, aber unzweideutig die generalisierte Tumorgenese-Theorie sowie ihren ersten experimentellen Nachweis beschrieb – hatte sowohl Cantors als auch Staffords Namen getragen. Die Saat für Staffords Einschließung wurde vermutlich 1923 gesät, als Banting und Macleod den Nobelpreis für Physiologie oder Medizin für Bantings und Bests Entdeckung des Insulins erhielten. Der Aufschrei über die ungerechte Behandlung des jungen Charles Best, der gemeinsam mit Bantin das entscheidende Experiment in Macleods Labor durchgeführt hatte, hielt Jahrzehnte an. Seit damals hatten sich die Nobelpreis-Kommissionen alle Mühe gegeben, auch jüngere Mitarbeiter auszuzeichnen. Milstein und Jerne, zusammen mit dem wesentlich jüngeren Georges Koehler, im Jahre 1984 waren nur das jüngste Beispiel eines geteilten Nobelpreises für ihre Arbeit über monoklonale Antikörper.

Das Telephon hatte wohl mindestens zehnmal geklingelt, bevor Leah im Dunkeln nach dem Hörer griff. »Hallo«, murmelte sie verschlafen.

»Leah? Hier ist Jerry. Ich muß Celly sprechen.« Seine Stimme klang drängend, aber Leah war zu benommen, um das mitzukriegen.

»Was?« stöhnte sie.

»Leah! Ich muß Celly sprechen«, wiederholte er.

Sie streckte die Hand aus und knipste das Licht an. »Allmächtiger! Weißt du eigentlich, wieviel Uhr es ist?«

»Ich weiß«, sagte er in schuldbewußtem Ton, »es ist erst kurz nach sieben, aber —«

»Es ist sechs Uhr, du Blödmann! Ruf zu einer vernünftigen Zeit nochmal an.«

Staffords inständiges Bitten hielt sie davon ab, den Hörer auf die Gabel zu knallen. »Bitte, Leah, bitte warte. Tut mir leid, daß ich nicht an den Zeitunterschied gedacht habe, aber ich muß Celly sprechen. Jetzt gleich. Es ist dringend.«

»Tja, das geht nicht, Jerry. Sie ist nicht da.«

»Was heißt das, sie ist nicht da? Um sechs Uhr morgens?«

»Das hab ich doch grade gesagt.« Leah war immer noch verärgert. »Würdest du mich nun bitte weiterschlafen lassen?«

»Warte! Leg nicht auf! Weißt du, wo sie ist? Ich muß sie unbedingt erreichen.«

Er klang so drängend, daß Leah Mitleid mit ihm bekam. »Ich weiß, wo sie ist, aber ich weiß nicht, ob du sie erreichen kannst. Willst du eine Nachricht hinterlassen?«

»Nein. Ich muß sie sofort sprechen. Hast du nicht die Nummer von da, wo sie ist?«

»Nein, hab ich nicht.«

»O Gott, Leah!« Er hörte sich völlig geknickt an.

»Wart mal, vielleicht kann ich sie im Telephonbuch finden.« Sie kroch aus dem Bett und wankte in die Küche. Wie zum Teufel schreibt Roger bloß seinen Nachnamen, überlegte sie. Es klang wie Dougherty, aber das war es nicht. Leah begann in ihrem Nachthemd zu zittern. Sie wollte gerade aufgeben, als sie fündig wurde: Docherty, R.

»Wem gehört die Nummer?« fragte Stafford.

»Einem Freund von ihr. Und jetzt gute Nacht.« Sie legte auf, bevor Stafford nach dem Namen fragen konnte.

Stafford wählte rasch die Nummer. Nach dem zweiten Klingelzeichen hörte er die ersten Takte der Gitarreneinleitung von *Gimme Shelter*. »Heiliger Strohsack«, rief er laut, »ausgerechnet eins von *den* Dingern!« Eine männliche Stimme mischte sich in die Gitarrenmusik ein. »Hier ist Roger. Wenn Sie unbedingt eine Nachricht hinterlassen müssen, dann warten Sie bis zum Piepton. Und machen Sie's kurz.«

Von diesem Befehl entnervt, sagte Stafford hastig: »Das ist eine dringende Nachricht für Celestine Price. Bitte sagen Sie ihr, sie soll sofort Jerry anrufen unter −« und rasselte die Nummer ins Telephon, die er zweimal wiederholte. »Danke.« Er legte auf und wartete. Wenn die beiden noch schlafen, dachte er, haut das nicht hin. Und wer zum Teufel ist überhaupt dieser bekloppte Roger? Es konnte Stunden dauern, bis der Typ die Nachricht bekam. Er beschloß, so lange anzurufen, bis jemand aufwachte.

Nach dem vierten Mal wurde die Gitarre von einer richtigen Stimme unterbrochen. »Ja?« Stafford war so überrascht, daß ihm ein zweites, noch gereizteres »Ja?« auf die Sprünge helfen mußte, ehe er nach Celestine Price fragte.

»Celly, es ist für dich«, hörte er die gedämpfte Stimme sagen, »willst du drangehen?«

»Wer ist da?« fragte Celestines besorgte Stimme am Telephon.

»Celly? Hier ist Jerry.« Er sprach hastig weiter, bevor sie antworten konnte. »Ich weiß, es ist noch sehr früh, Celly, aber du mußt mir helfen. Du bist der einzige Mensch, der mir helfen kann.«

»Was ist denn passiert, Jerry?«

»Das kann ich dir am Telephon nicht sagen. Ich muß dich persönlich sprechen. Ich bin schon am Flughafen. Ich nehme die 7-Uhr-20-Maschine. Hol mich bitte ab.«

»Okay, aber was −«

»Celly, bitte sag keinem, daß ich komme. Und bitte«, drängte er, »mach weder das Radio noch den Fernseher an, bis du mich siehst. Versprich mir das.«

Celestine setzte sich kerzengerade im Bett auf. »Jerry, bist du in Schwierigkeiten?« fragte sie mit leiser Stimme.

»Ich erzähl dir alles, wenn wir uns sehen. Ich muß los, sonst verpasse ich das Flugzeug«, antwortete er und legte auf.

»O Celly, Gott sei Dank, daß du da bist!«

»Was ist passiert, Jerry?« fragte Celestine, sobald er sie aus seiner Umarmung entlassen hatte. »Nun sag schon.«

»Nicht hier. Laß uns in den Memorial Park rausfahren. Wer ist überhaupt dieser Roger?«

»Eine meiner Wahlmöglichkeiten. Vergiß nicht, daß heute kein Wochenende ist.«

Sobald sie den fast verlassenen Park erreichten, hielt Celestine den Wagen am Straßenrand an. Sie drehte sich zu Stafford um. »Nun sag schon, was passiert ist.«

»Celly«, stammelte er, »ich hab den Nobelpreis bekommen.«

»Laß das«, sagte sie bestimmt, »mir ist nicht nach Witzen zumute. Nicht, nachdem du mich mitten in der Nacht geweckt hast.«

»Es war nicht mitten in der Nacht, es war –«

»Hör auf damit, Jerry! Du hast mir am Telephon Angst eingejagt. Und mich aus dem Bett gezerrt, damit ich dich am Flughafen abhole. Wenn du nicht ernst sein willst, kannst du per Anhalter in die Stadt zurückfahren.«

»Celly, ich mach keine Witze. Es ist wahr.«

Celestine starrte ihn an. Und sah unverhohlenes Entsetzen in seinem Gesicht. Er sagte die Wahrheit. »Du? Du hast den Nobelpreis bekommen?« stieß sie hervor. »Du?«

»Ja, ich. Ich und I. C. Heute morgen kam ein Anruf aus Stockholm. Und dann hat Krauss angerufen. Danach hab ich dich angerufen. Celly, ich hab Angst.«

Sie sah ihn neugierig an. Ihre frühere Besorgnis war verschwunden. »Ich kapier das nicht. Jeder Wissenschaftler träumt davon, den Nobelpreis zu bekommen, und jetzt passiert das ausgerechnet dir . . .« Sie brach in Gelächter aus. »Du mußt der Jüngste sein, der ihn je bekommen hat. Und statt vor Freude an die Decke zu springen, machst du ein Gesicht, als solltest du erschossen werden. Was ist bloß mit dir los?«

»Ich muß hier raus«, sagte er abrupt und riß die Autotür auf. Sie gingen einen Weg hinunter, bis Stafford wortlos auf eine Bank deutete. Als Celestine Platz nahm, setzte er sich rittlings auf die Bank, so daß er ihr das Gesicht zuwandte.

»Ich verdiene ihn nicht.«

»Immer langsam, Jerry.« Sie hielt ihm sanft den Mund zu. »Treib es mal nicht zu weit mit deiner baptistischen Rechtschaffenheitsmasche. Ich weiß, ich weiß: Es war Cantors Idee. Aber das plagt dich doch bestimmt nicht, oder?«

Stafford fuhr zusammen, als hätte er einen Schlag bekommen. Celestine legte die Hand auf seine Schulter und zog ihn näher. »Du hast einfach Angst, Jerry. Das ist alles. Ein solcher Erfolg so früh – das würde jeden kribbelig machen. Aber du verdienst ihn wirklich! Genauso wie jeder andere. Sicher, es war Cantors Idee, aber ohne dein Experiment hätte er den *Nature*-Artikel nicht veröffentlichen können.« Sie lehnte sich plötzlich zurück und blickte, mit einem gequälten Lächeln auf den Lippen, in den Park. »Deine Probleme möchte ich haben.«

»Sag bloß so was nicht!« platzte er heraus. »Hast du vergessen, daß dieser Ohashi bei Krauss das Experiment nicht wiederholen konnte? Und Ohashi ist ein guter Mann, ich hab ihn in Harvard kennengelernt.«

»Aber, Jerry, du hast das Experiment doch mit Cantor wiederholt.«

»Na und?«

Celestine schüttelte verwundert den Kopf. »Nichts und. Beim zweitenmal hat es ja geklappt.«

»Aber Krauss hat es nie mehr wiederholt.«

»Das wußte ich nicht. Warum denn nicht?«

»Weil Cantor mit einem zweiten Experiment ankam. Mit dem, das er ganz allein gemacht hat und von dem er keinem was gesagt hat.« Er beugte sich vor, bis sie seinen Atem spüren konnte. »Nicht einmal mir, Celly. Und nachdem es geklappt hatte, hat er Krauss überredet, meine Sache fallenzulassen und sich auf sein zweites Experiment zu konzentrieren. Genau das hat Krauss gemacht. Aber darum geht es im Grunde gar nicht. Worum es geht, ist, daß *ich* sehr wohl verstanden habe: Cantor traute mir nicht mehr. *Deshalb* hab ich an Krauss geschrieben und gefragt, ob er eine Stelle für mich hätte.«

»Du hast ihm geschrieben? Aber du hast mir doch gesagt, er habe dich aus heiterem Himmel angerufen.«

Stafford blickte zu Boden. »Ich hab gelogen.«

»Schon wieder? Warum diesmal?« wollte sie wissen.

»Ich wollte herausfinden, ob Cantor Krauss informiert hatte. Darüber, warum er mir nicht mehr traute. Offenbar hatte er das nicht getan, denn sonst hätte mir Krauss nicht die Stelle gegeben.«

»Warum hast du mir nichts davon gesagt?«

»Das konnte ich nicht.«

»Warum nicht?«

»Weil da noch was war.«

»Sprich nur weiter, Jerry. Aber streng dich an.«

»Celly.« Er stockte und ballte eine Hand zur Faust, so daß sich die Nägel ins Fleisch gruben. »Als Krauss mein Experiment nicht wiederholen konnte, hab ich Angst bekommen. Ich dachte, es sei wegen meinem schlampigen Aufschrieb . . . daß ich etwas Wichtiges übersehen hätte. Als wir das Experiment in Cantors Labor wiederholten, hab ich mich bemüht, besonders sorgfältig zu sein. Aber nach einer Weile machte es mich ganz zappelig, daß mir Cantor ständig über die Schulter sah und jede Kleinigkeit mit dem Laborbuch verglich. Am Tag, bevor das Ganze fertig sein sollte – einem Sonntag –, war ich gerade nach Hause gekommen, als mir auf einmal einfiel, daß ich ein paar Stunden vorher zu wenig Kinase zugegeben hatte.«

Celestine bemerkte plötzlich seine in das Fleisch gegrabenen Nägel. Sie nahm seine Hand und hielt sie fest. »Und dann?« fragte sie sanft.

»Ich bin also wieder ins Labor gegangen, ohne I. C. was zu sagen, und hab noch ein bißchen Enzym dazugegeben. Ich glaube nicht, daß man das als Schummeln bezeichnen kann. Ich hab ausgerechnet, wieviel Kinase ich vorher vergessen hatte und das Fehlende einfach ergänzt. Ich weiß, ich hätte es I. C. sagen sollen, aber ich hab's nicht über mich gebracht. Erst mein schlampiges Laborbuch und dann dieses blöde Versehen. Ich weiß nicht wieso, aber I. C. muß was vermutet haben, denn gleich darauf hat er mit seinem zweiten Experiment angefangen. Von da an war er mir gegenüber wie ausgewechselt. Als er seinen Erfolg bekanntgab und ich hinging, um ihm zu gratulieren, wäre er beinahe mit der Wahrheit herausgerückt. Das war ein weiterer Grund, warum ich im Labor von Krauss arbeiten wollte. Ich hatte gehofft, er würde jemand *mein* Experiment wiederholen lassen und ich wäre dort und könnte alles verfolgen.«

»Und wieder Enzym zugeben?« fragte sie leise.

»Das würde ich nie wieder tun, auch wenn du mir das nicht glaubst! Schau mal: Als Cantors Experiment klappte, hat das gewissermaßen auch mein erstes Experiment bestätigt. Ich hätte fest daran glauben sollen, statt mir die ganze Zeit Sorgen zu machen, was I. C. von mir dachte. Alles, was ich zu der Zeit wollte, war, daß Krauss es sich noch einmal vornimmt.«

»Und hat er es getan?«

»Noch nicht, aber letzte Woche hab ich Ohashi überredet, damit anzufangen.«

Celestine blickte wieder in den Park; sie starrte lange vor sich hin, als träfe sie eine Entscheidung. »Und was passiert jetzt, Nobelpreisträger?«

»Bitte, Celly. Mach jetzt keine Witze.«

»Witze? Du *bist* ein Nobelpreisträger! Daran kannst du nichts ändern.«

»Und ob ich das kann!« Stafford stand auf und ging nervös vor der Bank auf und ab. »Celly, du mußt mir helfen. Du bist der einzige Mensch, mit dem ich reden kann. Ich möchte Cantor heute noch sprechen.« Er drehte sich zu ihr um. »Kommst du mit?«

»Ich?« Celestine war verblüfft. »Was soll ich denn da?«

»Laß mich bitte ausreden«, sagte er flehentlich. »Ich hab I. C. weder gesehen noch gesprochen, seit ich sein Labor verlassen habe. Ich fühl mich schrecklich unbehaglich und . . . schuldig. Ich möchte dich dabeihaben, nicht nur zur moralischen Unterstützung, sondern auch als Zeugen. Ich will Cantor sagen, wie es wirklich war, und dann werde ich ihm klarmachen, daß ich den Nobelpreis nicht annehmen kann.«

Celestine stierte ihn mit offenem Mund an. »Du willst *was* tun?« fragte sie schließlich. »Den Nobelpreis ablehnen? Was willst du sagen?«

»Das hab ich dir doch schon erklärt.«

»Nein, nicht zu Cantor. Was willst du in der Öffentlichkeit

sagen? Daß du manipuliert hast? Geht das nicht ein bißchen zu weit? Schließlich hast du den Preis für dein erstes Experiment bekommen. Wenn du mich nicht wieder angelogen hast, dann hat es das erste Mal doch geklappt, stimmt's?«

Stafford nickte. »Ja. Und ich bin sicher, daß es wieder klappt.«

»Warum willst du dich dann öffentlich kasteien? Jerry. Du wärst als Wissenschaftler erledigt. Du würdest nie wieder eine Anstellung bekommen. Wäre das nicht ein wahnsinnig hoher Preis für einen einzigen Fehltritt? Fegefeuer vielleicht; aber sollst du deswegen ewig in der Hölle schmoren? Komm, setz dich« – sie klopfte leicht auf die Bank – »und laß uns in aller Ruhe darüber reden.«

Die Logistik, Cantor privat zu sprechen, bereitete größere Schwierigkeiten, als sie sich vorgestellt hatten. In Cantors Labor ging es zu wie in einem Tollhaus. Es war unmöglich, telephonisch durchzukommen. Der Apparat hatte schon geklingelt, als die Sekretärin eintraf, und er hatte seither ohne Unterbrechung weitergeklingelt. Stephanie nahm schließlich den Hörer von der Gabel und ging auf die große Party, die im Seminarraum im Gange war. Kollegen, Dekane, sogar der Rektor der Universität waren da und umringten Cantor, dessen gerötetes Gesicht im Gedränge leuchtete. Vorübergehend hatte er sogar vergessen, daß er den Preis teilte.

Stafford hatte gleich erkannt, daß er nicht einfach in Cantors Büro spazieren konnte. Er hätte zu viele Leute getroffen, die ihn kannten. Deshalb hatte er versucht, Cantor telephonisch zu erreichen und eine Zusammenkunft auf neutralem Gebiet zu arrangieren. Als er nicht durchkam, schrieb er ein paar Zeilen. Celestine brachte sie hin. Jetzt stand sie an der Peripherie der Menge und fragte sich, ob Cantor den Umschlag überhaupt öffnen würde, den sie krampfhaft festhielt. Es stand nur »Professor Cantor, PERSÖNLICH darauf. Sie holte einen Stift hervor und setzte in großen Buchstaben hinzu: »Von Jeremiah Stafford«. Das müßte eigentlich wirken, dachte sie, und das tat es denn auch. Sie drängte sich durch die Menge und hielt Cantor den Brief unter die Nase;

woraufhin eine klassische Spätzündung erfolgte. Nachdem er den Umschlag aufgerissen und die Nachricht gelesen hatte, sah er sich nach der Überbringerin der Botschaft um. »Soll ich Dr. Stafford etwas ausrichten?« fragte sie mit leiser Stimme.

Cantor winkte sie in den Gang. »Wer sind Sie?« fragte er schroff.

»Celestine Price«, antwortete sie.

Das Behalten von Namen gehörte nicht zu Cantors Stärken. Aber selbst wenn das Gegenteil der Fall gewesen wäre, hätte kein vernünftiger Mensch unter den gegebenen Umständen erwarten können, daß er sich daran erinnerte, den Namen vor Monaten von Paula Curry und einmal am Telephon gehört zu haben. »Ich bin eine Freundin von Jerry.«

»Sagen Sie ihm, er soll . . .«, begann Cantor und sah sich dann wie suchend um, »zu mir nach Hause kommen. Ich kann es aber frühestens kurz nach dem Mittagessen schaffen. Sagen Sie ihm, um zwei Uhr.«

»Ist das nicht komisch«, sagte Stafford zu Celestine, als sie an der Vordertür warteten, »daß ich sechs Jahre gebraucht habe, um das Innere dieses Hauses zu sehen?« Er stöhnte, als er hörte, wie auf der anderen Seite der Tür das Schnappschloß entriegelt wurde. »Ich wollte, wir wären jetzt woanders.«

»Kommen Sie herein, Jerry«, sagte Cantor, als er die Tür öffnete, und hielt dann inne. Er war offensichtlich überrascht, noch eine weitere Person vor sich zu sehen.

»Danke, daß Sie mich so prompt empfangen«, sagte Stafford nervös. »Das ist Celestine Price, meine . . .« Er verstummte und sah Celestine an, die zu seiner Linken und etwas hinter ihm stand. »Meine Verlobte«, platzte er heraus. »Ich hoffe, Sie haben nichts dagegen, daß sie dabei ist. Und, Prof«, fuhr er hastig fort, »ich möchte Ihnen gratulieren. Sie müssen sich ja riesig freuen! Sie haben diesen Nobelpreis wirklich verdient.«

»Ja? Und Sie?« Cantor zögerte einen Moment, gerade lang genug, daß Celestine sich überlegte, auf was sich diese Frage wirklich bezog. »Freuen Sie sich etwa nicht?« sagte er schließlich mit einem vieldeutigen Lächeln im Gesicht.

»Deshalb bin ich hier«, sagte Stafford schnell, während er ins Haus trat, »ich muß Ihnen etwas gestehen.«

Cantors Antwort war abrupt und sachlich: »Jetzt ist nicht der Zeitpunkt für Geständnisse, Jerry. Heute wird gefeiert. Kommen Sie herein. Setzen Sie sich. Darf ich Ihnen etwas anbieten?« Er sah Celestine an. »Miss . . .?«

»Price«, sagte sie rasch, »Celestine Price.«

»Aber natürlich, Miss Price. Soll ich Champagner holen? Wir müssen doch Jerrys Nobelpreis feiern«, sagte er wieder mit dem gleichen doppelsinnigen Lächeln, »und Ihre Verlobung. Ist das erst unlängst geschehen?« fragte er und blickte von Stafford zu Celestine und wieder zu Stafford. »Ich wußte nicht, daß Sie verlobt sind . . . jedenfalls nicht, während Sie in meinem Labor waren.«

Stafford wurde rot. Er konnte Celestine nicht ansehen. Er wußte nicht, wie sie sich in ihrer neuen Rolle als Verlobte verhalten würde. »Ach, wissen Sie«, murmelte er, »wir haben ja nie groß über unser Privatleben geredet.«

»Allerdings«, räumte Cantor ein. »Vielleicht sollten wir das nachholen. Lassen Sie mich erst den Champagner holen.«

»Tja«, sagte Celestine, sobald Cantor das Zimmer verlassen hatte. »Ich wußte gar nicht, daß ich mit einem Nobelpreisträger verlobt bin.«

»Bitte, Celly, werd jetzt nicht wütend. Ich wußte nicht, was ich sagen soll.«

»Wer sagt denn, daß ich wütend bin?« erwiderte sie. »Ich habe mir nur gerade überlegt, wie groß wohl der Diamantring ist, den sich ein Nobelpreisträger leisten kann.«

»Celly!« Seine Stimme klang flehend und warnend zugleich. »Denk dran, warum wir hier sind.«

»Ach, das hatte ich ganz vergessen«, fuhr sie fort, »du willst ja den Nobelpreis ablehnen. Tja, bei einem Postdoc ist wohl kaum ein Diamant drin, nicht mal ein ganz kleiner.«

»So, da wären wir«, verkündete Cantor, als er das Tablett mit drei Gläsern und einem Eiskübel auf dem Couchtisch abstellte. »Wir müssen nur noch einen Moment warten, bis der Champagner gekühlt ist. Erzählen Sie mir inzwischen, wann das große Ereignis stattfindet.«

Stafford sah in verdutzt an. »Welches Ereignis?«

»Die Hochzeit natürlich.« Cantor lachte leicht gezwungen.

»Oh«, keuchte Stafford.

Celestine kam ihm zu Hilfe. »Das haben wir noch offengelassen. Es hängt von unseren beruflichen Plänen ab – wo wir eine Stelle bekommen und solchen Sachen. Jerry wird sich nach einer Position an einer Fakultät umsehen –«

»Das dürfte nicht schwer sein«, warf Cantor ein, »nicht für einen Nobelpreisträger. Und Sie«, sagte er und sah Celestine an, »was machen Sie beruflich?«

»Ich mache nächstes Jahr meinen Doktor. In organischer Chemie. Ich werde mich ebenfalls um eine Anstellung an einer Universität bewerben.«

»Sie meinen als Postdoktorandin?«

»Eigentlich nicht.«

Stafford sah sie überrascht an, aber Celestine weigerte sich, seinen Blick zu erwidern. »Man hat mir schon einen Lehrauftrag angeboten. Genaugenommen sogar zwei.« Sie lächelte befangen.

»Und wo wäre das?« Cantor war neugierig geworden.

»An der Universität von Wisconsin und«, sie machte eine Pause, weil sie wußte, was für eine Reaktion kommen würde, »in Harvard.«

»In Harvard?« stießen Cantor und Stafford gleichzeitig hervor.

»Ja«, antwortete sie mit vorgetäuschter Schüchternheit.

»Dann werden Sie also beide in Boston sein«, sagte Cantor. »Wie günstig.«

»Wie meinen Sie das?«

»Aber ich bitte Sie, Miss Price! Sie vergessen, daß Sie einen Nobelpreisträger heiraten werden. Wenn er in Harvard keine Anstellung bekommt, dann beruft ihn das MIT –«

»Oder die Universität Boston. Oder Tufts. Oder Brandeis«, unterbrach sie. »Aber ich bin nicht sicher, wo *ich* landen werde. Bis Februar brauche ich mich nicht festzulegen. Wer weiß? Vielleicht bekomme ich bis dahin noch andere Angebote.«

»Und Sie würden sie trotz Harvard in Betracht ziehen?«

Cantor beugte sich vor. »Was war doch gleich Ihr Fachgebiet? Bei wem haben Sie gearbeitet? Der Mann muß gute Beziehungen haben.«

»Bei Professor Ardley, Jean Ardley.«

»Ardley? Professor Ardley? Ich kenne keinen –« Er hielt inne. »Ach ja. Ich habe sie noch nicht kennengelernt. Sie ist in der chemischen Abteilung, nicht wahr? Aber dann sind Sie ja –« Er stand abrupt auf. »Ich will nur eine Serviette holen«, sagte er rasch, »es ist Zeit, den Champagner zu öffnen.«

»Celly«, flüsterte Stafford, »du hast mir nie was von diesen Angeboten erzählt. Wann ist denn das alles passiert?«

»Du hast mir ja auch nie etwas von deinen erzählt. Aber reg dich ab«, sagte sie und tätschelte seinen Arm, »ich habe die Anrufe erst vor ein paar Wochen bekommen. Ich wollte dich bei meinem Besuch in Harvard damit überraschen. Die scheinen alle ganz aufgeregt zu sein wegen meiner Allatostatin-Arbeit. Besonders seit es uns gelungen ist, den Viruseinbau durchzuführen. Für Chemiker bin ich jetzt so etwas wie eine Biologie-Kanone: eine unwiderstehliche Kombination.« Sie sah zu der hinter ihnen befindlichen Tür. »Hör mal, wenn Cantor zurückkommt, sollten wir lieber über dich sprechen.«

»Prof.« Stafford konnte sich noch nicht zu dem informellen »I. C.« durchringen. »Warten Sie noch mit dem Champagner. Ich habe Ihnen ja gesagt, daß ich gekommen bin, um etwas zu gestehen.«

»Und ich habe geantwortet, daß jetzt nicht der Zeitpunkt für Geständnisse ist«, sagte Cantor trocken. »Ich bin nicht bereit, die Rolle des Beichtvaters zu übernehmen. Genug davon.« Er griff nach der Flasche, doch Stafford streckte die Hand aus.

»Bitte, I. C., hören Sie mich an.« Die Qual kam deutlich in seiner Stimme zum Ausdruck. »Ich kann den Nobelpreis nicht annehmen.«

Cantors Mund ging auf, aber es kam kein Ton heraus.

»I. C.«, sprach Stafford hastig weiter, »ich verdiene ihn nicht. Sie wissen das ebensogut wie ich. Die Theorie war Ihre Idee, Sie haben sich das Experiment ausgedacht, Sie selbst haben es ausgeführt –«

»Jerry!« Cantors Ton duldete keinen Widerspruch. »Der Nobelpreis wurde für das verliehen, was wir in *Nature* veröffentlicht haben. Wir beide, Jerry: Cantor und Stafford. Wir wollen nicht klüger sein als die Schweden.«

»Aber, I. C.! Darüber muß ich ja mit Ihnen reden. Über das erste Experiment – eben das, das wir zusammen veröffentlicht haben.«

»Und genau darüber möchte ich nichts hören«, rief Cantor aus. »Weder jetzt« – er sah Celestine an und dann Stafford – »noch überhaupt jemals. Ich weiß alles über dieses Experiment, und es ist Schnee von gestern.«

Stafford blickte verzweifelt um sich. »Okay, vergessen wir das Experiment. Aber der Nobelpreis: Sie haben jahrelang dafür gearbeitet, Sie haben damit gerechnet –«

»Nun hören Sie aber auf, Jerry!«

»Na schön, wir im Labor haben damit gerechnet, Krauss hat damit gerechnet – das hat er mir selbst gesagt. Sie sollten den Preis nicht mit jemand teilen müssen, der –«

»Der was, Jerry? Dessen Experiment beim ersten Mal nicht reproduziert werden konnte? Das hat nichts zu bedeuten, Jerry. Derartige Probleme haben schon viele Leute gehabt, besonders bei einem Experiment, das so . . . schwierig ist wie Ihres.« Cantors sarkastischer Ton machte jäh etwas anderem Platz – halb Bitte, halb Vorwurf. Warum hält Jerry nicht einfach die Klappe, fragte sich Celestine. Hört er denn nicht, was Cantor sagt?

»Vergessen Sie das verdammte Experiment! Ich kann den Preis einfach nicht annehmen. Ich werde ihn ablehnen und die Akademie bitten –«

»Die Karolinska, Jerry«, bemerkte Cantor gütig.

»Wie bitte?«

»Der Nobelpreis für Medizin wird vom *Karolinska Institut* vergeben, nicht von der Akademie. Die ist für Chemie und Physik zuständig.«

»Wer auch immer! Ich werde ihnen sagen, daß sie einen Fehler gemacht haben und daß der ganze Preis an Sie verliehen werden sollte.«

»Jerry, beruhigen Sie sich.« Cantors Stimme war entschieden väterlich. »*Der* Dampfer ist abgefahren. Diese Tatsache ist nicht mehr zu ändern. Man kann den Nobelpreis nicht ablehnen.«

»Nein?« fragten Stafford und Celestine im Chor.

»Nein, Jerry, das kann man nicht.« Cantor lächelte Celestine an. »Ich will Ihnen sagen, woher ich das weiß. Es könnte für Sie sogar von Nutzen sein, Miss Price, da Sie ja eine so vielversprechende Chemikerin sind.« Er wandte sich wieder an Stafford. »Natürlich hatten Sie recht, daß ich mir den Nobelpreis erhofft habe. Welcher Wissenschaftler tut das nicht? Ich habe schon viele Preisträger kennengelernt. Ich habe ziemlich viel über den Preis gelesen. Mehr als einmal hat mich die eine oder andere Nobel-Kommission sogar gebeten, Kandidaten vorzuschlagen.« Cantor zwinkerte seinem trübseligen Schüler zu. »Jetzt können wir übrigens jedes Jahr Kandidaten vorschlagen – ein weiterer Vorteil des Nobelpreisträger-Daseins. Und glauben Sie bloß nicht, daß das etwas Unwesentliches ist. Sie werden schon merken, daß alle möglichen Leute plötzlich besonders nett zu Ihnen sind. Krauss zum Beispiel . . .

Aber ich wollte Ihnen ja erklären, warum Sie den Nobelpreis nicht ablehnen können. Sie können einem anderen natürlich Ihre Hälfte des Geldes geben – Banting gab Best die Hälfte von seinem Anteil. Das ist übrigens eine Geschichte, die Sie einmal nachlesen sollten. Nicht nur, weil Macleod, der Leiter der Abteilung, den Banting haßte, einen Teil seines Geldes wiederum mit seinem anderen Mitarbeiter, nämlich James Collip, teilte – was die Frage, wem der Ruhm gebührt, noch komplizierter machte –, sondern auch wegen des Problems, einige der frühen Versuchsergebnisse im Zusammenhang mit Insulin zu reproduzieren. Verstehen Sie, Jerry? Sogar Banting und Best hatten mit ihren eigenen Experimenten Schwierigkeiten. Und Macleod hat nie selbst im Labor gearbeitet!« Er warf Stafford einen bedeutungsvollen Blick zu.

»Doch wenn Sie sich die offizielle Liste der Nobelpreise anschauen, werden Sie weder den Namen Best noch den Namen Collip finden. Sie bekamen einen Teil des Geldes, aber nicht den Preis. Den Nobelpreis kann man nun einmal nicht annehmen oder ablehnen. Mir ist eigentlich kein Wissenschaftler bekannt, der jemals den Nobelpreis abgelehnt hat. Sicher, da waren diese drei Deutschen – Kuhn, Domagk und Butenandt –, aber die haben ihre Preise nur deshalb nicht angenommen, weil Hitler es verboten hatte. Nach dem Krieg haben sie sich sehr schnell anders besonnen und ihre Medaillen kassiert. Aber nicht das Geld! Das muß man sich binnen eines Jahres abholen, sonst verfällt der Anspruch. Denken Sie daran, Jerry! Ich weiß nicht, ob die Reporter Sie schon zu fassen bekommen haben, aber wenn nicht, werden Sie es bald genug erfahren. Ihr Anteil beträgt über 150 000 Dollar. Fragen Sie lieber mal Ihre Verlobte, was sie davon hält, *das* auszuschlagen.«

»Dann hat also noch nie jemand den Preis rein aus Prinzip abgelehnt?« fragte Celestine.

»Doch, einer: Jean Paul Sartre in der Literatur. Er tat es aus weltanschaulichen Gründen und hat weder die Medaille noch das Geld angenommen. Aber ich will auf folgendes hinaus: Wenn Sie sich die Liste der Nobelpreisträger von 1964 anschauen, dann werden Sie dort den Namen Sartre finden, neben Konrad Bloch in Medizin, Dorothy Hodgkin in Chemie und allen anderen jenes Jahres.«

»Was soll ich denn dann machen?« Staffords Frage klang so hilflos, daß Celestine sich einschaltete.

»Professor Cantor«, sagte sie, »Sie haben gehört, wie Jerry die Sache sieht. Was sollte er Ihrer Meinung nach tun?«

Cantor strich sich langsam über das Kinn, während er Stafford unverwandt ansah. Ich wüßte gerne, an was er wirklich denkt, dachte Celestine. »Was Sie *nicht* tun können«, sagte er langsam, »ist, ihn ablehnen. Ich würde es nicht zulassen – um meinetwillen ebenso wie um Ihretwillen. Ich habe kein Interesse daran, Fragen aufzuwerfen, Jerry – nicht nachdem ich mich so abgemüht habe, sie aus der Welt zu schaffen. Sie können den Preis also ebensogut mit Anstand und« – er machte eine Pause – »Bescheidenheit, wenn Sie so wollen, annehmen.«

»Aber wie kann ich das? Was soll ich denn in Stockholm

sagen? Ich muß da doch einen Vortrag halten – worüber soll ich da sprechen? Über *mein* Experiment?«

»Ah«, sagte Cantor und schenkte ihm ein offenes, unkompliziertes Lächeln voller Zufriedenheit, das Celestine nicht entging. »Ich wußte ja, daß Sie wieder zur Vernunft kommen würden. Jetzt sprechen wir über ein echtes Problem, nicht über ein hypothetisches. Um ganz offen zu sein, ich habe heute morgen darüber nachgedacht, gleich nachdem Kurt Krauss anrief. Hat er übrigens schon mit Ihnen telephoniert?«

Stafford nickte.

»Und?« Auf Cantors Gesicht zeichnete sich wieder Besorgnis ab. »Was haben Sie gesagt?«

»Nicht viel. Ich hab ihm nur gedankt und gesagt, daß ich hierher fliege.«

»Gut.« Cantor sprach das Wort mit Erleichterung aus. »Nun zu meinem Vorschlag. Wir teilen den Nobelpreis für eine gemeinsame Entdeckung. Nicht wie Banting und Macleod als Feinde in der gleichen Abteilung; nicht wie Guillemin und Schally, die ihre Erforschung des Hypothalamushormons im gleichen Labor begannen, sie dann aber als erbitterte Konkurrenten an verschiedenen Instituten zu Ende führten. Wir werden als Kollegen sprechen, die aus dem gleichen Labor kommen und gemeinsam veröffentlicht haben. Ungeachtet dessen, was Sie vorhin hier gesagt haben – und ich gehe davon aus, daß das unter uns bleibt« – Cantor sah seine jungen Zuhörer bedeutungsvoll an –, »gibt es in unserem Fall keine öffentliche Streitfrage, wem die Ehre für was gebührt.«

»Jeder weiß, daß es Ihre Idee war«, brachte Stafford vor.

»Wie dem auch sei«, erwiderte Cantor, »jedenfalls können wir uns das Thema aufteilen, wie es uns paßt.«

»Genau das macht mir Kopfzerbrechen«, brummte Stafford. »Sie werden über die Theorie sprechen, die wirklich brillant ist, und danach komme ich mit der Schilderung eines Experiments, das bislang noch nirgends wiederholt worden ist. Ich kann bestenfalls sagen, daß ein Mißerfolg bei der Bestätigung nicht unbedingt die Bestätigung eines Mißerfolgs ist.«

»Falsch!« triumphierte Cantor. »*Sie* werden den ersten Vortrag halten und *unsere* Theorie erläutern, die wir gemeinsam veröffentlicht haben, und anschließend komme *ich* und erläutere *mein* zweites Experiment, das ich noch nicht einmal *Nature* vorgelegt habe. Verstehen Sie? Das ist eine einfache und saubere Lösung, und obendrein werde ich auch noch über etwas Neues und Unveröffentlichtes berichten. Nun ist es aber Zeit, den Champagner zu öffnen und zu trinken. Skol, Jerry! Sie können ruhig schon mal lernen, wie die Schweden einander zuprosten.« Und mit diesen Worten ließ er den Korken knallen.

»Na endlich! Ist das wirklich Ihre Stimme, Leonardo? Wissen Sie, daß Sie den ganzen Tag nicht zu erreichen waren?« Paula gab ihm keine Gelegenheit zu einer Antwort. »Ist das nicht wunderbar? Sie müssen sich ja wahnsinnig freuen. Wie fühlt man sich denn so, wenn man unsterblich wird?«

Cantor war erfreut. »Unsterblich? Also wirklich, Paula! Ich habe mich nicht sehr verändert, seit Sie mich das letzte Mal gesehen haben.«

»Wir werden ja sehen! Ich kann es nicht erwarten, mit Ihnen zu feiern. Hat Sol Sie schon erreicht? Ich dachte mir, daß er nicht durchkommen würde. Aber er hatte eine tolle Idee. Er hat versprochen, noch einen Bratschisten aufzutreiben. Wir werden eines der Mozart-Quintette spielen. Er hat Köchel-Verzeichnis 516 vorgeschlagen, was verdammt anständig von ihm ist. Kennen Sie es? Im Menuett führt die Bratsche vor den beiden Geigen. Ich habe mir schon die Partitur angeschaut – es wird Ihnen gefallen, besonders das Adagio. Und wann sehe ich Sie wieder?«

Cantor lag ausgestreckt auf seinem Bett, müde und zufrieden, den Telephonhörer zwischen Kopf und Schulter geklemmt. Es war ein hektischer Tag gewesen; vom vielen Lächeln tat ihm beinahe das Gesicht weh. Aber er war ruhig und gelöst, besonders nach der Unterredung mit Stafford. Er war milde gestimmt, bereit, nochmals alles mit einem aufmerksamen Publikum durchzugehen. »Weiß der Himmel, wann ich nach Chicago komme. Ich habe gerade erst darüber nachzudenken begonnen, was ich in den nächsten acht Wochen noch alles erledigen muß. Da werde ich nämlich in Stockholm erwartet.«

»Dann haben Sie ja jede Menge Zeit. Was müssen Sie denn weiter tun außer nachsehen, ob Ihr Smoking noch paßt? Sie haben doch hoffentlich einen?«

»Smoking? Ja, ich habe einen, aber der genügt nicht. Ich brauche einen Frack! Sie dürfen nicht vergessen, daß der Preis vom König überreicht wird.«

»Und einen Zylinder?« Paulas Entzücken war deutlich zu hören. »Und werden Sie tiefe Verbeugungen üben?«

»Ich werde Tanzen üben müssen. Nach dem offiziellen Nobelpreis-Essen findet nämlich ein großer Ball statt.«

»Woher wissen Sie das alles?« Paulas Ton spiegelte ihre Überraschung wider. »Sagen Sie bloß nicht, die Schweden haben Sie heute morgen über Frackzwang und Tänzerpflichten informiert.«

»Nein«, sagte er und lachte. »Das habe ich von nicht weniger als drei verschiedenen Nobelpreisträgern erfahren, die anriefen, um mir zu gratulieren. Einer hat mir sogar erzählt, wo ich untergebracht sein werde – in einer Luxus-Suite im Grand Hotel. Sie gewährt Aussicht auf das Wasser, den Strömmen, und auf den alten Königlichen Palast auf der anderen Seite der Brücke. Er hatte nicht nur seine Frau und seine Kinder mitgenommen, sondern sogar seine Schwiegermutter. Bei mir werden sie wenigstens Geld sparen – keine Frau, keine Kinder, keine Schwiegereltern.«

»Es muß dort schön sein«, sagte Paula sehnsüchtig. »Ich bin nur ein einziges Mal in Skandinavien gewesen und in Schweden noch nie. Aber erzählen Sie mir, wie der übrige Tag verlief.«

»Nun, Sie können sich ja vorstellen, wieviele Leute ins Labor kamen. Sogar der Rektor der Universität. Ich erinnere mich nicht, ihn jemals im Gebäude der Biowissenschaft gesehen zu haben. Und raten Sie mal, wer auch da war.«

»Ich habe keine Ahnung.«

»Eine Verwandte von Ihnen.«

»Eine Verwandte? Meine Nichte Celly? Wie haben Sie sie kennengelernt?«

192

»Sie ist mit Jerry Stafford zu mir nach Hause gekommen.«

»Mit Stafford? Das hätte ich fast vergessen. Wie finden Sie es denn, den Nobelpreis mit einem Ihrer Schüler zu teilen?«

»Die meisten Preise werden geteilt.« Cantor versuchte lässig zu klingen. »Mann und Frau, Vater und Sohn, Professor und Schüler, erbitterter Konkurrent und erbitterter Konkurrent – es gibt alle möglichen Kombinationen. Ich würde meinen, daß Professor und Schüler – und Vater und Sohn – die schönsten sind.«

»Vater und Sohn? Gibt es das oft?«

Cantor, der dieser plötzlichen Kursänderung gerne folgte, verfiel in seinen Vorlesungsstil. »Es hat mehrere Söhne gegeben, die, was den Nobelpreis betrifft, in die Fußstapfen ihrer Väter traten, und sogar eine Tochter: Irène Juliot-Curie. Aber mindestens eine Vater-und-Sohn-Paarung hat ihn gemeinsam erhalten, nämlich die Braggs im Jahre 1915. Tatsächlich war der Sohn, William L. Bragg, der jüngste Nobelpreisträger in der Geschichte – eben fünfundzwanzig Jahre alt. Er hat Stafford um fast drei Jahre geschlagen.« Der letzte Satz war ihm einfach herausgeschlüpft. Cantor hätte sich die Zunge abbeißen können, aber da war es schon passiert.

Paula ließ das Thema nicht auf sich beruhen. »Was hat denn Stafford dort gemacht? Ich dachte, er hätte Sie verlassen, um nach Harvard zu gehen zu diesem . . .«

»Krauss. Ja, er ist noch bei Kurt Krauss, aber als er heute morgen das mit dem Nobelpreis erfuhr, ist er sofort hierher geflogen.«

»Um mit Ihnen zu feiern?«

»Nicht direkt«, antwortete Cantor vorsichtig.

»Warum dann?«

Ich kann es ihr ruhig sagen, dachte Cantor. Schließlich ist sie die einzige, die die Hintergründe kennt. »Eigentlich ist er gekommen, um mir mitzuteilen, daß er sich entschlossen habe, den Preis abzulehnen.«

»Was?«

Cantor war erfreut, Paulas überraschten Ausruf zu hören. »Er meinte, er habe ihn nicht verdient, da er ja nur das eine Experiment durchgeführt habe. Um die Wahrheit zu sagen, er beharrte darauf, mir etwas gestehen zu wollen, aber ich habe ihn daran gehindert. Ich konnte mir denken, was er sagen wollte. Aber ich war keinesfalls bereit, es mir anzuhören.«

»Sie meinen, Sie sind noch immer entschlossen, nichts Böses zu hören? Selbst nachdem Sie den Nobelpreis bekommen haben?«

»Mehr denn je.«

Etwas in seiner Stimme veranlaßte Paula, nicht weiterzubohren. »Er wollte also den Preis ablehnen. Wie haben Sie ihn davon abgebracht?«

»Ich habe ihm klargemacht, daß das unmöglich ist. Das haben früher schon andere versucht –«

»Hat nicht Pasternak den Nobelpreis für Literatur abgelehnt?«

»Ja richtig.« Cantor zögerte. Er war überrumpelt worden. An Pasternak hatte er gar nicht gedacht. »War das nicht aus politischen Gründen? Aber das ist auch egal: Ich bin sicher, daß Pasternak auf der Liste der Literatur-Nobelpreisträger steht. Jedenfalls habe ich Jerry davon überzeugt, daß er das nicht tun kann. Ich glaube, er hat begriffen, daß kein Weg daran vorbeiführt. Nicht, ohne eine Menge Schaden anzurichten.«

»Wem würde er denn schaden?«

»Nun, sich selbst natürlich. Mir allerdings auch, aber ich habe das nicht zur Sprache gebracht. Doch das war nicht der wahre Grund, weshalb er beunruhigt war. Das nicht. Wissen Sie, was ihm Sorgen gemacht hat? Der Vortrag nach der Verleihung. Er machte sich Sorgen, daß er sich hinstellen und ein Experiment beschreiben müßte, das niemand reproduziert hat. Am Ende habe ich das Problem ganz elegant gelöst.« Cantor schilderte Paula, wie er die Reihenfolge und den Inhalt der beiden Vorträge zugeteilt hatte.

»Und damit war er einverstanden?«

»Warum denn nicht? Was gibt es an meinem Vorschlag auszusetzen? Ich lasse ihn zuerst sprechen und das behandeln, was, offen gestanden, der wichtigste Teil ist, nämlich die Theorie. Warum sollte er sich eine solche Gelegenheit entgehen lassen?«

»Warum?« fragte Paula leise. »Hat er denn nicht gemerkt, warum Sie dieses Angebot gemacht haben, I. C.?«

Falls Cantor den plötzlichen Wechsel zu »I. C.« wahrgenommen hatte, dann ließ er es sich nicht anmerken. »Aber sicher hat er das. Zumindest hoffe ich es. Paula, es gibt Dinge, die nicht ausgesprochen werden müssen, um verstanden zu werden.«

17

»Mutter zu sein hat wohl doch gewisse Vorteile. Wie ein richtiges Tête-à-Tête zwischen Mutter und erwachsener Tochter.« Paula Curry hatte sich auf dem Sofa in ihrem Wohnzimmer ausgestreckt und wackelte mit ihren nackten Zehen.

»Außer wenn sie eine Scharteke ist«, entgegnete Celestine.

»Oder ihre Tochter nach der Bedeutung großspuriger Wörter fragen muß. Was ist eine Scharteke?« Ihr Lächeln drückte reines Entzücken aus.

»Da du nicht meine Mutter bist, sondern nur meine Lieblingstante, sage ich einfach: Schlag's doch nach. Das ist die Antwort, die ich von meiner Zimmergenossin bekam, als ich ihr die gleiche Frage stellte. Aber du hast recht, es ist tatsächlich schön, so beisammen zu sein. Ich telephoniere zwar jede Woche mit Mammi, aber es ist eben nicht dasselbe. Ich wollte, sie wäre jetzt hier und wir drei könnten so richtig miteinander plauschen. Hast du mich aus einem besonderen Grund eingeladen oder weil du Sehnsucht nach mir hattest?«

»Beides, Celly. Beides. Aber zuerst muß ich etwas gestehen.«

»Ah, für so etwas bin ich immer zu haben«, sagte Celestine und rückte näher an ihre Tante heran. »Gestehe!«

»Ich wollte dir sagen, daß ich Professor Cantor kenne, den Mann, der mit deinem Freund Jerry den Nobelpreis bekommen hat.«

»Ist das alles? Ich hatte etwas Pikanteres erwartet. Außerdem weiß ich das schon. Du bist mit ihm ausgegangen.«

Paula setzte sich auf. »Wer hat dir das erzählt?«

»Niemand. Ich habe dich mit ihm gesehen. Vor einigen Monaten, bei einem Konzert des Kronos-Quartetts.«

»Jetzt bin ich aber platt«, sagte Paula. »Du steckst wirklich voller Überraschungen. Warum bist du nicht hergekommen und hast hallo gesagt?«

»Ich war nicht sicher, ob es dir recht wäre.«

»Warum sollte es mir nicht recht sein? Wir haben uns durch das Kammerorchester kennengelernt. Er ist ein ziemlich guter Bratschist.«

»Cantor ist Bratschist?« Jetzt war es an Celestine, überrascht zu sein. »Jede Wette, daß Jerry das nicht weiß. Was weißt du denn sonst noch, Paula?«

»Oh, nicht viel. Nur daß du verlobt bist.« Eine tiefe Röte färbte Celestines Wangen. »Du meine Güte, Celly!« rief ihre Tante aus. »Wie herrlich viktorianisch! Meine abgeklärte Nichte bekommt hochrote Wangen.« Sie beugte sich vor und umarmte sie. »Du wirst mich doch zur Hochzeit einladen? Oder wolltet ihr durchbrennen? Und weiß es meine Schwester schon?«

Celestine fing sich langsam wieder. »Wo hast du denn dieses Märchen her?« wollte sie wissen.

»Märchen? Ist es denn nicht wahr? I. C. hat mir erzählt, daß ihr heiraten würdet, sobald du eine Stelle gefunden hast. Er hat mir sogar erzählt, du würdest nach Harvard gehen. Habe ich es richtig mitbekommen?«

»Du lieber Himmel!« Sie wurde wieder rot, diesmal aus Verärgerung. »Ich bin *nicht* verlobt, und ich habe es Mammi *nicht* gesagt, obwohl sie über Jerry und mich Bescheid weiß. Und ich habe mich auch noch nicht für eine Stelle entschieden. Aber ich habe tatsächlich ein Angebot aus Harvard«, setzte sie mit ruhigerer Stimme hinzu.

»Wieso hat I. C. dann alles so durcheinandergebracht?«

»Oh, daran ist nicht *er* schuld. Ich kann verstehen, wie er sich das alles zusammengereimt hat. Jerry hat mich aus Verlegenheit als seine Verlobte vorgestellt – ich glaube nicht, daß er das Wort ›Geliebte‹ vor einem Dritten aussprechen kann.«

»Dann glaubst du also nicht, daß es Jerry damit ernst war?«

»Das habe ich nicht gesagt. Wir haben nur noch nie darüber gesprochen. Im Augenblick hat er nur den Nobelpreis im Kopf. Kannst du dir das vorstellen, zwei Jahre nach dem Studium den Nobelpreis zu bekommen? Ich frage mich, wie sich das auf ihn auswirken wird.«

Die beiden Frauen wechselten lange Blicke. »Das frage ich mich auch«, sagte Paula schließlich. »Auf ihn und auf seinen Professor.« Sie zupfte nachdenklich an der Polsterung herum, ehe sie wieder aufsah. »I. C. hat mir von eurer Unterredung in seinem Haus erzählt. Es muß für Jerry nicht gerade angenehm gewesen sein.«

»Davon hat dir Cantor erzählt?« Celestine sah ihre Tante verwirrt an. »Wie gut kennt ihr euch eigentlich?«

»Ziemlich gut«, sagte Paula, auf deren Wangen eine zarte Röte sichtbar wurde.

Celestine beobachtete aufmerksam ihre Tante. »Aha«, sagte sie.

»Gar nichts aha«, unterbrach Paula. »Wir sind zufällig gute Freunde.«

»Natürlich, natürlich!« sagte Celestine feixend. »Das sagt Jerry von mir auch immer.«

»Genug davon, Celly.« Paulas Ton wurde geschäftsmäßig. »Da ist noch etwas, worüber wir reden sollten. Was hältst du davon, zur Nobelpreis-Verleihung nach Stockholm zu fahren? Mit mir«, setzte sie nach einer winzigen Pause hinzu, »als mein Gast.«

»Paula!« rief Celestine aus. »Das meinst du doch nicht im Ernst! Wie denn? Warum?«

»Wie? Weil ich dich einlade. Warum? Weil du Jerrys Freundin oder Geliebte oder vielleicht sogar seine Verlobte bist und« – sie zögerte – »weil ich eine Anstandsdame brauche.«

»Na, wie war's?« Stafford stand in der Küche seines kleinen Appartements gleich hinter dem Harvard Square und trocknete sich die Hände an der Schürze ab, die er immer trug, wenn er kochte. Sie war seine häusliche Variante des Labormantels. »Wie ist dein Vortrag gelaufen? Hast du dich schon entschlossen?«

»Jerry, ich bin am Verhungern. Ich habe den ganzen Tag nichts gegessen.« Celestine ließ ihre Tasche vor dem Kühlschrank fallen und machte sich sofort über seinen Inhalt her. Zwischen Bissen von kaltem Huhn sagte sie: »Ich habe meinen Allatostatin-Vortrag in der Mittagspause gehalten. Während die Mitglieder der Fakultät und die Studenten aßen, habe ich geredet.« Sie trank gierig eine halbe Milchpackung leer. »Danach wurden so viele Fragen gestellt – besonders über den Virus-Aspekt unserer Arbeit –, daß ich zu spät zu meinem Interview mit dem Dekan kam. Ich habe nur Kaffee getrunken. Was gibt's zum Essen?«

»Das ist eine Überraschung und noch nicht ganz fertig, falls du überhaupt noch Platz dafür hast. Ich verstehe jetzt, warum sich Hausfrauen immer über ihre Männer beklagen: Sie kommen heim, wann es ihnen gerade paßt, und erwarten, daß das Essen auf dem Tisch steht. Während deine Enzyme das Hühnchen bearbeiten, kannst du mir ja erzählen, wie es dir im Fachbereich Chemie ergangen ist. Haben sie dich alle unter die Lupe genommen?«

»Und zwei Dekane.« Sie grinste. »Harvard erwägt endlich, etwas gegen die Diskriminierung von Frauen zu unternehmen, aber nicht allzu ernsthaft. Sie haben noch immer keine einzige Frau unter den planmäßigen Professoren der chemischen Fakultät.«

Stafford öffnete den Backofen, dem ein köstlicher Duft entstieg. Gleich darauf brachte er einen köchelnden Auflauf zum Vorschein und stellte ihn dampfend auf den Tisch, der daneben auch als Schreibtisch fungierte, da das Zimmer außerdem noch die Schlafcouch, seinen Sessel und eine Kommode beherbergen mußte. Er hatte den ganzen Papierkram weggeräumt und den Tisch für das Abendessen gedeckt. Er hatte sogar extra Stoffservietten gekauft.

»Ah«, sagte Celly dankbar. »Ich will dem Hausdiener verzeihen, daß er das Essen nicht auf dem Tisch hatte, als ich zur Tür hereinkam.«

»Wie wär's mit Hausverlobter?« warf Stafford ein.

»Hausdiener genügt«, sagte sie rasch.

»Aber ist es einem Hausdiener gestattet, den Hausgast zu bumsen?« Er wurde rot, doch er blickte nicht zur Seite.

»Aber, Doktor Stafford! So etwas sagt man doch nicht! Ein Nobelpreisträger, und ein baptistischer noch dazu, und so ein unanständiges Wort? Na, na.« Sie grinste. »Kommt das dabei heraus, wenn man dich fünf Monate alleine leben läßt? Aber die Antwort lautet Ja.«

»Jetzt gleich?« fragte er und nahm sie in die Arme.

»Nein!« Sie stieß ihn weg. »Nur mit vollem Magen.«

Eine neue Tischdecke und Kerzen zierten den Tisch. Stafford hatte Celestine mit einem griechischen Essen überrascht, einer Küche, an der er sich noch nie versucht hatte. Er gestand, daß er die gefüllten Weinblätter, die sie als Vorspeise aßen, und die honigtriefende Baklawah, die es zum Abschluß gab, in einem Laden gekauft hatte, aber der griechische Salat und die Moussaka waren allein Staffords Werk. »In Boston kann man prima griechisch essen«, teilte er ihr stolz mit. »Probier nur mal die schwarzen Oliven und den Feta. Es wird dir hier gefallen, Celly. Boston und seine Umgebung sind als Wohnort gar nicht so schlecht.«

Celly beäugte ihn neugierig. »Du hast da ein wunderbares Essen zusammengestellt, Jerry. Aber wer hat dir griechisch Kochen beigebracht? Außerdem hörst du dich an wie die Handelskammer.«

»Willst du ihr Angebot denn nicht annehmen?« fragte er.

»Das ist es also.« Sie beugte sich vor und gab ihm einen Kuß. »Ich kann es dir ja ruhig sagen, Jerry. Ich habe so gut wie beschlossen, ihnen abzusagen, aber ich will es erst noch mal mit Jean besprechen.« Sie lachte, als sie seine verständnislose Miene sah. »Du bist erst seit ein paar Monaten hier, aber du bist schon wie alle Harvardianer. Sie glauben, daß es keinen tolleren Ort gibt; daß sie nur zu pfeifen brauchen und schon kommt man angetanzt.«

»Aber, Celly, das ist schließlich Harvard. Das Beste, was es im Land gibt.«

»Für wen? Psch . . .« Sie streckte die Hand aus und ließ seinen Protest auf seinen Lippen verstummen. »Ich will dir verraten, warum ich das sage. Ich habe einen ziemlich anstrengenden Tag hinter mir: Ich habe fast alle ihre Superstars in organischer Chemie gesprochen, einen nach dem anderen: Kishi, Schreiber, Corey, Evans, Whitesides. Ich bin vor George Whitesides gewarnt worden, aber er war besonders nett. Er arbeitet viel mit Enzymen und freute sich, eine Organikerin kennenzulernen, die sich für biologische Probleme interessiert. Aber obwohl sie meine Arbeit und ihre mögliche praktische Anwendung sehr aufregend fanden, lag es für mich auf der Hand, daß sie mich in diesem Stadium – ohne Doktor und ohne Postdoc-Erfahrung – nie in Betracht gezogen hätten, wenn ich keine Frau wäre.«

»Aber, Celly«, unterbrach Stafford sichtlich ungeduldig, »na wenn schon? Du weißt, daß du gut bist, verdammt gut sogar. Warum die Situation denn nicht ausnutzen? Und glaub bloß nicht, daß es irgendwo sonst anders ist.«

»Das ist mir klar. Ich bin ja nicht blöd. Ich würde lieber eine Stelle bekommen, weil ich eine Frau bin, als abgelehnt werden, weil ich kein Mann bin.«

»Um was geht's denn dann?«

»Um etwas, das nichts damit zu tun hat, daß ich eine Frau bin. Alle haben mir klar zu verstehen gegeben, daß ich, wenn ich als Lehrbeauftragte anfange, nicht die geringste Chance habe, eine Professur in ihrem Fachbereich zu bekommen. Es sei denn, ich bekomme den Nobelpreis.« Sie legte ihm schnell wieder die Hand auf den Mund. »Jerry, genau das hat einer von ihnen tatsächlich gesagt. Er hat dich sogar als Beispiel benutzt. Sie sind sogar noch stolz darauf, daß sie nicht innerhalb der Fakultät befördern. Die stillschweigende Folgerung war, daß man zufrieden sein sollte, in Harvard angefangen zu haben. Wenn man für eine Professur reif ist, muß man sich eben irgendwo anders umsehen.«

»Was ist denn dagegen einzuwenden?« fragte Stafford.

»Was dagegen einzuwenden ist?« erwiderte Celestine. »Kein anderer chemischer Fachbereich teilt dir von vornherein mit, daß du, auf die Dauer gesehen, auf keinen Fall gut genug für sie bist. Ich glaube, dein Nobelpreis ist dir zu Kopf gestiegen. Es hat hier in Harvard ein paar verdammt gute

Leute gegeben, die so behandelt wurden. Gilbert Stork beispielsweise. Einer der größten Organiker der Welt und so gut
wie jeder des derzeitigen Harvarder Haufens. Er mußte an die
Columbia gehen, um einen Lehrstuhl zu bekommen. Oder
Wilkinson. Er bekam seinen Nobelpreis für die Arbeit, die er
als Lehrbeauftragter in Harvard angefangen hat. Natürlich
bekam er den Preis erst, nachdem sie ihn rausgeschmissen
hatten und er nach England zurückgegangen war.« Darauf
folgte eine lange Pause, bevor Celly mit ruhigerer Stimme
weitersprach: »Ich habe das alles von Jean erfahren. Sie hat
mich vor der Situation gewarnt. Weißt du, was sie zu mir
gesagt hat?«

Stafford schüttelte den Kopf.

»Sie hat gesagt: ›Wenn du ganz oben anfängst, kann es für
dich nur abwärts gehen.‹ Sie hat mir mehrere Beispiele dafür
genannt, daß die Durchführung einer wichtigen Arbeit an
einer weniger bedeutenden Universität tatsächlich größere
Aufmerksamkeit auf einen lenken kann. Daß andere Institute
einen aufspüren, weil eine außergewöhnliche Veröffentlichung aus einer unerwarteten Quelle dramatischer ist. Wayne
State beispielsweise – nicht gerade eine der führenden Universitäten: Dort hat ein anderer von deinen Nobelpreisträgern
seine akademische Laufbahn gestartet, nämlich H. C. Brown.
Oder dieser andere da, wie heißt er doch gleich, drüben in
Stanford.« Sie runzelte die Stirn. »Sogar du mußt schon von
ihm gehört haben, er veröffentlicht doch so wahnsinnig viel.
Egal, jedenfalls hat er auch an der Wayne State angefangen.
Die wichtigsten Faktoren sind laut Jean eine gute natürliche
und universitäre Umgebung, nicht zuviel Unterricht, eine
entsprechende Verteilung der Doktoranden –«

»Entsprechend?« fragte Stafford. »Meinst du entsprechend
gut?«

»Ich meine entsprechend. Daß nicht einer oder zwei der
führenden Fakultätsmitglieder sich alle neuen Doktoranden
schnappen. Man hat maximal sechs Jahre, in denen man eine
Menge leisten muß, sonst bekommt man keine Professur.
Allein kann man das nicht schaffen.«

»Was willst du also machen?«

»Ich war schon drüben in Wisconsin. Es ist eine gute Hochschule, ein großer Fachbereich, und ich wäre auf dem Weg zu einer Professur. Wenn ich mich bewähre, werde ich befördert – und nicht davongejagt wie in Harvard. Die andere gute Sache dort drüben ist, daß sie eine erstklassige landwirtschaftliche Fakultät haben. Wenn ich mit meinem Insektenprojekt weitermache, wäre es ein echtes Plus, eine gute entomologische Abteilung in der Nähe zu haben.«

»Dann geht's also nach Madison.«

»Ich bin mir noch nicht sicher. Vielleicht ergibt sich etwas an der Cornell. Das wäre keine schlechte Uni für mich – sie haben Eisner, Meinwald und Roelofs: die sind große Klasse, was Insekten betrifft. Oder am Caltech. Jean hat mir erzählt, daß sie ihre chemische Abteilung stark ausbauen, weil sie doch gerade all das Geld von Beckman bekommen haben.«

»Du hast dir ja alles ganz genau zurechtgelegt«, bemerkte Stafford anerkennend. »Es gibt nicht viele Doktoranden deines Alters –«

»Sieh an, sieh an! Also spricht Dr. Jeremiah P. Stafford, der den Nobelpreis erst im hohen Alter von achtundzwanzig bekam!« Sie griff über den kleinen Tisch und kniff ihn in die Wange. »Komm, mein Magen ist jetzt voll.«

Soweit es Cantor betraf, waren die wissenschaftlichen Vorträge, die er und Stafford halten sollten, der wichtigste Aspekt der Nobelpreis-Feierlichkeiten. Die Zeitungs- und Zeitschriftenartikel, die Fernseh- und Rundfunkberichterstattung, sogar die Verleihungszeremonie selbst waren allesamt ephemere Erscheinungen und entzogen sich in jedem Fall seiner unmittelbaren Kontrolle. Aber der Vortrag, der blieb: Sein Text würde in *Les Prix Nobel* erscheinen, dem Jahrbuch, das die Nobelstiftung herausgab. Cantor wollte nichts dem Zufall überlassen – vor allem deshalb nicht, weil Stafford als erster sprechen sollte. Daher beschloß er, mit noch größerer Sorgfalt als üblich vorzugehen und das Manuskript für Staffords Vortrag zusätzlich zu seinem eigenen auszuarbeiten. Aber es war nicht nur der schriftliche Text, der ihm Sorgen machte, sondern auch der Auftritt überhaupt. Mitte November rief er Stafford in Boston an.

»Jerry, ich habe über die Vorkehrungen für unseren Flug nach Schweden nachgedacht. Zunächst einmal finde ich, wir sollten zusammen ankommen. Es wird einen ziemlichen Presserummel geben, gleich von Anfang an, und die ersten Interviews sind wichtig. Um die Sache für Sie einfacher zu machen«, fuhr er fort, als von Stafford keine Antwort kam, »fliege ich über New York, so daß wir uns am Kennedy Airport treffen können. Von dort fliegen wir dann gemeinsam mit der SAS nach Stockholm. Es gibt da einen Flug mit Zwischenlandung in Kopenhagen. Da die Zeremonie am Sonntag stattfindet, sollten wir am Freitag eintreffen. Auf diese Weise hat unsere innere Uhr Zeit, sich umzustellen. Also: Wer begleitet Sie?«

»Wie meinen Sie das?« erkundigte sich Stafford.

»Die Schweden müssen Sie doch gefragt haben, wie viele Zimmer sie im Grand Hotel reservieren sollen. Mir haben sie jedenfalls geschrieben. Was ist mit Ihren Eltern?«

»Die können leider nicht kommen.«

»Und was ist mit Ihrer Verlobten?«

»Ich hab sie gefragt, aber sie hat mir gesagt, sie sei mitten in ihrem letzten Versuch für ihre Dissertation und könne nicht mitkommen.«

»Aber Sie hätten sich nicht mit einer Absage zufriedengeben dürfen!« Cantor klang erstaunt. »Einen Versuch kann man immer verschieben.«

»Ha!« sagte Stafford finster.

Cantor ignorierte ihn. »Weiß sie, was ihr da entgeht? So schnell wird sie wohl kaum wieder zu einer Nobelpreis-Verleihung eingeladen werden.«

»Das hab ich ihr auch gesagt«, antwortete Stafford, »aber sie hat gemeint, dann müsse sie halt warten, bis sie den Preis selbst bekommt.«

Cantor seufzte. »Wir werden also beide allein sein. Machen Sie sich nichts draus, Sie werden genug Gesellschaft haben. Sind Sie übrigens schon davon unterrichtet, daß unsere Vorträge für den Montag in der Karolinska angesetzt sind?«

»Ja«, sagte Stafford. »Ich hab kaum an was anderes gedacht. Ich hab die ganzen letzten Wochen daran gearbeitet.«

»Ach, wirklich?« Cantor war gekränkt. »Ich hatte eigentlich einen Entwurf für Sie vorbereitet.«

»Ach, wirklich?« Stafford klang verärgert. »Warum?«

»Sie fragen, warum?« Cantor begann zu stottern. »Ich
dachte —«

»I. C., meinen eigenen Nobel-Vortrag sollte ich doch wohl
selbst verfassen«, unterbrach er ihn. »Finden Sie nicht auch?«
Seine Stimme war unverkennbar frostig geworden.

Cantor war ratlos. »Ich kann Ihnen meinen Entwurf ja
trotzdem zuschicken«, lenkte er ein. »Vielleicht ist er für Sie
von Nutzen.«

Paula Currys diskret wißbegieriges Wesen machte sich bezahlt. Es fiel ihr nicht schwer herauszufinden, wann die Männer abreisen wollten und wo sie absteigen würden. Hatte
Cantor ihr nicht stolz das »Merkblatt zur Nobel-Woche«
gezeigt, das die Nobelstiftung geschickt hatte? Sie hatte sich
über den präzisen, ja geradezu pedantischen Stil des Ab-
schnitts »Hotelunterbringung« amüsiert:

*Zimmerreservierungen werden von der Nobelstiftung im
Grand Hotel vorgenommen. Die Stiftung bezahlt die Kosten für Übernachtung und Frühstück für Preisträger,
Ehepartner und minderjährige Kinder (unter 21 Jahren).
Erwachsene Familienangehörige oder berufliche Mitarbeiter, die den Preisträger begleiten, sind als zahlende Gäste
willkommen. Im Prinzip darf die Zahl der Gäste nicht
höher als 6 sein. Hotelzimmer werden von der Stiftung
reserviert, falls rechtzeitig darum gebeten wird. Geben Sie
Ihre Wünsche bitte auf dem Fragebogen an.*

Für die Nobel-Woche eine Reservierung im Grand Hotel zu
bekommen, erwies sich für das Reisebüro als unmöglich,
nicht jedoch für Paula. Sie rief den Portier in Stockholm an
und machte ihm klar, daß sie enge Freundinnen von zwei
Nobelpreisträgern waren, die andernfalls ohne Begleitung

dastünden. »Ein Doppelzimmer für uns beide genügt«, bemerkte sie, »und daß Sie es mir ja streng vertraulich behandeln. Es ist nämlich eine Überraschung.« Sie besorgte für sich und Celly Billig-Tickets der Icelandair über Reykjavik. »Die Männer werden im Frack erscheinen, also brauchen wir Abendkleider. Und dafür werden wir das Geld ausgeben. Denk dran, daß du einen Paß brauchst«, empfahl sie Celestine, »und nimm deinen Pelzmantel mit.«

»Meinen Pelzmantel?« rief ihre Nichte aus. »Du machst wohl Witze! Glaubst du vielleicht, daß Studentinnen heutzutage in so was rumlaufen?«

»Dann leihe ich dir hier in Chicago einen. Meine Nichte geht mir nicht in Abendkleid und Parka auf einen Nobel-Ball.«

18

Cantor wußte von seinen preisgekrönten Freunden, daß alles, was mit den Nobelpreis-Feierlichkeiten in Verbindung stand, vom Empfang auf dem Flughafen Arlanda angefangen, äußerst *distingué* sein würde. Er beabsichtigte, stilvoll anzukommen, und buchte demgemäß seinen Flug. Stafford dagegen war noch nie etwas anderes als Economy Class geflogen, und diese Reise – seine erste nach Europa – war keine Ausnahme. Infolgedessen gingen die beiden Männer auf dem Kennedy Airport zwar gemeinsam an Bord, wurden dann aber sofort getrennt. Wenn Cantor, im vorderen Teil, geruhte, seinen Sitz zu verlassen, der praktisch ein Liegesofa war, stand es ihm frei, sich nach Belieben zum Plebs zu begeben, während Stafford sich auf das Armeleutequartier beschränken mußte. Als Cantor ihn das erste Mal besuchen wollte, wurden die engen Gänge von massigen Servierwagen blockiert. Beim zweiten Mal schlief Stafford fest, eingekeilt zwischen zwei großen blonden Geschäftsleuten. Cantor hatte unbedingt noch einige letzte Details bezüglich der Pressekonferenz bei ihrer Ankunft mit ihm erörtern wollen; er kam zu dem Schluß, daß er damit bis zur Zwischenlandung in Kopenhagen warten mußte. Aber daraus wurde nichts.

Kurz nach dem Start in New York hatte der Kapitän bekanntgegeben, man werde diesmal, im Gegensatz zu dem üblichen Flugzeugwechsel in Kopenhagen, nur landen, um aufzutanken, und mit der gleichen Maschine nach Stockholm weiterfliegen. Cantor hatte die einschläfernde Wirkung des

Abendessens mit sechs Gängen, zwei Weinen und einem Glas Portwein unterschätzt. Als das Flugzeug in Kopenhagen landete, lag er, mit einer Schlafmaske über den Augen, in Morpheus' Armen, während Stafford hellwach durch den Dutyfree-Shop des Flughafens Kastrup spazierte.

Stafford hörte den ersten Aufruf für seinen Flug nicht. Den zweiten kriegte er mit und machte sich auf den Weg zu seinem Flugsteig. Plötzlich blieb er abrupt stehen, lächelte in sich hinein und kehrte um. Er saß noch im Coffee Shop bei köstlichem Blätterteiggebäck und Kaffee mit echter Sahne – seinem ersten skandinavischen Frühstück –, als sein Flug zum letztenmal aufgerufen wurde. Gemächlich schlenderte er zu einem der Abfertigungsschalter und hatte überhaupt nichts dagegen, daß ein türkischsprechender Passagier fast zehn Minuten brauchte, um eine einfache Transaktion abzuwickeln. Endlich wandte sich die junge Frau hinter dem Schalter ihm zu. »Ja?« fuhr sie ihn an, denn der Türke hatte ihr Tagesquantum Geduld erschöpft.

Als sie hörte, daß er sein Flugzeug nach Stockholm verpaßt hatte, verdrehte sie die Augen und seufzte vernehmbar. »Ich werde nachsehen, ob in der nächsten Maschine noch etwas frei ist. Ich bezweifle es«, setzte sie warnend hinzu, »unter der Woche sind die Morgenflüge nach Stockholm oft ausgebucht. Sie müssen möglicherweise auf die Warteliste. Warum sind Sie denn nicht an Bord geblieben?«

Stafford zuckte die Achseln und setzte eine zufriedene Miene auf. »Es macht mir nichts aus, wenn ich warten muß. Sehen Sie einfach mal nach, was Sie für mich finden können. Mein Name ist Stafford. Anfangsbuchstabe J.«

Die Angestellte nahm sein Ticket und unterhielt sich mit ihrem Computer. Plötzlich änderte sich ihr Gesichtsausdruck. Sie griff zum Telephon und sagte etwas in schnellem Dänisch, während sie ihn neugierig musterte. Als sie fertig war, erhob sie sich. »Bitte verzeihen Sie, Sir«, sagte die junge Frau. »Ich wußte nicht, wer Sie sind. Erlauben Sie mir, Sie in die VIP-Lounge zu begleiten.« Als sie den langen Korridor hinuntergingen, lachte sie nervös. »Sie sind der erste Nobelpreisträger, den ich kennenlerne. Und so jung!« flötete sie.

Sobald das Sicherheitsgurt-Zeichen erlosch, machte sich Cantor wieder auf die Suche nach Stafford. Sein Platz war leer. Cantor setzte sich und wartete; der einzige Ort, wo Stafford sein konnte, waren die Toiletten. Als zehn Minuten verstrichen waren, begab sich Cantor zu der Reihe der Waschraumtüren. Nach weiteren zehn Minuten hatte er jede von ihnen aufgehen und ihren Besetzer herausrücken sehen. Kein Stafford.

»Miss«, wandte er sich an eine vorbeikommende Stewardeß, »ich suche einen Passagier, der auf dem Platz dort drüben gesessen hat. Haben Sie eine Ahnung, wo er sein könnte?«

»Da sitzt niemand«, antwortete sie.

»Das sehe ich selbst«, bellte er und fing sich gerade noch. »Deshalb frage ich ja.«

Die Flugbegleiter der SAS werden geschult, höflich zu sein, und die Stewardeß war keine Ausnahme. »Tut mir leid, Sir. Ich wollte damit sagen, daß der Platz nicht besetzt war, als wir abflogen.«

»Aber das ist unmöglich!« stammelte er. »Der Passagier hat da seit New York gesessen. Ein junger Mann, glattrasiert, braunes Haar. Sie müssen ihn doch gesehen haben.«

»Tut mir leid, Sir«, sagte sie geduldig. »Ich bin erst in Kopenhagen an Bord gekommen.«

»Aber er muß doch hier sein!« insistierte er mit vor Verzweiflung lauter werdender Stimme. »Wo sollte er denn sonst sein?«

»Vielleicht ist er in Kopenhagen«, meinte die Stewardeß. »Ich werde Ihnen den Purser holen.«

Der Purser, dem Cantors erhabener Status bekannt war, konnte ihm auch nicht helfen. »Aber machen Sie sich bitte keine Sorgen, Herr Professor. Wir werden in zwanzig Minuten in Stockholm sein. Ich bin sicher, daß das dortige Bodenpersonal Näheres über Ihren Kollegen weiß.« Er zwinkerte Cantor respektvoll zu. »Die SAS hat noch nie einen Nobelpreisträger verloren.«

Cantor sah mürrisch zum Fenster hinaus. Es war einer dieser kurzen skandinavischen Dezembertage, an denen die Sonne, kaum daß sie über dem Horizont ist, schon wieder zu sinken beginnt; die Landschaft unten wies nur eine ganz dünne Schneedecke auf, und direkt voraus lagen die Stockholmer Schären. Eine fröhliche Stimme riß ihn aus seinen Gedanken. »Alles klar, Herr Professor. Der Kapitän hat gerade mit Kopenhagen gesprochen. Dr. Stafford wird den nächsten Flug nach Stockholm nehmen. Er muß die Maschine verpaßt haben.«

»Wie hat er denn *das* fertiggebracht?« brummte Cantor.

Die Schlange stehenden Passagiere, die nicht schnell genug von Bord kommen konnten, blickten neidisch drein, als Cantor gebeten wurde, das Flugzeug als erster zu verlassen. Als er aus der schmalen Gangway trat, war er einen Moment lang von den grellen Scheinwerfern geblendet, die ihm direkt in die Augen schienen. Mitverantwortlich für die Scheinwerfer war der auf ihn wartende Lars Sjöstrand, Photograph bei *Svenska Dagbladet.* Sjöstrand bezeichnete sich als Bildjournalist, nicht als *paparazzo.* Für ihn bestand die Aufgabe eines Photoreporters darin, zutage zu fördern, was unter der Oberfläche seines jeweiligen Opfers lag. Deshalb war er der einzige *Svenska Dagbladet*-Photograph, der bei solchen Gelegenheiten keine Hasselblad benutzte. Er hatte eine Nikon mit Motorantrieb und 600 mm-Teleobjektiv, dazu eine Spezialhalterung, die, zusammen mit seinem kräftigen linken Arm, als Ersatz für ein Stativ diente. Er machte es sich zur Gewohnheit, die Kamera auf die Nase der betreffenden Person einzustellen: Wenn er die aus den Nasenlöchern hervorlugenden Haare zählen konnte, wußte er, daß er jede Nuance im Gesichtsausdruck seines Opfers einfangen würde, jede Schweißperle, die durch ein normales Objektiv nicht erkennbar war. Diese photographische Panzerfaust war nun direkt auf den Türrahmen des Verbindungsgangs gerichtet, durch den sich die Passagiere des Flugzeugs ergießen würden. Ulf Lundholm, der Reporter von *Svenska Dagbladet,* stand neben Sjöstrand. »Denk dran, Lars«, sagte er zu seinem Kollegen, »daß ich eins haben will, wo er den Mund offenstehen hat. Der Typ war mir zu arrogant. Laß ihn dämlich aussehen.«

Als das Bild am nächsten Tag erschien, stand Cantors Mund weit offen. Er sah tatsächlich dämlich aus. In dem Moment, als Lars seine Panzerfaust abfeuerte, hatte Cantor gerade Paula Curry erblickt: groß, blond, in einen Pelz gemummt und mit passenden Stiefeln – und einem leicht verruchten Funkeln in den Augen. Auf den darauffolgenden Photos, die Lundholm abgelehnt hatte, war Cantors offener Mund einfach zu einer Begleiterscheinung uneingeschränkter Freude geworden. Die Aufnahme, die zeigte, wie Paula Curry den Professor umarmte, landete ebenfalls im Papierkorb. Sie hätte zu sehr dem daneben befindlichen Bild geglichen, auf dem zu sehen war, wie ein leicht zerzauster Stafford seine Celestine küßte.

Lundholm gratulierte sich zu seinem Scharfsinn, diese Aufnahme bekommen zu haben. Die verschiedenen Nachrichtenagenturen und die örtliche Konkurrenz – *Dagens Nyheter, Aftonbladet* und *Expressen* – hatten jeweils nur ein einziges Team losgeschickt, um über Cantors und Staffords Ankunft zu berichten. Als das offizielle Begrüßungskomitee, bestehend aus einem Repräsentanten des schwedischen Ministeriums für Auswärtige Angelegenheiten, dem amerikanischen Kulturattaché, dem Rektor des *Karolinska Institut* und zwei schwedischen Professoren, mit Cantor in den offiziellen Empfangsraum abzog, den die SAS zur Verfügung gestellt hatte, folgten alle Reporter außer Lundholm, der seinen Kollegen von der photographierenden Zunft zurückgehalten hatte. Lundholm vermutete – zu Recht, wie sich herausstellte –, daß Cantors Interview kaum Überraschungen enthalten würde. Er hatte genug Material über Cantor zusammengetragen, der in *Who's Who in America* und den anderen Standardnachschlagwerken aufgeführt war. Er hatte sogar den Washingtoner Korrespondenten seines Blattes einige Zeitungsausschnitte ausgraben lassen. Aber dafür richtete sich sein Interesse auf den jungen Mitpreisträger, Jeremiah Stafford. Die Informationen, die die Nobelstiftung über Stafford lieferte, waren so unzureichend, daß sie sich nachgerade als nutzlos erwiesen: Geburtsort, Geburtsdatum, Bildungsgang und die Titel von vier wissenschaftlichen Artikeln, die bis auf einen auch den Namen I. Cantor trugen. Lundholm kannte die schwedischen Leser. Eine flotte Story über den zweitjüngsten

Nobelpreisträger der Geschichte erschien ihm da wesentlich vielversprechender.

Als fünfzig Minuten später das nächste Flugzeug aus Kopenhagen landete, waren außer Lundholm und Sjöstrand nur noch der Attaché aus dem schwedischen Außenministerium und eine attraktive Amerikanerin da, um Stafford abzuholen. Der Attaché probierte sein Umgangsamerikanisch an der jungen Frau aus, die einen schwarzen Daunenmantel, etwas Ähnliches wie Après-Ski-Stiefel und keinen Hut trug. Ihr Haar war hellbraun und ungewöhnlich kurz. Sie sah ganz aufgeregt aus.

Sjöstrand hatte einen letzten Blick auf die Porträtaufnahme von Stafford geworfen, die der kurzen Pressemitteilung der Nobelstiftung beigelegt war. Er hob seine Panzerfaust und ging in Stellung. Doch im Gegensatz zu Cantors sorgfältig inszenierter Ankunft war Staffords völlig zwanglos gewesen. Er hatte im hinteren Teil des ausgebuchten Flugzeugs gesessen und war als einer der letzten die Gangway heruntergekommen, im einen Arm den Anorak, im anderen eine Reisetasche und ein kleines Buch. Plötzlich blieb er stehen, und zwar so abrupt, daß der unmittelbar hinter ihm gehende Passagier gegen ihn prallte und die ersten zwei Aufnahmen von Sjöstrand völlig verdarb. Die dritte dagegen zierte schließlich die Titelseite von *Svenska Dagbladet*. Sie zeigte Stafford, dessen Tasche und Buch auf dem Boden lagen, wie er Celestine küßte. Seine Hände umfaßten ihre Taille, während ihre seinen Nacken umschlangen. Lundholm hatte sich gebückt, um den Band aufzuheben. Der Titel überraschte ihn: *T. S. Eliot. Gesammelte Gedichte 1909—1961.*

»Celly, mein Schatz«, hörte Lundholm Stafford ausrufen, nachdem die beiden aufgehört hatten, sich zu küssen und sich anstrahlten, »ich kann's nicht glauben! Wie bist du hergekommen? Wie hast du mich nur so hinter's Licht führen können – du mit deinem wichtigen Experiment!« Er wollte sie gerade von neuem küssen, als er ein diskretes Hüsteln vernahm. Es kam von dem Abgesandten des Außenministeriums, doch Lundholm wandelte es in sein eigenes Stichwort um.

»Willkommen in Stockholm, Dr. Stafford«, sagte er in

seiner gewinnendsten Art. »Ich bin Reporter bei *Svenska Dagbladet*. Lassen Sie mich das für Sie tragen.« Er hielt Staffords Tasche in die Höhe, die er mit dem Eliot-Band an sich genommen hatte. »Darf ich Ihnen kurz einige Fragen stellen, bevor der Herr hier Sie in den Empfangsraum führt?« Er machte eine Geste in Richtung des Attachés, dem es noch nicht gelungen war, an Stafford heranzukommen.

»Klar«, antwortete Stafford gutmütig, den linken Arm noch immer um Celestines Taille gelegt, »schießen Sie los.«

»Ist das Ihre erste Reise in unsere Stadt?«

»Allerdings! Meine erste nach Europa überhaupt. Und wie ist es bei dir, Celly?« Er drückte seine Begleiterin an sich.

»Meine erste nach Skandinavien«, antwortete sie. »Aber ich bin schon ein paarmal mit meiner Familie in Europa gewesen.«

»Sind Sie vorbereitet auf die ganzen Feierlichkeiten? Auf die Begegnung mit unserem König?« Lundholm richtete sich unwillkürlich auf, als er Seine Majestät erwähnte.

»Ich bin nicht sicher, ob ich darauf vorbereitet bin, aber ich freue mich.«

»Kennen Sie seinen Namen?« fragte der Reporter mit einem verschlagenen Blick in den Augen.

»Leider nicht«, gab Stafford zu. »Aber das brauch ich ja auch nicht, oder?« fragte er. »Genügt es nicht, den König oder die Königin mit ›Eure Königliche Majestät‹ anzusprechen?«

»Jerry, *sie* heißt Silvia Renate«, unterbrach Celestine, die Stafford weitere Peinlichkeiten ersparen wollte.

»Wie hast du denn das rausgekriegt?« rief Stafford erstaunt.

»Ich bin schon einen ganzen Tag hier. Und rate mal, mit wem.«

»Leah?« fragte er.

»Nein«, antwortete sie, »obwohl das sehr lustig gewesen wäre. Stell dir vor, eine Bachtinische Perspektive der Nobelpreis-Feier geliefert zu bekommen! Rate noch mal.«

»Ich gebe auf. Wer ist es?«

»Meine Tante, Paula Curry.«

»Im Ernst? Wie das denn?«

»Wart's ab. Du erfährst es schon noch.« Sie trat zur Seite, um Lundholm Platz zu machen. »Aber ich glaube, dieser Herr hier möchte dir noch ein paar Fragen stellen.«

»Ganz recht«, sagte Lundholm. »Beispielsweise, wer diese junge Dame ist.«

»Das ist meine –« begann Stafford, aber wieder mischte sich Celestine ein.

»Mein Name ist Celestine Price. Wir sind befreundet. Von der gleichen Universität«, setzte sie lahm hinzu.

»Aha«, sagte Lundholm und machte sich Notizen auf seinem Block. »Wie schreibt man Price? Wie Nobelpreis?«

»Nein«, sagte Celestine lachend und buchstabierte ihren Namen. »So ein stolzer Preis bin ich nicht.«

»Ist sie doch«, setzte Stafford hinzu, »sie ist nämlich unbezahlbar.«

»Aha«, sagte Lundholm zum zweitenmal und schrieb fleißig.

»Und dieses Buch? Sie haben es fallen lassen, als Sie ankamen.« Er händigte Stafford den dünnen Band aus. »Gehört das zu Ihren Vorbereitungen für die Festlichkeiten?«

»Wer weiß?« Stafford gab sich reserviert, doch sein Erröten verriet ihn.

»Was hast du denn gelesen, Jerry?« wollte Celestine wissen und griff nach dem Buch. »T. S. Eliot? Da bin ich aber platt.«

Lundholm, der sich den Namen des Autors notiert hatte, betrachtete dieses Thema als erledigt. »Dr. Stafford?« Er lenkte Staffords Aufmerksamkeit von Celestine wieder auf sich. »Glauben Sie, daß Sie es verdient haben, den Nobelpreis zusammen mit Professor Cantor zu bekommen?«

Wieder kam ihm Celestine zu Hilfe. »Beantworte das nicht, Jerry!« Sie wandte sich an den Reporter. »Wissen Sie, das ist keine faire Frage.«

»Ich würde nur gern Dr. Staffords Meinung hören.«

»Sie wollen doch wohl nicht, daß Jerry die Entscheidung des Nobelkomitees kritisiert, oder? Das wäre nicht gerade höflich.«

Lundholm neigte leicht den Kopf. »Ich kann verstehen, warum Sie unbezahlbar sind, Miss Price. Eine letzte Frage,

Dr. Stafford, wenn Sie erlauben. Haben Sie schon entschieden, wofür Sie Ihren Teil des Preisgeldes ausgeben werden? Es ist eine Menge Geld, besonders für einen so jungen Wissenschaftler wie Sie.«

»Das wüßte ich auch gern«, sagte Celestine lachend. »Was wirst du mit dem ganzen Zaster machen?«

»Das hab ich mir schon überlegt«, antwortete er ihr trokken. »Ich verrate es dir, bevor ich Stockholm verlasse.« Er wandte sich an den Reporter. »Ungeachtet dessen, was meine unbezahlbare Freundin gesagt hat, will ich Ihnen Ihre vorhergehende Frage doch beantworten. Aber dann müssen wir gehen: Ich sehe, daß der Herr hier schon ungeduldig wird.« Er lächelte dem Mann vom Außenministerium zu, der ihnen schweigend zugehört hatte. »Sie fragten, ob ich es verdient habe, den Nobelpreis zu teilen. Natürlich hat Celestine recht, das sollten Sie das Nobelkomitee fragen. Anscheinend fanden seine Mitglieder, daß die Tumorgenese-Theorie den Preis verdiente. Das ursprüngliche Konzept stammte von Professor Cantor, aber wenn sie ihn nur dafür vergeben hätten, wären sie ein ziemliches Risiko eingegangen. Wußten Sie, daß Johannes Fibiger 1926 den Nobelpreis bekam, weil er behauptete, daß bösartige Tumore von Parasiten verursacht werden? Es stellte sich natürlich heraus, daß er unrecht hatte, und danach wurde vierzig Jahre lang kein Nobelpreis für eine Arbeit aus dem Bereich der Krebsforschung verliehen.«

Lundholm machte sich wie wild Notizen. Celestine dagegen sah Stafford mit offener Verwunderung an. »Wo hast du denn das alles her?« flüsterte sie.

»Von Professor Krauss«, antwortete er halblaut. »Es gibt anscheinend kaum etwas über Krebs und den Nobelpreis, was er nicht weiß.« Stafford wandte sich wieder an Lundholm. »Aber lassen Sie mich auf die Frage zurückkommen, die Sie gestellt haben. Eine Hypothese, auf welchem Gebiet auch immer, ist eine Art Dornröschen. Sie braucht einen Prinzen, um aufzuwachen. Bei unserem Dornröschen ist der experimentelle Nachweis der Prinz. Ich habe diesen Nachweis geliefert und sie gewissermaßen zum Leben erweckt.«

»Dann sind Sie also der Prinz, der sie wachgeküßt hat!«
Lundholms Augen funkelten vor Begeisterung. »Das ist
phantastisch: der Prinz und seine unbezahlbare Freundin bei
der Ankunft in Stockholm!«

»Immer langsam!« sagte Stafford lachend. »Miss Price ist
zwar unbezahlbar, aber ich habe nicht behauptet, daß ich ein
Prinz bin. Ich wollte damit nur sagen, daß ich Mitautor der
ursprünglichen Veröffentlichung bin. Und daß ich vermutlich
deshalb –«

»Jerry!« unterbrach Celestine, der man genau ansah, wie
unbehaglich sie sich fühlte. »An deiner Stelle –«

»Aha«, tönte Lundholm, der genau das zu hören bekam,
hinter was er her war, und es sich nicht entgehen lassen
wollte. »Professor Cantor kam also zu Ihnen, damit Sie den
experimentellen Nachweis erbrachten?«

»Ja.«

»Weil Sie der einzige Mensch waren, der dazu imstande
war? Mit achtundzwanzig Jahren?« Er schaute leicht zweifelnd drein.

»Natürlich nicht.« Stafford tat die Frage mit einem Kopf-
schütteln ab. »Wenn ich der einzige wäre, der imstande ist,
dieses Experiment durchzuführen, dann hätte es keine kon-
struktive Bedeutung.« Der Ausdruck gefiel ihm, obwohl er
das Gefühl hatte, ihn schon einmal gehört zu haben. »Ein
Experiment ist nur dann von Bedeutung, wenn es von einem
anderen wiederholt werden kann. Man braucht mindestens
zwei Prinzen, um eine Hypothese in eine Tatsache zu verwandeln. Folglich kann ich per Definition nicht der einzige sein,
der dazu imstande ist.«

»Ich verstehe«, murmelte Lundholm und schrieb eifrig alles
auf. »Und wer hat Ihr Experiment wiederholt?« fragte er,
ohne von seinem Block aufzusehen. »Wer ist der andere
Prinz?«

»Wir müssen jetzt aber wirklich zu Professor Cantor«,
erwiderte Stafford und nahm Celestine bei der Hand. »Er
fragt sich bestimmt schon, was mit mir in Kopenhagen passiert ist.«

Während sie ihrem schwedischen Führer durch den Korridor folgten, flüsterte Celestine wütend: »Jerry, bist du wahnsinnig geworden?«

»Reg dich ab«, flüsterte er zurück, »ich weiß, was ich tue.« Er drückte ihre Hand. »Deshalb hab ich in Kopenhagen das Flugzeug verpaßt.«

»Sieh an, sieh an, das verlorene Schaf!« verkündete Cantor und schüttelte Stafford die Hand. »Gestatten Sie mir, Sie mit unseren schwedischen Gastgebern bekanntzumachen. Und dann möchte ich Sie gerne all diesen Reportern vorstellen.« Er machte eine ausladende Geste in Richtung der Mikrophone, Kameras und Reporter. Nachdem Stafford allen offiziellen Vertretern die Hand geschüttelt hatte, was gebührend auf Film gebannt wurde, deutete Cantor auf Paula Curry, die auf einem Sofa saß und den Auftritt verfolgte. »Und das ist –«

»Hallo, Miss Curry!« rief Stafford erstaunt und trat vor, um sie zu begrüßen. »Cellys geheimnisvolle Begleiterin! Was führt Sie denn hierher?«

»Sie kennen sich?« fragte Cantor von hinten mit erstaunter Stimme. »Wo haben Sie sich kennengelernt?«

Paula zuckte die Achseln und hoffte, daß ihre Antwort harmlos klang: »Ach, in Chicago. Meine Nichte hat ihn mitgebracht. Sie beide müssen ja völlig erledigt sein. Machen Sie langsam Schluß mit dem Interview und lassen Sie uns ins Hotel fahren.«

»Sie haben recht«, erwiderte Cantor, dessen Argwohn noch nicht gänzlich aus der Welt geschafft war. »Während wir auf Sie gewartet haben, Jerry, habe ich mit all den Leuten hier gesprochen.« Er drehte sich um und begann mit lauter Stimme: »Meine Herren, ich hoffe –« und fing sich dann gerade noch. »Und meine Dame.« Er verbeugte sich mit einem reumütigen Lächeln in Richtung der einzigen Reporterin in der Menge. »Das ist mein Kollege Dr. Stafford, der in Kopenhagen offenbar aufgehalten wurde. Ich hoffe, daß ich alle Ihre Fragen in unser beider Namen beantwortet habe. Ich denke, es wird Zeit, daß wir in unser Hotel gehen und uns etwas hinlegen.«

»Verzeihen Sie, Herr Professor«, rief Lundholm. »Ich war

während Ihres Interviews nicht da. Ich habe nur eine einzige Frage, die ich vorhin schon Dr. Stafford gestellt habe.« Ein hinterhältiges Lächeln huschte über das Gesicht des Reporters. »Das heißt natürlich, sofern sie noch nicht von meinen Kollegen angesprochen wurde.«

»Nur zu«, sagte Cantor und blitzte ihn mißtrauisch an.

»Ich wollte wissen, warum Ihr achtundzwanzigjähriger Mitarbeiter den Nobelpreis mit Ihnen teilt. Was genau war sein Beitrag?«

Mehrere Mikrophone, die schlaff in Reporterhänden gehangen hatten, richteten sich plötzlich auf und schoben sich näher an Cantor heran. Bleistifte schwebten einsatzbereit über Blöcken. Cantor wandte sich an Stafford: »Was haben Sie gesagt?«

Stafford wollte gerade antworten, doch Lundholm hielt die Hand in die Höhe. »Ich wüßte gerne *Ihre* Antwort, Herr Professor Cantor. Die von Dr. Stafford habe ich schon.« Er zückte seinen Notizblock.

»Augenblick mal!« begann Cantor ärgerlich. Er brach ab und bemühte sich um einen anderen Ton. »Wir haben zusammengearbeitet. Während des ganzen Projekts. Deshalb haben Dr. Stafford und ich die Arbeit auch gemeinsam veröffentlicht. Deshalb teilen wir uns den Preis.«

»Das wissen wir ja alle, Herr Professor«, sagte Lundholm übertrieben geduldig, »das steht schließlich in der Pressemitteilung der Nobelstiftung. Aber meine Frage an Sie betrifft seinen spezifischen Beitrag, was er —«

Cantor konnte sich nur mit Mühe im Zaun halten. »Echte Kollegen teilen die Anerkennung nicht auf. Wir waren während des ganzen Projekts Partner.« Einige Wochen zuvor hätte die Frechheit des Reporters Cantor noch aus der Haut fahren lassen. Doch nun hatte ihn die Aureole des Nobelpreises so weit milder gestimmt, daß er nur kochte. »Darf ich vorschlagen, daß Sie am Montag zu den wissenschaftlichen Vorträgen kommen? Ich glaube, dort werden Sie alle Antworten auf Ihre Fragen finden.«

»Vielen Dank für diesen Hinweis, Herr Professor«, erwiderte Lundholm aalglatt. »Ich werde da sein.«

19

Ein Stoß Kuverts in einer roten Ledermappe erwartete Stafford in seiner Eck-Suite in der dritten Etage des Grand
Hotels. Er hatte noch nie so viele Einladungen erhalten.
Darunter waren das Diner am Samstag im Grand Hotel mit
dem *Rector Magnificus* und einigen der berühmteren Professoren
der Karolinska; das Bankett für die Nobelpreisträger und ihre
Familien am Montag abend, das vom König und der Königin
im alten Königlichen Palast gegeben wurde (Stafford konnte
die Lichter von seinem Fenster aus sehen); das Mittagessen
mit dem amerikanischen Botschafter am Dienstag in dessen
Residenz in der Nobelgata 2; und das Lucia-Essen am Mittwoch abend, bei dem die Vorsitzende der Vereinigung der
Stockholmer Medizinstudenten als Gastgeberin fungierte. Bis
auf das Mittagessen sah es so aus, als sollte Stafford in den
nächsten fünf Tagen nicht aus seinem geliehenen Frack herauskommen. Der Frack selbst hatte schon auf ihn gewartet,
als er ankam: Er hing frisch gebügelt im Schrank. Stafford
hatte rechtzeitig seine Maße auf dem Vordruck übermittelt,
den die Schweden aufmerksamerweise mitgeschickt hatten:
Bundweite, Schrittnaht rechts, Schrittnaht links, Brustumfang, Schulterbreite, Ärmellänge links, Ärmellänge rechts.

Zwei Kuverts aus dem Stapel waren dicker. Der Inhalt des
einen behandelte die Vorkehrungen für die Verleihung der
Nobelpris im Konzerthaus in Hötorget am Sonntag nachmittag. Man konnte es wohl kaum eine Einladung nennen. Es
war eine Anweisung, ein Zeitplan von solcher Ausführlich-

keit, daß der einzige Punkt, der nicht erwähnt wurde, eine Toilettenpause war. Eine dem Kuvert beigefügte Notiz empfahl, diese Direktiven zur Generalprobe um 11 Uhr vormittags mitzubringen. Das andere dicke Kuvert enthielt die Einladung zu dem offiziellen Bankett am Sonntagabend im Rathaus. Als Stafford sich staunend die Gästeliste ansah, die 1318 Namen und Titel umfaßte, deren Verteilung auf sechsundsechzig Tische exakt einer beiliegenden Zeichnung zu entnehmen war, wurde ihm ganz schwindelig. Er hatte ja keine Ahnung von der Größenordnung und Förmlichkeit des Ereignisses gehabt.

Das Telephon weckte ihn. Im Zimmer war es dunkel wie mitten in der Nacht. Es dauerte ein Weilchen, ehe Stafford wußte, wo er war. »Jerry? Hab ich dich geweckt?« Er erkannte Celestines Stimme.

»Wieviel Uhr ist es?« fragte er und tastete nach dem Schalter der Nachttischlampe.

»Fast vier Uhr.«

»Warum weckst du mich um vier Uhr morgens?« jammerte er.

»Nachmittags, nicht morgens, du Schwachkopf«, erwiderte sie freundlich. »Du bist weit oben im Norden, und es ist Mitte Dezember. Laß uns einen Spaziergang machen – nur wir beide, bevor sich die Presse auf Prinz Stafford stürzt.«

»Wo willst du denn hin?«

»Laß uns über die Brücke in die Altstadt gehen. Aber zieh alles an, was du mitgebracht hast, es ist bitterkalt draußen. Auf diese Weise bekommst du wieder einen klaren Kopf. Ich glaube, du wirst ihn brauchen, du Prinz.«

Stafford war fast mit dem Ankleiden fertig, als Celestine an seiner Tür klopfte. Ihr Gesicht strahlte vor Begeisterung und Zuneigung.

»Ach, es ist wunderbar, dich hier zu haben, Celly. Vor ein paar Stunden hab ich noch gedacht, ich müßte die ganzen Tage allein verbringen.«

»Jerry, du hast mir gar nicht erzählt, warum deine Eltern nicht hier sind.«

Stafford fuhr zusammen. »Ich kann's ja ruhig sagen. I. C. hat auch schon gefragt, aber ich hab bloß gesagt, sie hätten es nicht einrichten können. Du weißt ja, wie mein Vater ist: Die Heilige Schrift ist die offenbarte Wahrheit; Darwins Evolutionstheorie ist Gotteslästerung. Vielleicht hätte ich Chemie machen sollen wie du, dann wäre das Thema Evolution zu vermeiden gewesen. Aber Biologie? Vom ersten Semester an mußte ich still sein, oder es gab Krach. Und es ist immer schlimmer geworden. Daß mein Vater ständig auf der Erschaffung der Welt innerhalb von sieben Tagen herumreitet, hat eine ungeheure Kluft zwischen uns aufgerissen. Und wenn du glaubst, daß der Nobelpreis geholfen hat, dann täuschst du dich gewaltig.«

»O Jerry, das tut mir leid.«

»Mir auch. Der Preis hat die Vorbehalte meines Vaters nur untermauert. Als ich meine Eltern eingeladen habe, auf meine Kosten mitzukommen, hat mein Vater das rundweg abgelehnt. Soweit es ihn betrifft, bin ich nämlich einer weiteren Versuchung erlegen. Alles, was er seinem Sohn, dem Nobelpreisträger, zu sagen hatte, war: ›Hochmut kommt vor dem Fall.‹ Und da ich bereits gefallen bin, wollen wir ausgehen und es genießen.«

Paula Currys und Celestine Prices Rollen als inoffizielle Damenbegleitung zweier Nobelpreisträger war erst so spät bekannt geworden, daß ihre Namen nicht mehr auf die gedruckten Einladungen gesetzt werden konnten. Das war vielleicht ganz gut, denn ihr formeller Status wurde nie klargestellt. Die Zweideutigkeit des Wortes »Freundin« machte die Sache auch nicht einfacher, doch die schwedischen Gastgeber zogen sich elegant aus der Affäre. Zwei Karten für die Verleihungszeremonie – zu einem so späten Zeitpunkt normalerweise eine Unmöglichkeit – wurden in ihrem Zimmer abgegeben. Ihre Plätze befanden sich in der Mitte der fünften Reihe, gleich hinter dem schwedischen Kabinett und dem diplomatischen Korps.

Das Nobel-Bankett bereitete größere Schwierigkeiten: Die Broschüre, die die genaue Sitzordnung enthielt, war schon vor Tagen abgeschickt worden. Laut beiliegendem Plan waren die königliche Familie, die Nobelpreisträger und ihre Familien und einige der wichtigsten Regierungs- und Universitätsmitglieder – insgesamt 86 Personen – an den riesigen Ehrentisch gesetzt worden. Der Rest war in zwei Gruppen eingeteilt: 720 Gäste, mit Titeln wie *Ambassadör, Friherrina, Ceremonimästare* und *Professor*, waren auf vierundzwanzig lange Tische verteilt, die senkrecht zur Tafel der Ehrengäste standen. Weitere 512 weniger bedeutende Gäste – Journalisten, eigens eingeladene Studenten und im letzten Moment Hinzugekommene, einschließlich einiger Professoren mit ausländischen Namen – waren in einem äußeren Kreis aus einundvierzig kleineren Tischen untergebracht. Die relative Bedeutung und Stellung aller Gäste waren bereits fein säuberlich durch ihre Entfernung vom Ehrentisch, und besonders von dessen königlichem Zentrum, abgewogen worden. Es war schlicht unmöglich, irgend jemand wegen Celestine oder Paula zu versetzen.

Den Nobelpreisträgern wird für die Dauer ihres offiziellen Aufenthalts ein Betreuer zur Verfügung gestellt – von der Ankunft am Flughafen bis zum 14. Dezember, dem Tag nach dem *Luciadag*, an dem die Preisträger um sieben Uhr morgens von acht weißgewandeten jungen Frauen geweckt werden, die das Lucia-Lied singen und ihnen das Frühstück im Bett servieren (alles festgehalten von einem aufdringlichen Fernsehteam). Die Betreuer kümmern sich um sämtliche logistischen Einzelheiten und erteilen Ratschläge in Fragen des Protokolls und der Etikette. Cantors und Staffords Bärenführern wurde nun die zusätzliche Aufgabe zugewiesen, die beiden »Freundinnen« zu betreuen, denen sie auseinandersetzen mußten, warum sie sich am hintersten Ende eines der Tische befinden würden. »Wenigstens ist es Tisch 25 in der Mitte«, hatte einer der beiden Männer tröstend hinzugefügt und als Entschädigung ein zusammenklappbares Opernglas überreicht, »und Sie werden das gleiche essen wie der König und die Königin. Ich will Ihnen ein Geheimnis verraten.« Er beugte sich verschwörerisch vor. »Es soll eine Überraschung sein. Das Hauptgericht ist eine örtliche Köstlichkeit: schwedischer Hasenrücken mit Calvadossahnesauce und Apfelringen.«

»Woher wissen Sie das, wenn es angeblich ein Geheimnis ist?« fragte Paula.

»Sagen Sie es nicht weiter«, erwiderte er und legte den rechten Zeigefinger auf die Lippen. »Ich kenne einen der Köche im *Stadhuskällar*. Das ist das Restaurant, wo das ganze Bankett zubereitet wird.«

Die einzige besondere Anerkennung, die die beiden »Freundinnen« am Sonntag erfuhren, war, daß jede von ihnen mit ihrem Preisträger zusammen mit dessen Volvo-Pullmannlimousine zu den Feierlichkeiten in das Konzerthaus und von dort zum Bankett fahren durfte. Bis lange nach Mitternacht war das praktisch die einzige Zeit, die sie allein waren. Nachmittags, auf der Fahrt vom Hotel, wurde kaum gesprochen. Stafford war zu nervös, ein schwaches Lächeln das einzige Zeichen, daß er den beruhigenden Druck von Celestines behandschuhter Hand gespürt hatte. Seine Stimmung hatte sich jedoch bis zu ihrer zweiten privaten Begegnung völlig verändert – der Fahrt vom Konzerthaus zum *Stadshus*, Stockholms herrlichem rötlichbraunem Rathaus mit seinem italienisch anmutenden Turm und dem grünen Kupferdach. Stafford, der frischgekrönte Nobelpreisträger, war entspannt; Celestine sprudelte über.

»Jerry«, legte sie los, sobald die Wagentür hinter ihnen zugefallen war, »ich habe eine Gänsehaut bekommen, als die Trompeten erklangen und ihr alle einmarschiert seid. Du hast wunderbar ausgesehen in deinem Frack – und sogar noch jünger als die Studenten, die den Zug angeführt haben!« Sie beugte sich vor und küßte ihn auf die Wange. »Du mußt dir unbedingt einen Frack kaufen, wenn wir wieder zu Hause sind. Ich würde schrecklich gerne mal so richtig in Gala mit dir ausgehen.«

»Abgemacht«, sagte Stafford, »vorausgesetzt, du trägst das Kleid, das du gerade anhast. Ich wußte gar nicht, daß du so etwas besitzt.« Er lehnte sich zurück und beäugte sie von oben bis unten.

»Ich auch nicht. Paula hat es mir geschenkt. Sie ist diejenige, die mir diese Reise spendiert hat.« Celestine öffnete ihren Pelzmantel und streckte die Beine aus. »Die Verkäuferin hat gesagt, ich hätte genau die richtige Figur dafür.« Als Celestine weitersprach, klang ihre Stimme im abgedunkelten Wageninneren ganz weich. »Ich werde nie vergessen, wie dein Name aufgerufen wurde und die Fanfaren erklangen und alles aufstand, als du auf den König zugegangen bist.« Sie drehte sich um und sah ihn grinsend an. »Was hat er zu dir gesagt?«

»Das ist ein Staatsgeheimnis, aber vielleicht erzähl ich es dir irgendwann einmal.«

»Zum Beispiel heute nacht?« fragte sie kokett.

»Vielleicht«, antwortete er im gleichen Ton.

»Jerry, wo hast du denn Rückwärtsgehen gelernt?« fragte sie. »Das hat sonst keiner gemacht. War das, damit du dem König und der Königin nicht den Rücken zuwendest?«

»Ja«, strahlte er, »das hatte mir mein Betreuer bei der Generalprobe empfohlen. Er sagte: ›Gehen Sie rückwärts, die Augen auf die königliche Familie gerichtet, bevor Sie sich vor ihr verbeugen. Die Schweden im Saal werden es zu schätzen wissen.‹ Ich glaube, ich war der einzige, der das gemacht hat. Er hat versprochen, mir ein Videoband von der Feier zu geben.«

Ihre Zweisamkeit wurde von ihrem Betreuer gestört. »Miss Price, wir werden gleich am *Stadshus* eintreffen. Sobald ich Dr. Stafford zu seinem Tisch geleitet habe – er wird zwischen der Königin und der Frau des *Talman*, unseres Parlamentspräsidenten, sitzen –, werde ich Sie in den *Blå Hallen*, den Blauen Saal, bringen, der in Wahrheit gar nicht blau ist, sondern weiß. Sie sitzen am anderen Ende von Tisch 25, direkt gegenüber von Professor Cantors Freundin. Sie werden eine Tischkarte mit Ihrem Namen vorfinden; Sie sind Nummer 806 auf dem Plan.«

Was während der Verleihungsfeier am Nachmittag, inmitten des Gepränges und der Trompetenstöße, der Reden und musikalischen Einlagen, den tiefsten Eindruck bei Celestine hinterließ, war der ruhig-heitere Ausdruck auf dem Gesicht ihres Liebhabers, als er selbstsicher rückwärts ging, in den

Händen die Medaille in ihrem roten Etui und die rote Ledermappe. Sie hatte Stolz oder Aufgeregtheit erwartet, nicht stille Gelassenheit.

Während des Banketts, bei dem Stafford zig Meter entfernt saß, richtete sich ihre Aufmerksamkeit auf ein unpersönliches Detail: die unglaubliche militärische Präzision, mit der die weißbehandschuhten, uniformierten Kellner und Kellnerinnen die verschiedenen Gänge servierten, während einige der Preisträger kurze Ansprachen hielten. Cantor war einer von ihnen, und er kam ziemlich bald an die Reihe, gleich nach dem Fischgang. »I. C. hat Glück«, bemerkte Paula. »Jetzt kann er sich entspannen und den Rest des Essens genießen.«

Cantor glänzte mit sprachlicher Genauigkeit und Eleganz. »›. . .Was du nicht weißt, ist das einzige, was du weißt / Was dir gehört, ist was dir nicht gehört‹«, deklamierte er, »wie ein großer Dichter einst schrieb, der später den Nobelpreis für Literatur erhielt.« Wer war dieser Dichter, fragte sich Celestine; an den vereinzelt zusammengesteckten Köpfen und dem Flüstern in ihrer Umgebung merkte sie, daß diese Frage auch andere beschäftigte. Cantor fuhr fort: »Er war es natürlich, der in einem anderen Zusammenhang sagte: ›Um dahin zu gelangen, / Wo du schon bist, und fortzukommen von dort, wo du nicht bist, / Mußt du einen Weg gehen, ohne jede Verzückung.‹ Obwohl diese Empfindungen auch die wissenschaftliche Forschung betreffen können, benutze ich die Worte des Dichters heute abend in Bezugnahme auf den Preis, den Sie mir freundlicherweise verliehen haben. Er gehört nicht mir, denn der Beitrag, den Sie mit dem Nobelpreis ausgezeichnet haben, ist nicht das Werk eines oder zweier Einzelmenschen. Es ist der Höhepunkt einer jahrelangen, oft ermüdenden und scheinbar erfolglosen, von Augenblicken der Verzückung begleiteten Forschungsarbeit vieler . . .« Celestine hatte aufgehört zuzuhören. Sie sann darüber nach, was Jerry wohl gesagt hätte, wenn er gebeten worden wäre, eine der Reden während des Essens zu halten.

Die spektakulärste Leistung bot das Bedienungspersonal beim Dessert. Während Trompeten erschallten, erloschen allmählich die Lichter, bis der ganze Saal nur noch vom flackernden Schein der Kerzen auf den langen Tafeln erhellt wurde. Die Kellner, von denen jeder ein silbernes Tablett hoch in die Luft hielt, marschierten zu ihren jeweiligen Tischen und stellten sich dort auf. Sie waren im Begriff, das *Nobel Is* zu servieren – die traditionelle Nobel-Eisbombe, gekrönt mit einem gefrorenen »N«.

Auf eine Handbewegung des Oberkellners hin begannen die Kellner unisono, jeden Gast exakt im gleichen Tempo zu bedienen, so daß sie das Ende jedes Tisches genau im gleichen Moment erreichten. An Tisch 25 erhielten Celestine und Paula die letzten beiden Portionen des *Is*. Celestine zuckte zusammen, als sie plötzlich Jerrys Stimme hörte, die verstärkt über die Lautsprecheranlage kam: Zuerst hatte sie gedacht, er stünde neben ihr. Sie blickte auf und sah ihn, im Glanze seines Gesellschaftsanzugs, mit strahlendem Gesicht über das Mikrophon gebeugt stehen. Celestine griff zum Opernglas. Warum hatte er ihr nicht gesagt, daß er sprechen würde?

»Eure Majestäten«, begann er mit einer Verbeugung in Richtung des Königs und der Königin, als hätte er von Kindesbeinen an mit fürstlichen Persönlichkeiten parliert, »Eure Königlichen Hoheiten, Eure Exzellenzen, ehrenwerte Kabinettsminister und Botschafter, meine Damen und Herren. Da Professor Cantor seine Ansprache mit einigen Zeilen aus Eliots *Vier Quartetten* einleitete«, eine Bemerkung, die allgemeines Nicken und Lächeln unter den Anwesenden hervorrief, »halte ich es für angebracht, mich meinem Mentor und Professor anzuschließen und ebenfalls T. S. Eliot zu zitieren: ›Der Nobelpreis ist eine Fahrkarte zur eigenen Beerdigung. Keiner hat mehr etwas geleistet, nachdem er ihn bekam.‹«

Eine sichtbare Woge der Verwunderung ging durch den großen Saal, gefolgt von leisem Raunen. Sollte das etwa ein Witz sein? Stafford selbst lieferte die Antwort, als er nach einer kurzen Pause fortfuhr:

»Natürlich sprach Eliot diese Worte nicht hier aus, als er den Nobelpreis für Literatur entgegennahm. Das wäre über alle Maßen unhöflich gewesen. Er äußerte sie privat, als er über die Forderungen und Erwartungen klagte, die an ihn

– bereits weltberühmt und sechzig Jahre alt – gerichtet wurden, als er diese höchste Auszeichnung erhielt. Aber ich, der ich bis vor wenigen Wochen völlig unberühmt war« – wieder legte er eine kurze Pause ein, gerade lange genug, daß Paula Celestine etwas über sein vollendetes Timing zuflüstern konnte – »und noch vielen Jahrzehnten aktiver Arbeit entgegensehen kann: Ich muß an diese Worte denken. Wie wird sich der Nobelpreis auf mich auswirken, der mir so früh im Leben verliehen wurde? Ich gebe Ihnen meine Antwort in der Form, in der Eliot sein allerletztes Gedicht beendete: ›Dies sind persönliche Worte, gerichtet an dich in der Öffentlichkeit.‹«

Celestine preßte das Opernglas an die Augen, bis sie schmerzten. Sie wollte Staffords Blick erhaschen, der langsam durch das Publikum schweifte.

»Trotz der an seine vielen Studenten und Mitarbeiter gerichteten hochherzigen Worte kann Professor Cantor den Nobelpreis mit Recht als die höchste Anerkennung seiner ungeheuer produktiven wissenschaftlichen Laufbahn betrachten. Ich dagegen stehe hier, weil ich das Glück hatte, von ihm ausgebildet zu werden und – auf seine Aufforderung hin und genau zum richtigen Zeitpunkt – an einem entscheidenden Experiment mitzuwirken. Noch vor wenigen Wochen hatte ich die Absicht, mich nach Beendigung meiner Postdoktorandenausbildung um eine akademische Anstellung zu bewerben. Doch wenn ich nun ein diesbezügliches Angebot erhalte, geschieht es dann aufgrund meines Nobelpreises, den ich mit Professor Cantor teile, oder aufgrund meiner früheren Leistungen und künftigen Möglichkeiten? Ich werde es nie wissen.

Ich denke mir, daß viele Nobelpreisträger, als Vorbereitung auf ihre Reise nach Stockholm, die Aufzeichnungen ihrer Vorgänger studiert haben: welchen Worten sie hier Ausdruck verliehen, welche Erfahrungen sie in späteren Jahren machten. Als ich dies tat, war ich besonders von der Laufbahn zweier Physiker beeindruckt, die den Nobelpreis früh im Leben erhielten. Der jüngste, W. L. Bragg, erhielt ihn mit fünfundzwanzig Jahren zusammen mit seinem Vater für ihre

Beiträge zum Gebiet der Röntgenbeugung in der Kristallographie. Er arbeitete zeit seines Lebens auf diesem Gebiet. Donald Glaser war Anfang dreißig, als er für die Erfindung der Blasenkammer ausgezeichnet wurde. Ich sehe in ihm ein besonders passendes Vorbild. Zum einen, weil er einen Teil seines Honorars für eine Hochzeitsreise ausgab.« Celestine merkte, wie sie rot wurde, als ein gedämpftes Lachen durch den Saal ging. Sie hielt das Opernglas fest an die Augen, um nicht auf Paulas Rippenstoß reagieren zu müssen.

»Aber er ist für mich auch ein passendes Vorbild aufgrund einer Entscheidung, die er traf, nachdem er den Preis erhalten hatte. Glaser wechselte das Forschungsgebiet und stellte sich von Blasenkammern und kosmischen Strahlen auf Molekularbiologie und Biophysik um. Ich habe mich entschieden, es ebenso zu machen – mich auf ein anderes Fach zu verlegen; ganz allein ein neues Forschungsgebiet zu betreten. Aber ich habe auch beschlossen, noch einen Schritt weiter zu gehen und einen Kurs einzuschlagen, der, wie ich hoffe, dennoch in Einklang steht mit den Zielen Alfred Nobels. Ursprünglich dachte Nobel, daß die mit dem Preis verbundene Summe den Preisträger unabhängig machen würde. Heutzutage trifft das nur insoweit zu, als der Nobelpreis dem Empfänger gewöhnlich Forschungsgelder von staatlichen Einrichtungen oder Stiftungen garantiert. Ich dagegen würde den Großteil meines Honorars gern in dem engeren Sinn verwenden, wie Nobel es sich vor fast neunzig Jahren vorstellte: als die nötigen Mittel, um mich beruflich unabhängig zu machen. Ich werde wieder studieren« – Stafford machte eine Pause, um den Satz beim Publikum wirken zu lassen –, »und zwar an einer medizinischen Fakultät, um den Grad eines Doktors der Medizin zu erwerben, der mich später befähigen wird, die klinischen Auswirkungen der Tumorgenese-Theorie zu erforschen, die in Professor Cantors Labor entworfen wurde.

Da es Professor Cantor war, der mich mit Eliots Dichtung bekannt gemacht hat, hoffe ich, daß er nichts dagegen einzuwenden hat, wenn ich mit einem Zitat aus dem Gedicht schließe, das er als Anfang wählte: ›Wir werden nicht nachlassen in unserem Forschen. / Und das Ende unseres Forschens /

Ist, an den Ausgangspunkt zu kommen / Und zum erstenmal den Ort zu erkennen.‹«

Als Stafford zu seinem Platz neben der Königin von Schweden zurückging, wischte sich Celestine mit ihrer Serviette die Tränen ab. Sie hatte vergessen, ein Taschentuch mitzunehmen.

Das Bankett hatte fast drei Stunden gedauert; Celestine hatte kein einziges Wort, keinen einzigen Blick mit ihrem Geliebten tauschen können, der ihr vor Hunderten von Gästen praktisch einen Heiratsantrag gemacht hatte. Sie hoffte, es auf dem Tanzparkett wieder wettzumachen, aber selbst diese Begegnung verzögerte sich. Der Ball, der von den Studenten der Universität veranstaltet wurde, fand im *Gyllene Salen* im Obergeschoß statt. Die diesjährige Vorsitzende der Studentenvereinigung, eine Frau, die den Seiten eines Prospekts des schwedischen Verkehrsamts entsprungen zu sein schien, führte Stafford von der Seite der Königin direkt auf die Tanzfläche. Celestine mußte sich damit begnügen, mit dem Schweden zu walzen, der sie und Jerry im Wagen begleitet hatte. Der nächste Tanz, ein Foxtrott, wurde von Cantor beansprucht.

»Miss Price«, verkündete er mit geziemender Förmlichkeit, »ich bin sicher, daß Sie lieber mit Jerry tanzen würden, aber er scheint mir sehr begehrt zu sein. Der Foxtrott kommt meinem Stil noch am nächsten. Darf ich um diesen Tanz bitten?«

Cantor entpuppte sich als leicht steifer, aber ansonsten sachkundiger Tänzer, der sie an die Peripherie der wirbelnden Menge führte. Celestine begann ihm zu seiner Tischrede zu gratulieren, doch der Professor unterbrach sie. »Lassen Sie uns lieber über Jerrys Rede sprechen. Waren Sie auf das gefaßt, was er sagte?«

»Absolut nicht.«

»Ich auch nicht, aber ich muß sagen, ich war beeindruckt. Ich wußte gar nicht, daß er meinen Rat hinsichtlich Eliots so ernst genommen hat. Ich bin beeindruckt«, wiederholte Cantor. »Aber wissen Sie, ich glaube, daß Sie eine Menge mit seiner Entscheidung für ein Medizinstudium zu tun haben.«

»Wieso das?«

»Den Nobelpreis zu bekommen und dann zu beschließen, wieder die Schulbank zu drücken?« sagte er nachdenklich. »Vielleicht hat er recht. Mit dieser Bemerkung Eliots über den Preis hat er mir jedenfalls sehr zu denken gegeben. Ich hatte sie noch nie gehört.« Cantor legte den Kopf zurück, um seine Tanzpartnerin ansehen zu können. »Als ich Jerry drunten gratulierte« – er deutete mit dem Kopf in Richtung des Blauen Saals im Erdgeschoß –, »fragte ich ihn, ob er sich schon für eine bestimmte Universität entschieden habe. Wissen Sie, was er sagte?«

Celestine schüttelte den Kopf.

»Ich hätte gedacht, daß er Harvard wählt: Jerry ist bereits dort, und Kurt Krauss könnte sich um alles kümmern. Statt dessen sagte er mir, er habe Wisconsin und die UCLA angeschrieben. Hatten Sie nicht erwähnt, daß die Universität von Wisconsin eine der Hochschulen ist, die Ihnen eine Stelle angeboten haben?«

»Ja.«

»Aber warum Los Angeles?« wollte Cantor wissen. »Die UCLA ist eine gute Universität, aber es gibt mindestens ein Dutzend dieser Güte.«

»Ich habe keine Ahnung«, erwiderte Celestine, während ihre Augen Stafford suchten. »Vielleicht hat er einen Freund am Caltech.«

Erst ein Schlager der Bee Gees, bei dem einige der älteren Tänzer das Parkett räumten, führte Celestine von Angesicht zu Angesicht mit Stafford zusammen. »Endlich!« rief er aus. »Es war verdammt schwer, dich aufzuspüren. Und jetzt, wo wir uns endlich gefunden haben, können wir uns nicht einmal anfassen.« Sie bewegten ihre Hüften, Schultern und Arme im Disco-Rhythmus. Jedesmal, wenn sie sich einander näherten, wurde eine kurze Frage abgefeuert.

»Du liebäugelst mit der UCLA?«

»Wer sagt das?«

»Cantor.«

»Dieser Idiot!«

»Nein, er konnte nur nicht begreifen, warum.«

»Und du?«

»Ich schon!« schrie sie zurück. »Du willst was von deinem Nobel-Geld bei mir in der Nähe ausgeben.«

»Und für uns!« brüllte er.

Daraufhin hörte sie auf zu tanzen und umarmte Stafford. »Zum Teufel mit der Tanzerei!«

Auf der Rückfahrt ins Hotel drehte sich ihr Betreuer zu ihnen um und fragte: »Dr. Stafford, hat Eliot das über den Nobelpreis und seine Beerdigung wirklich gesagt?«

»Ja. Es steht in seiner neuesten Biographie.«

»Ihre Rede war sehr gewagt.« Er sah Celestine an. »Miss Price, wußten Sie, daß Dr. Stafford vorhat, Medizin zu studieren?«

»Nein.«

»Und was halten Sie davon?«

»Es ist sehr gewagt«, sagte sie und lachte schallend. »Und ganz toll. Ich hoffe nur, daß er zugelassen wird.«

Der Mann war schockiert. »Mit einem Nobelpreis?«

»Es kommt darauf an, wie Sie das meinen«, bemerkte Stafford. »Ich will euch beiden was verraten, aber behaltet es bitte für euch. Außer in Wisconsin und an der UCLA hab ich mich auch in Harvard beworben. Für alle Fälle.« Er blinzelte Celestine zu. »Wißt ihr, was passiert ist? Ein paar Tage vor meiner Abreise nach Stockholm kam eine Karte mit der Post. Eine vorgedruckte Karte vom Zulassungsamt, ohne Unterschrift.«

»Was stand darauf?« fragte der Betreuer.

»Daß Harvard meine Bewerbung nicht in Erwägung ziehen könne. Ich hatte den Anmeldeschluß verpaßt.«

»Aber . . . aber«, begann der Mann zu stottern.

»Ich weiß, was Sie sagen wollen«, unterbrach Stafford. »Sie wußten offenbar nicht, daß ich den Nobelpreis bekommen hatte. Aber das ist ja genau der Punkt, auf den ich in meiner Tischrede hinauswollte.«

»Na, wie ist es, mit einem Nobelpreisträger zu schlafen? Jedenfalls jetzt, wo es offiziell ist«, murmelte er Celestine ins

Ohr. Es war nach drei Uhr, aber beide waren noch viel zu aufgeregt, um einzuschlafen. Die Abendkleidung der beiden war auf dem Boden von Staffords Schlafzimmer verstreut. Sie lagen im Bett, wo das von der Straße einfallende Licht gerade ihre Gesichtszüge erkennen ließ.

»Das war vielleicht ein Abend!« sagte er mit einem zufriedenen männlichen Ton in der Stimme. »Ich wünschte, du hättest bei dem Bankett neben mir gesessen.«

»Dann wäre dir die Unterhaltung mit der Königin entgangen. Wie war sie denn?«

»Sehr nett und sehr schön.«

»Das sagt mir gar nichts. Worüber habt ihr euch unterhalten?«

»Das errätst du nie.«

»Dann sag's mir halt.« Sie kniff ihn. »Komm schon, Jerry. Ich habe noch nie mit Majestäten geplaudert.«

»Morgen abend kannst du es. Im Schloß – du gehst nämlich mit mir hin.«

»Ich weiß, aber ich würde gern erfahren, worüber ihr beim Bankett gesprochen habt. Nur ein Beispiel.«

»Okay. Über Besteck.«

»Besteck?« Sie kniff ihn abermals. »Im Ernst, Jerry.«

»Ehrenwort. Du hast doch die Gedecke bei dem Bankett gesehen. Hast du mal die Messer und Gabeln und Löffel gezählt? Vor allem die Messer?«

»Nein.«

»Aber ich. Ich hab noch nie in meinem Leben ein Fischmesser benutzt. Als es den Gravedlachs gab, hab ich ihn einfach mit der Gabel zerkleinert. Bis ich gesehen habe, wie die Königin ißt. Dann hab ich es ihr nachgemacht. Anscheinend hat sie es bemerkt, aber sie hat nichts gesagt, bis das Kaninchen kam . . .«

»Nicht Kaninchen. Hase. Schwedischer Hasenrücken.«

»Wie kannst du es wagen, einen Nobelpreisträger zu korrigieren?«

»Vergebung, Erlauchter«, kicherte sie. »Erzähl schon weiter.«

»Ich hab das Fleisch wie üblich geschnitten – so wie ich

mein Lebtag gegessen habe. Und da hat die Königin dann über Messer und Gabeln zu sprechen begonnen. Sie war dabei sehr freundlich und höflich, aber mir war klar, daß sie sich amüsierte.«

»Worüber?«

»Darüber, wie ich Messer und Gabel benutze. Die Königin sagte, die westliche Welt lasse sich durch die Art und Weise unterscheiden, wie die Leute ihr Eßgerät handhaben. Die meisten Europäer halten die Gabel in der einen Hand und das Messer in der anderen und wechseln niemals. Der Lackmustest kommt, wenn sie Erbsen essen.«

»Also wirklich, Jerry! Die Königin hat mit dir darüber gesprochen, wie man Erbsen ißt?«

»Ja, im Ernst. Bei Erbsen, so die Königin, halten die Europäer – außer den Engländern – die Gabel in der Position, in der sie dazu bestimmt ist, das Essen zum Mund zu führen: also mit der geschwungenen Seite zum Teller und nach oben weisenden Zinken. Dann werden die Erbsen mit dem Messer auf die Gabel geschoben. Die Briten, erklärte die Königin, halten die Gabel ebenfalls in der einen Hand und das Messer in der anderen, aber sie treiben es mit dem niemals Wechseln eindeutig zu weit: Die Zinken der Gabel weisen immer zum Teller, wie wenn man in ein Stück Fleisch sticht. Folglich besteht die einzige Art, in England Erbsen zu essen, darin, sie mit der Messerklinge an der Gabel zu Brei zu zerdrücken, was einfacher ist, wenn man Kartoffelpüree als Klebstoff oder Zement benutzt, damit die Erbsen nicht herunterfallen.«

Celestine begann zu kichern. »Jerry, das gibt's doch nicht! Was hat die Königin denn auf Erbsen gebracht?«

»Meine Eßweise. Sie bemerkte, ich sei der typische Amerikaner – die dritte Variante von Essern –, der das Besteck auf die zeitraubendste Weise, wie sie es nannte, benutzt. Sie wies darauf hin, wie ich mein Fleisch schneide, das Messer weglege, die Gabel in die andere Hand nehme, einen Bissen esse, dann wieder wechsle und so immer weiter, bis das Fleisch schließlich verzehrt ist. Weißt du, was sie mich zum Abschluß gefragt hat?«

»Was denn?«

»Warum wir Amerikaner, die wir doch angeblich so effizient sind, noch nie einen Experten für Zeitstudien beauftragt haben, einmal zu untersuchen, wie die amerikanische Produktivität steigen würde, wenn jeder so essen würde wie die Europäer. Ich habe erwidert, daß die Amerikaner bewußt langsamer essen, um die Unterhaltung bei Tisch zu fördern. Das hat ihr gefallen.«

»Ist das alles, worüber ihr geredet habt? Über Messer, Gabeln und Erbsen?«

»Nein.«

»Über was noch?«

»Als ich nach meiner Ansprache vom Mikrophon zurückkam, hat sie mich auf die Sache mit der Hochzeitsreise angesprochen: ob das etwas Hypothetisches sei oder ob ich an jemand bestimmtes dächte.«

»Was hast du gesagt?«

»Ich hab ihr gesagt, daß ich es ernst meine, daß die Auserwählte tatsächlich im Saal sitzt, aber daß ich das Thema eigentlich noch nicht zur Sprache gebracht habe.«

»Ach nein? Und was ist mit deiner Bemerkung vor ein paar hundert Leuten?«

»Ich dachte, das sei vielleicht zu subtil gewesen.«

»Für die Königin vielleicht. Aber nicht für die Auserwählte.«

»Schau doch mal, Jerry«, rief Celestine. Sie trug Staffords Bademantel und starrte aus dem Fenster.

»Wieviel Uhr ist es?« kam seine träge Frage aus dem Bett.

»Weiß ich nicht«, antwortete sie, »vermutlich schon spät. Mindestens zehn Uhr. Die Sonne scheint, es ist wieder ein klarer Tag. Aber komm doch mal her!« Sie deutete hinunter auf die Straße.

Sie konnten Cantor und Paula Curry am Wasser stehen sehen, wo sie den Seemöwen am Ufer des Strömmen zusahen und Händchen hielten.

»Es ist merkwürdig, I. C. mit einer Frau zu sehen«, meinte Stafford nachdenklich. »An so etwas habe ich bei ihm nie gedacht. Ich wüßte gern, ob sie miteinander schlafen.«

»Ich hoffe es.«

»Er scheint glücklich zu sein«, fuhr er versonnen fort, als hätte er sie nicht gehört.

Celestine drehte sich überrascht zu ihm um. »Warum sollte er das nicht sein? Bist du denn nicht glücklich?«

»Nicht so richtig. Heute ist Montag.«

»Na und?«

»Heute nachmittag halten wir unsere offiziellen Vorträge.«

»Du bist doch deswegen nicht besorgt, Jerry, oder?« Sie nahm sein Gesicht in ihre Hände. »Du hast ein Manuskript und Dias – und du weißt schließlich genau, von was du dort sprichst.«

»Ja, schon. Trotzdem bin ich nicht unbesorgt.«

Das Auditorium maximum des *Karolinska Institut*, der bedeutendsten medizinischen Fakultät Schwedens, war vollbesetzt. Die Professoren des Instituts nahmen die ersten Reihen ein, aber viele Studenten mußten sich mit den Stufen der Gänge begnügen. Neben Journalisten und Photographen, die ständig ihre unverschämten Blitze aufflammen ließen, waren auch viele andere Nichtakademiker zu den beiden Vorträgen geströmt. Trotz ihres technischen Charakters erwies sich die Kombination Krebs und Nobelpreis als allzu verlockend für viele Gäste, die noch nie einen Vortrag an der Karolinska durchgestanden hatten. Stafford und Cantor saßen in der ersten Reihe, auf beiden Seiten von Professor George Klein, einem der führenden Krebsbiologen der Welt. Als einer der rangältesten Fakultätsmitglieder der Karolinska fiel es ihm zu, die beiden Redner vorzustellen. Während Cantor und Klein sich seit Jahren kannten, hatte Stafford den Professor erst am Samstag kennengelernt. Angesichts dieser Umstände und der Tatsache, daß Cantor so viel bekannter und renommierter war, bewältigte Klein die Vorstellung mit meisterhafter Diplomatie. Was konnte er schon über Stafford sagen, außer daß er bei Cantor promoviert hatte – was jeder wußte – und daß er jetzt im Labor von Kurt Krauss in Harvard war? Er beschloß, die beiden in einem Paket vorzustellen – einem kleinen, aber elegant verpackten.

»Wir haben heute die besondere Ehre, zwei ›ungewöhnliche Männer‹ zu hören«, begann Klein und deutete mit zwei erhobenen Fingern jeder Hand die Anführungszeichen an. »Ich benutze diese Worte in dem Sinn, wie Gerald Holton sie definiert hat, der Physiker und Wissenschaftsphilosoph aus Harvard: Männer, die Wissenschaft *machen*, im Unterschied zu den meisten Mitgliedern der wissenschaftlichen Gemeinschaft, die Wissenschaft *betreiben*; die in der Hauptsache das ›Aufräumen‹ besorgen, wie Thomas Kuhn es nannte, ein anderer Wissenschaftsphilosoph. Die biographische und berufliche *vita* unserer beiden Preisträger wurde bereits gestern bei den Nobel-Feierlichkeiten vorgetragen, und ich will sie heute nicht abermals zu Gehör bringen. Da ihre Nobel-Vorträge eine Gemeinschaftsarbeit behandeln, schlage ich vor, daß wir ihnen ohne eine Unterbrechung zuhören. Professor Cantor« – er lächelte seinem in der ersten Reihe sitzenden Freund zu – »ich hoffe, daß Sie nichts dagegen einzuwenden haben, unmittelbar im Anschluß an Dr. Stafford zu sprechen. Es wird wie im *Fliegenden Holländer* sein, einer Oper, die man ohne Pause hören sollte. Dr. Stafford« – Klein streckte die Hand aus – »ich nehme an, Sie sind der erste.«

Stafford schritt zum Podium, korrigierte die Höhe des Mikrophons und begann seinen Vortrag. Er war wie ein Schwimmer, der das Wasser nicht erst lange prüfte, sondern unverzüglich hineinsprang. Abgesehen von einem leichten Nicken in Kleins Richtung verzichtete er auf die erwarteten Formalitäten – sogar auf das »Meine Damen und Herren«.

»Kann ich bitte das erste Dia haben?« waren seine Worte zum Auftakt. Er probierte den Laserzeiger an der Bildwand aus und begann: »Wir haben beschlossen, unsere Arbeit in chronologischer Reihenfolge zu präsentieren, was glücklicherweise auch logisch ist. Wenden wir uns zunächst der theoretischen Konstruktion zu . . .«

Cantor lehnte sich lässig auf seinem Platz zurück, nicht nur, weil diese Haltung den günstigsten Winkel zum Betrachten der Dias bot, sondern auch, weil er ganz entspannt war. Nach dem exotischen Glamour der Nobelpreis-Feierlichkeiten war er nun wieder in seinem Element: Die nüchternen technischen

Sätze, der Lichtstrahl des Diaprojektors, der den verdunkelten Raum durchschnitt, das An- und Abschwellen der Stimme des Redners, all das ließ ihn in den bekannten halbwachen Zustand eines Menschen versinken, der einen Vortrag schon einmal gehört hat. Er erinnerte sich noch an die Worte »theoretische Konstruktion« – sie erschienen im ersten Absatz des Entwurfs, den er Stafford nach Boston geschickt hatte. Während Stafford weitersprach, schloß Cantor die Augen. Er brauchte sich die Dias nicht anzuschauen – es war klar, daß Jerry sich eng an Cantors Text gehalten hatte.

Die beiden Frauen saßen auf halber Höhe des steilen Amphitheaters neben einem der Gänge. Während Celestine ganz bei der Sache war, begann Paula zu dösen. Das Thema war ihr viel zu technisch, viele der Wörter nahezu unverständlich. Aber als Stafford fast eine halbe Stunde gesprochen hatte, stellte sie plötzlich fest, daß sie Worte hörte, die sie verstand. Oder war es eine Veränderung in seinem Tonfall? Neben ihr hatte sich Celestine ebenfalls aufgesetzt. Sie beugte sich vor, konnte in dem verdunkelten Raum jedoch nur den Umriß von Staffords Gesicht erkennen, das von unten von der Pultlampe beleuchtet wurde und oben vom Licht der Dias einen Heiligenschein erhielt. Der Ausdruck auf seinem Gesicht war nicht auszumachen. »Wenden wir uns nun der Beziehung zwischen Theorie und Tatsachen zu«, sagte er gerade. »Eine wissenschaftliche Theorie läßt sich nicht beweisen, sondern nur widerlegen. In anderen Worten: Sie muß experimentell nachgewiesen werden.«

Cantor öffnete die Augen und sah auf seine Uhr. Es hörte sich an, als würde bald das Stichwort für seinen Vortrag fallen, dabei hatte Stafford erst achtundzwanzig Minuten gesprochen. Cantor war überrascht, daß Jerry seinen Vortrag nicht über die zugebilligten fünfundvierzig Minuten ausdehnte. »Daher möchte ich mich nun . . .«

Cantors geistiges Radar begann die ersten schwachen Unregelmäßigkeiten aufzufangen. War es der Gebrauch der ersten Person Singular?

». . . dem ersten experimentellen Nachweis zuwenden, dem wir diese allgemeingültige Theorie der Tumorgenese unterwerfen.« Nur zwei Personen im Publikum reagierten auf diesen Satz, aber auf sie wirkte er wie eine eiskalte Dusche. Cantor setzte sich kerzengerade auf, während Celestine sich den Mund zuhielt. »O nein!« flüsterte sie.

»Was ist los?« Paula beugte sich besorgt über ihre Nichte.

»Hör dir das an!« stöhnte Celestine leise.

Stafford wechselte wieder zur ersten Person Singular und ging daran, in einfachen Worten sein erstes Experiment zu schildern, das, von dem Cantor geglaubt hatte, er habe es endlich begraben. Celestine fragte sich noch, was in Jerry gefahren war, daß er dieses Thema aufs Tapet brachte, als eine noch größere Überraschung kam. »Eine eigene Theorie nachzuweisen, genügt jedoch nicht. Es muß auch externe Kontrollen geben. In unserem Fall beschloß Professor Kurt Krauss in Harvard, diese Bestätigung zu liefern, indem er Dr. Ohashi in seinem Labor bat, unser Experiment zu wiederholen.«

Was geht eigentlich im Kopf dieses Menschen vor, überlegte Cantor hektisch. Ist Jerry verrückt geworden? Celestine schloß die Augen. Sie kam sich vor wie jemand, der durch eine Einbahnstraße fährt und plötzlich einen Wagen auf sich zuschießen sieht. Sie konnte nur noch voll auf die Bremse steigen und die Augen zumachen.

Gerade als sie den Zusammenstoß erwartete, hörte sie Stafford sagen: »Anfänglich hatte er Probleme, unseren Versuch zu wiederholen. Erst als man jeden Schritt sorgfältig überprüfte, wurde die Diskrepanz entdeckt. Am Ende war es etwas ganz Banales.« Der Anflug eines Lächelns schlich sich in seine Augen, als er Cantor zum erstenmal ansah, der ihn aus der ersten Reihe anstarrte. »Wenn aus diesem Vorfall eine Lehre zu ziehen ist, dann die, daß man selbst die kleinsten Details in sein Laborbuch eintragen sollte.« Cantor zuckte bei diesem Widerhall seiner eigenen oft wiederholten Worte zusammen. »Man weiß nie, welche Details sich einmal als entscheidend herausstellen.«

Celestine öffnete die Augen. Staffords Lächeln war deutlich zu sehen. »Glücklicherweise hat Dr. Ohashi unser Experiment vor wenigen Wochen reproduziert. Aber wie es der Zufall wollte, war seine Bestätigung unnötig, weil wir in der

Zwischenzeit auf einen zweiten Nachweis gekommen waren, der wunderbar klappte.« Er wartete, um diese Bemerkung wirken zu lassen. »Übrigens wird dieses Experiment derzeit ebenfalls im Labor von Professor Krauss auf Herz und Nieren geprüft. Ich habe keinen Grund, daran zu zweifeln, daß es letzten Endes ebenfalls reproduziert werden wird.« Zum zweitenmal während seinem Vortrag ließ Stafford seinen Blick auf Cantor ruhen. Doch diesmal lächelte er nicht. Für den völlig konsternierten Cantor – und höchstwahrscheinlich für Cantor allein – sah es aus wie eine Warnung. »Dieser Schuft!« fluchte er im Flüsterton. Und was meinte er mit »letzten Endes«?

Bevor Cantor den tieferen Sinn dieser bedrohlichen Formulierung verdauen konnte, warf ihm Stafford den Ball zu. »Somit haben wir in Wahrheit zwei unabhängige Nachweise, die unsere Theorie erhärten. Ich hoffe, daß niemand von Ihnen dies bloß für einen überflüssigen Querbalken am *t*, das unnötige Tüpfelchen auf dem *i* hält. Schließlich hat ›Tumorgenese-Theorie‹ zwei *t*. Und das Projekt wurde von zwei Personen durchgeführt: von mir und von Professor Isidor Cantor. Er wird Ihnen nun über das zweite Experiment berichten.«

Als die Lichter angingen und das Publikum zu applaudieren begann, wartete Stafford, bis sich Cantor erhob. Das Podium war über zwei Treppen zu erreichen, auf beiden Seiten der Plattform eine. Als Stafford Cantor langsam nach rechts gehen sah, kam er auf der anderen Seite herunter.

Celestine war sprachlos. Wenn Jerry die Wahrheit sagte – und wie konnte er in der Öffentlichkeit lügen, im Rahmen eines Vortrags, der praktisch in Stein gemeißelt in die Archive der Nobelstiftung eingehen würde –, dann hatte er Cantor ganz subtil von einem »ungewöhnlichen« Mann in einen ganz normalen Wissenschaftler verwandelt, der sich nun damit begnügen mußte, die Einzelheiten eines Versuchs zu schildern, den man beinahe eine Bestätigung eines Nachweises nennen konnte. Aber zugleich hatte er es auf eine Art und Weise getan, die nur von Cantor und Celestine verstanden wurde.

Cantor hatte weniger als eine Minute Zeit, sich auf die veränderte Sachlage einzustellen. Später am Abend kommentierten Celestine und Stafford mit Bewunderung, wie gut er improvisiert hatte.

»›Worte werden gequält, / Belastet, bis sie brechen, gezerrt / Und ausgedehnt, gleiten aus, gehen zugrunde, / Im Ungenauen verwesend, bleiben nicht an ihrem Platz / Und wollen nicht still sein.‹« Cantors Tonfall betonte den Rhythmus von Eliots Worten, während seine Augen auf Stafford gerichtet waren. Er wartete, bis Stafford schließlich zur Seite sah. »Aber dies wird heute nicht mein Problem sein«, fuhr er fort und blickte ins Publikum, »weil mein Kollege hier es mir leicht gemacht hat, unsere gemeinsame Präsentation abzuschließen. Wie er so zutreffend bemerkte: Um eine Theorie zu bestätigen, muß man sie nachweisen. Bei einer wichtigen Theorie sind zwei Nachweise besser als einer. Um zum letzten Mal T. S. Eliot zu zitieren: ›Im Alter sollte man auf Forschungsreisen gehen, / Was liegt daran, ob man hier ist oder dort?‹ Im Vergleich mit Dr. Stafford und meinen anderen Studenten zähle ich zweifellos zum Alter. Vielleicht war das der Grund, warum es mich reizte, eigenhändig das Experiment durchzuführen, das ich jetzt beschreiben werde.«

Nach Beendigung seines Vortrags, sowie Klein die Veranstaltung geschlossen hatte, wandte sich Cantor an seinen Gastgeber: »George, mir ist gerade eingefallen, daß ich dringend jemand in den Staaten anrufen muß. Ich werde es ganz kurz machen. Dürfte ich Ihr Büro benutzen?«

»Kurt«, begann Cantor sofort, als sich Krauss am Telephon meldete, »ich rufe aus Stockholm an. Ich weiß, daß es früh ist —«

»Das macht doch nichts!« dröhnte Krauss. »Meine Glückwünsche! Wie lief Ihr Vortrag?«

»Warum lassen Sie sich das nicht von Jerry Stafford erzählen, wenn er wieder in Boston ist?« antwortete er listig. »Apropos Stafford. Er hat mir gesagt, daß Sie unser erstes Experiment nun doch reproduzieren konnten. Ich wollte nur gerne wissen, wieso es auf einmal geklappt hat.«

»Ich hätte Sie vermutlich anrufen sollen, aber Ohashi hat erst vor ein paar Wochen damit Erfolg gehabt, und Jerry wollte Sie überraschen. Er hat Ohashi ständig in den Ohren gelegen, es noch einmal zu versuchen – obwohl ich ihnen gesagt habe, daß es wirklich unmöglich ist, beide Bestätigungen vor dem 10. Dezember abzuschließen.«

»Fahren Sie fort«, sagte Cantor automatisch. Er wußte, was kam.

»Ohashi muß Ihr Experiment etwa zu zwei Dritteln fertig gehabt haben, I. C., aber Stafford bestand darauf, daß wir uns das erste Experiment von ihm noch einmal vornahmen. Er sagte, um der Geschichte willen müsse das erste Experiment vor dem 10. Dezember dieses Jahres wiederholt werden und dürfe nicht auf einen späteren Zeitpunkt verschoben werden. Schließlich war das ja das Experiment, für das Sie beide den Nobelpreis bekommen haben. Er hat sogar angeboten mitzuhelfen. Also habe ich nachgegeben und Ohashi angewiesen, es noch einmal zu versuchen. Die Erklärung stellte sich als lachhaft simpel heraus: Anscheinend hatte Ohashi einen nagelneuen Szintillationszähler benutzt, dessen Eichung nicht überprüft worden war. Sie wissen ja, wie das ist, irgendein unbedeutendes Detail . . .«

»Ja«, flüsterte Cantor fast unhörbar.

»I. C.? Hören Sie mich?« brüllte Krauss.

»Ja, ich höre Sie.«

»Es gibt jedoch ein Problem.« Krauss zögerte. »Ohashi wird *Ihr* Experiment nicht zu Ende führen können. Er hat ein großartiges Angebot aus Kyoto bekommen, aber das bedeutet, daß er schleunigst noch seine eigene Arbeit hier unter Dach und Fach bringen muß. Darum gebe ich es weiter an . . .«

Cantor hörte den Rest nicht mehr. Sein linker Zeigefinger drückte die Telephongabel so fest nieder, als würde er eine brennende Zigarette ausmachen.

Für die Fahrt zurück ins Grand Hotel schlug Cantor vor, daß Paula und Celestine im gleichen Wagen fuhren. Er wollte mit Stafford reden.

»Jerry«, begann er, »warum haben Sie mich nicht im voraus wissen lassen, was Sie sagen würden? Abgesehen von elementarer Höflichkeit, finden Sie nicht, daß das nur fair gewesen wäre?«

Stafford wich seinem Blick aus. »Das konnte ich nicht, I. C.«

»Ha!« schnaubte Cantor. »Warum nicht?«

»Sie hätten gesagt, daß ich diese Sache nicht erwähnen soll.« Er sah Cantor endlich an, einen schmerzlichen Ausdruck im Gesicht.

Cantor starrte zurück. »Ja, das hätte ich vermutlich.«

»Aber begreifen Sie denn nicht, I. C.?« rief Stafford aus. »Ich hätte nicht nach Stockholm kommen können, wenn das erste Experiment nicht im Labor von Krauss wiederholt worden wäre. Ich denke nicht, daß Sie mir geglaubt hätten, wenn ich es nicht in aller Öffentlichkeit verkündet hätte.«

»Richtig, Jerry«, räumte er ein. »Ich mußte heute zum Telephon greifen und Krauss direkt fragen.«

»Wirklich?« Staffords Ton war scharf. »Wann?«

»Gleich nach dem Vortrag. Von Kleins Büro aus.«

»Hätten Sie Krauss auch angerufen, wenn ich Ihnen die Fakten nur privat mitgeteilt hätte?«

»Nein«, gab Cantor zu, »dann hätte ich Angst gehabt. Krauss wird sich auch so schon einen Vers darauf machen. Aber Sie haben mich dazu gezwungen, Jerry.«

»Ich wußte es«, murmelte Stafford, »ich wußte es.«

Cantor blickte mit gerunzelten Brauen zum Wagenfenster hinaus. Schließlich drehte er sich um. »Jerry, was haben Sie an dem Sonntag abend in meinem Labor gemacht? Am Tag bevor wir das Experiment gemeinsam abgeschlossen haben?«

Stafford sah auf. »Woher wissen Sie, daß ich da war?«

Cantor zuckte die Achseln. »Das tut nichts zur Sache. Es ist nicht weiter wichtig.«

»Sie haben recht«, stimmte Stafford zu. »Wichtig ist nur, daß ich noch etwas Enzym in die Kultur im Inkubator getan habe. Das wollte ich Ihnen sagen, als ich zu Ihnen nach Hause gekommen bin, und erklären, warum ich es gemacht habe. Aber Sie wollten mich ja nicht anhören.«

Cantor schloß einen Moment lang die Augen und schluckte. Lange Zeit sagte er nichts. »Und das erste Mal?«

»Müssen Sie das immer noch fragen?« schoß Stafford zurück. »Hat Krauss das nicht zu Ihrer Zufriedenheit geklärt?«

»Schon .. aber ... «

»Aber ich war auch in Harvard, als Ohashi schließlich Erfolg hatte? Wollten Sie *das* sagen, I. C.?«

Cantor nickte stumm.

Stafford sah zum Wagenfenster hinaus auf den abendlichen Verkehr. »I. C., ich wußte, daß ich das, was ich an dem Sonntag getan habe, nie wieder gutmachen könnte – in Ihren Augen nicht und in meinen auch nicht, was das angeht. Das ist der wahre Grund, warum ich Medizin studieren will. Statt nur eine neue Seite aufzuschlagen, fange ich mit einem neuen Buch an.«

»Ich fand das sehr clever.«

»Clever?« Stafford stieß das Wort so laut aus, daß sich ihr Betreuer auf dem Vordersitz umdrehte. Stafford hatte vergessen, daß sie nicht allein waren. Er machte sich schnell an seinen Füßen zu schaffen, die er in der langen Limousine ausgestreckt hatte. »Das haben Sie also gedacht«, flüsterte er schließlich, »daß es einfach ›clever‹ war? Sie haben es nicht etwa als Buße betrachtet? Und Sie haben nie über Ihre eigene Rolle in dieser ganzen Episode nachgedacht? Daß Sie es mir wirklich unmöglich gemacht hatten, beim zweiten Mal, Sie im Labor zu enttäuschen?« Seine Stimme war wieder lauter geworden. Cantor legte den Zeigefinger auf die Lippen.

»Das einzige, worum es Ihnen im Endeffekt wirklich ging, war, was die Kraussens dieser Welt denken würden. Sie werden mir nie verzeihen, daß ich Sie in eine Situation gebracht habe, in der er vielleicht bewiesen hätte, daß Sie Unrecht hatten. Stimmt's?«

Nun war Cantor derjenige, der aus dem Fenster sah. »›Nie verzeihen‹ ist zu stark. ›Nie vergessen‹ ist vermutlich zutreffender.«

»Statt mich also reinzurufen, haben sie mich völlig im Ungewissen gelassen. Alles, was Sie wollten, war ein Experiment, das Krauss wiederholen konnte. Stimmt's, I. C.?«

Cantor warf seinem Begleiter nur einen ganz kurzen Blick zu, sagte jedoch nichts.

»Ohne die Bestätigung von Krauss« – Staffords Stimme wurde sarkastisch – »war Ihre Tumorgenese-Theorie nicht komplett. So sieht es in Wahrheit doch aus, stimmt's? Antworten Sie mir, I. C.«, verlangte er, »habe ich recht?«

»Ja.«

»Und jetzt denken Sie auch noch, daß Ohashis Verifizierung meines Versuchs nichts zu sagen hat, weil ich in Harvard war. Richtig?«

»Richtig.«

Lange Zeit schwiegen die beiden Männer und starrten aus ihrem jeweiligen Fenster. Die winterliche Straße glitt allzu langsam vorbei. Als Stafford wieder sprach, klang seine Stimme unnatürlich gleichgültig. »Und hat Ihnen Krauss zufällig gesagt, was Ohashi passiert ist?«

»Ja«, erwiderte Cantor, »er hat etwas von einer miserablen Eichung des Szintillationszählers gesagt.«

»Das meine ich nicht«, unterbrach ihn Stafford barsch. »Hat er Ihnen gesagt, daß Ohashi demnächst wieder nach Japan geht?«

»Ja.« Cantor klang erschöpft. Er spürte einen plötzlichen, unheilvollen Drang zu schlafen. »Er sagte, er hätte jemand anders aus dem Labor damit beauftragt.«

Zum ersten Mal an diesem Nachmittag lag Mitleid in Staffords Stimme. »Ich vermute, daß Sie nicht wissen, wer das ist.«

20

»Sie wohnen hier ja nicht schlecht, I. C. Wieso haben Sie nie etwas davon verlauten lassen? Ich frage mich, was Sie wohl sonst noch in petto haben?«

Cantor fühlte sich geschmeichelt: Bei Krauss war diese Feststellung als Kompliment aufzufassen. »Ich mag zwar viele Fehler haben, Kurt, aber Geheimniskrämerei gehört nicht dazu. Fragen sie meine Studenten.«

Krauss warf Cantor einen verschlagenen Blick zu. »Vielleicht tue ich das. Schließlich habe ich ja Ihren Stafford. Aber ich spreche jetzt nicht von wissenschaftlichen Dingen; ich meine damit, daß ich zwar praktisch über alles im Bilde bin, was Sie in den letzten zehn oder zwölf Jahren beruflich gemacht haben – oder jedenfalls seit Ihnen die Erleuchtung gekommen ist und Sie sich unserem edlen Kampf gegen den Krebs angeschlossen haben –, aber gerade erst begriffen habe, daß Ihr Privatleben für mich ein Buch mit sieben Siegeln ist. Sie haben mir zum Beispiel nie erzählt, daß Sie diese Wohnung in Chicago haben. Oder das da.« Er deutete auf die vier Stühle und Notenständer. »In meinem Beisein haben Sie nie auch nur einen Ton gepfiffen. Und obendrein sammeln Sie auch noch englische Antiquitäten. Was haben Sie hier sonst noch versteckt?« Krauss mimte den Mißtrauischen und reckte demonstrativ den Hals.

»Sie haben nie danach gefragt. Wenn wir uns treffen, wird gewöhnlich nur gefachsimpelt. Sie verstehen also etwas von englischen Möbeln? Und interessieren *Sie* sich für Musik?«

»Ich habe keine Zeit, um ein Instrument zu spielen, aber ja doch, ich mag Musik.« Er stieß Cantor verschwörerisch an. »Ich bin sogar schon in Symphoniekonzerten gesehen worden.«

Cantor war leicht pikiert: Scherze dieser Art paßten so gar nicht zu Krauss. Er beschloss, keine Notiz davon zu nehmen: Er hatte das Gefühl, daß er zu gegebener Zeit schon herausfinden würde, was das Ganze sollte. »Möchten Sie heute abend hierbleiben und uns zuhören? Wir spielen normalerweise nicht vor Publikum, aber ich könnte unseren gestrengen ersten Geiger vermutlich überreden, eine Ausnahme zu machen.«

»Ich kann nicht«, sagte Krauss kategorisch. »Meine Maschine fliegt um 19 Uhr in O'Hare ab. Ich muß in aller Frühe wieder im Labor sein – einer muß ja schließlich die Peitsche schwingen. Anders als Sie, I. C. Sie können es sich jetzt leisten, die Hände in den Schoß zu legen, mit Ihren Studenten großmütig zu sein und Ihre Fiedel zu spielen.«

»Bratsche«, warf Cantor mit einer Grimasse ein.

»Nehmen Sie es doch nicht so wörtlich! Ich meine damit, daß Sie es geschafft haben. Wir übrigen dagegen müssen noch . . .«

Seine Stimme verlor sich, als wäre ihm plötzlich etwas anderes eingefallen. »Haben Sie meinen Lebenslauf und meine Bibliographie erhalten? Ich hatte neulich Gelegenheit, beide zu überarbeiten, und ich dachte, sie könnten für Sie von Nutzen sein.«

Cantor runzelte bewußt nachdenklich die Stirn. »Ja, richtig, ich habe sie bekommen. Sie wären beinahe untergegangen. Sie glauben gar nicht, wieviel Post ich in letzter Zeit bekommen habe.«

»Nun, ich bin froh, daß sie wieder aufgetaucht sind. Ich hätte mir nicht gern die ganze Mühe umsonst gemacht.«

»Ja«, sagte Cantor trocken, »ich habe noch nie einen eleganter gedruckten Lebenslauf gesehen. Ihre Sekretärin muß mindestens drei verschiedene Schriftsorten verwendet haben. Wie bringen Sie Ihren Laserdrucker eigentlich dazu, mit diesem schweren Briefkopf fertigzuwerden?«

Krauss sah vorsichtig auf. »Das weiß ich nicht. Für solche Dinge haben wir unsere Leute. Meine Bemerkung bezog sich weniger auf meinen Lebenslauf als vielmehr auf meine Bibliographie. Ich entschloß mich, sie nach Hauptthemen und nach Untertiteln neu zu ordnen. Wie die meisten von uns bin auch ich gewisser ›Salami-Veröffentlichungen‹ schuldig, aber diesmal habe ich alles ausrangiert außer den dicksten Scheiben – Sie wissen schon, den zukunftsweisenden Arbeiten.«

»Das habe ich bemerkt.«

»Ich dachte, es würde die Sache einfacher machen.«

»Einfacher?«

Krauss sprach weiter, als hätte er die Frage gar nicht gehört. »Haben Sie Ihren Vorschlag schon eingesandt?«

Cantor hatte in einer Ecke gesessen, die Beine lässig übereinandergeschlagen, den einen Arm über die Rücklehne des Sofas geworfen. Krauss hockte in der anderen Ecke. Plötzlich stand Cantor auf. »Kurt, ich habe Ihnen ja gar nichts zu trinken angeboten. Möchten Sie etwas, bevor Sie zum Flughafen aufbrechen? Sherry? Oder vielleicht Perrier?«

»Danke, nichts. Ich habe einen Abendflug, und da gibt es reichlich zu trinken. Wenn ich geschäftlich unterwegs bin, fliege ich immer Erster Klasse.«

»Ich werde mir einen Sherry genehmigen«, sagte Cantor und ging zu dem Queen-Anne-Sideboard.

»Nun, haben Sie ihn eingesandt?«

Cantor war von der Unverblümtheit der Frage überwältigt. »Nein«, sagte er und goß den Sherry ein, als handelte es sich um eine gefährliche Chemikalie im Labor. »Ich hatte noch gar nicht über Vorschläge nachgedacht.«

»Ich spreche nicht von Vorschlägen« – Krauss zog das Wort in die Länge, als hätte es drei *n* – »für die üblichen Auszeichnungen. Ich frage nach *dem* Vorschlag. Eines der echten Privilegien eines Nobelpreisträgers – vielleicht das einzige dauerhafte Privileg – ist schließlich, daß er nicht warten muß, bis ihn die Kommission um einen Vorschlag bittet.« Er lachte kurz und trocken in sich hinein. »Sie hatten Glück, I. C., daß letztes Jahr ich an der Reihe war . . .«

Cantor, der wieder in seiner Sofaecke saß, verschluckte sich an seinem Sherry. Krauss beugte sich hinüber und klopfte ihm auf den Rücken. »Nicht so hastig, I. C., wir können es uns nicht leisten, sie jetzt zu verlieren.«

In dem Moment wurde die Eingangstür aufgeschlossen. »Leonardo, Schatz«, ertönte eine Frauenstimme, »ich konnte früher weg, als ich – oh«, rief Paula Curry aus, als sie den Eingang zum Wohnzimmer erreichte, »ich wußte nicht, daß du Besuch hast.«

Cantor sprang auf, um Paula die Einkaufstasche abzunehmen. »Das ist Kurt Krauss aus Harvard«, sagte er mit einer Handbewegung zu Krauss. »Er hat nur kurz auf dem Weg zum Flughafen hereingeschaut. Du hast mich ja schon von ihm sprechen hören. Kurt, das ist Paula Curry.«

»Aha«, rief Krauss und linste hinauf zu Paula. »Ich wußte ja, daß Sie noch weitere Geheimnisse auf Lager hatten. Guten Tag, Miß Curry.« Er stand langsam auf und verbeugte sich unbeholfen. »Oder heißt es Dr. Curry?«

Paula blickte hinunter auf Krauss, der an die fünfzehn Zentimeter kleiner war. »Einfach Paula Curry.« Es sah Paula gar nicht ähnlich, Leute anzustarren, aber die Überraschung war einfach zu groß. Sie hatte schon genug über ihn gehört, erst von Cantor und später, in Stockholm, von Stafford, um sich ein ziemlich genaues geistiges Bild von dem Mann zu machen: eine imposante Erscheinung vom Typ preußischer Offizier – nicht dieser Zwerg mit dem überdimensionalen Kopf, einem wilden Haarschopf à la Einstein und kleinen, funkelnden Augen. Jetzt fiel ihr nichts anderes ein als Alberich, der Zwerg aus dem *Ring*. »Lassen Sie sich durch mich nicht stören«, sagte sie endlich, »ich gehe mich umziehen, bevor Sol und Ralph kommen.«

»Sie stören uns überhaupt nicht, Miß Curry.« Krauss war wieder zum Sofa gegangen. Im Sitzen beherrschte sein riesiger Kopf seinen kleinen Körper nur noch mehr. »Welche Rolle spielen Sie hier?« fragte er mit charakteristischer Unverblümtheit und machte eine ausladende Handbewegung.

»Cello. Im Quartett. Und was spielen Sie, Dr. Krauss?«

Cantor gestattete sich ein feines Lächeln. Er freute sich, Krauss einmal in der Defensive zu sehen.

»Ich habe keine Zeit, um zu spielen.«

Paula zog die Augenbrauen hoch. »Man kann doch wohl auch in der Wissenschaft spielen.«

»Die Wissenschaft ist eher ein Kampf als ein Spiel, Miß Curry. Aber lassen Sie beide sich durch mich nicht vom Spielen abhalten«, fuhr er mit spöttischer Stimme fort. »Nur eins noch, I. C.« Er wandte sich an Cantor, als wäre das Thema Paula damit erledigt. »Ich wollte Ihnen nur noch sagen, daß Stafford gewisse Schwierigkeiten hat, Ihr Experiment zu wiederholen.«

Cantor spürte, wie ihm die Röte ins Gesicht stieg. Er fragte sich, ob man sie wohl sah.

Krauss erkannte, daß er einen Treffer erzielt hatte. »Nun, Sie wissen ja, wie das ist«, fuhr er mit einem leisen Lächeln fort, »so etwas kann den Besten von uns passieren. Vermutlich ein übersehenes Detail in den Sachen, die Sie uns geschickt haben. Ich habe Stafford empfohlen, herzukommen und das Experiment mit Ihnen in Ihrem Labor durchzuführen. Natürlich auf Kosten *meiner* NIH-Mittel.« Er breitete edelmütig die Hände aus. »Aber Stafford wollte nichts davon wissen. Er sagte, er wolle das Experiment wie ein *unabhängiger* Forscher in einem entfernten Labor wiederholen, nicht wie ein verlorener Sohn, der heimkehrt. Aber machen Sie sich keine Sorgen, I. C.« – Krauss zog sich vom Sofa hoch – »von mir erfährt niemand etwas. Und Stafford ist das Ganze bestimmt viel zu peinlich, als daß er es ausposaunen würde. Erinnern Sie sich, daß Sie mir einmal gesagt haben, er sei der beste Mann, den Sie je hatten? Wenn er Ihren Versuch nicht reproduzieren kann, dann haben Sie Glück, daß das in meinem Labor passiert und nicht irgendwo anders.« Er verbeugte sich vor Paula und ging in Richtung der Diele. »Ich nehme wohl besser ein Taxi zum Flughafen.« Doch dann zögerte er. »Wissen Sie, I. C., wir sollten dankbar sein für die Erfindung des Eilbotens. Heute ist der fünfundzwanzigste Januar.«

»Was für ein eigenartiger Mensch«, sagte Paula, sobald sich die Tür hinter Krauss geschlossen hatte, »und was sollte die mysteriöse Bemerkung über das Datum?«

»Dieser erpresserische Dreckskerl!« Paula hatte noch nie einen so zornigen Ausdruck in Cantors Gesicht gesehen. Und ihn auch noch nie jemanden »Dreckskerl« nennen hören.

»Welch vesuvischer Wutausbruch, Leonardo.« Paula versuchte ihn zu beschwichtigen. »Komm, setz dich aufs Sofa und erzähl, was passiert ist.«

Cantor ging weiter im Zimmer hin und her. »Die Frechheit dieses Menschen! Ich bin der erste, der zugibt, daß große Probleme große Egos anziehen. Und Krebs ist ein großes Problem. Aber wenn mir jemand erzählt hätte, was sich hier gerade abgespielt hat, dann hätte ich es nicht geglaubt. Nicht einmal von Kurt.« Mit den Händen in den Hosentaschen starrte er auf die dunkle Fläche des Michigansees hinaus. Dann drehte er sich wieder zu Paula um, lehnte sich gegen das Fensterbrett und schüttelte den Kopf. So stand er ein Weilchen da und brütete vor sich hin. Als er wieder sprach, war seine Stimme so leise, daß Paula ihn beinahe nicht verstand. »Weißt du, die Vorschläge für die Nobelpreise müssen Stockholm bis zum 31. Januar erreichen. Es ist erstaunlich, wie viele Wissenschaftler diesen Stichtag kennen.«

Paula trat zu ihm an das Panoramafenster. »Kanntest du ihn auch?«

Cantor nickte. »Ja. Ich wußte von dem Stichtag, aber ich war nicht so plump, jemandem nahezulegen, mich vorzuschlagen. Und genau das hatte Kurt mich gerade zu tun gebeten, als du erschienen bist. Er ließ durchblicken, daß ich es ihm schuldig sei, weil er mich vorgeschlagen hatte. Woher weiß ich denn, daß nicht auch andere Leute meinen Namen eingesandt haben? Aber die sind nicht mit ihren Zaunpfählen hier aufgekreuzt!« Cantor senkte wieder die Stimme. »Tut mir leid, das war gehässig. Du mußt ziemlich enttäuscht sein: Man erlebt es nicht oft, daß Wissenschaftler ihre schmutzigen Labormäntel in der Öffentlichkeit waschen.«

»Schmutz abzuwaschen ist nicht enttäuschend. Es ist menschlich. Und du selbst hast mir gezeigt, wie menschlich sogar berühmte Wissenschaftler sein können.«

Er lächelte sie an. »Trotzdem hat mich Kurts Wink mit dem Scheunentor schockiert.«

»Wirst du ihn vorschlagen?«

»Nein«, sagte er fast explosiv, »das werde ich nicht!«

»Aber warum denn nicht?« protestierte Paula. »Du hast mir doch erzählt, was für ein großer Wissenschaftler er ist. Hast du nicht gesagt, daß ein Sarkom nach ihm genannt wurde? Ist er nicht geradezu dein Mentor gewesen? Obwohl ich jetzt, wo ich ihn in natura gesehen habe, nicht ganz sicher bin, warum du dir ausgerechnet ihn ausgesucht hast. Aber trotzdem, hat er den Preis nicht verdient?«

Cantor hob die Hand, wie um weitere Fragen abzuwehren. »Die Antwort auf alle deine Fragen ist Ja, aber ich werde ihn nicht vorschlagen – dieses Jahr bestimmt nicht. Ich war bisher viel zu beschäftigt, um an Nobel-Nominierungen auch nur zu denken – weder im Hinblick auf Kurt Krauss noch auf sonst jemand. Übrigens geht es nicht unbedingt darum, ob er den Preis verdient. Natürlich verdient er ihn. Für sein Sarkom und noch für eine Reihe anderer Sachen. Aber viel mehr Leute verdienen den Nobelpreis, als ihn tatsächlich bekommen. Krauss hätte ihn vor Jahren bekommen müssen. Aber inzwischen sind so viele andere Entdeckungen gemacht worden, daß er in der ständig wachsenden Schlange jetzt weiter hinten steht. Außerdem werden die Schweden kaum zwei Nobelpreise hintereinander für Krebsforschung verleihen.«

»Aber das ist nicht der wahre Grund, oder?«

»Nein. Der wahre Grund ist, daß ich mich einfach nicht erpressen lasse.«

»Nun mal sachte, Leonardo. Daß Kurt Krauss angedeutet hat, daß du ihm eine Nominierung schuldest, mag ja ein ziemlich plumpes Gegengeschäft sein. Aber wie kannst du das Erpressung nennen?«

»Du hast ihn doch gehört. Er sagte, Stafford hätte Probleme. Mit *meinem* Experiment.«

»Aber –«

»Ich weiß, was du sagen willst. ›Was hat Jerry mit all dem zu tun?‹ Verstehst du denn nicht? Es kann kein Zufall gewesen sein, daß er aus seiner riesigen Forschungsgruppe ausgerechnet Jerry damit beauftragt hat, mein Experiment zu wiederholen. Hast du nicht das boshafte Funkeln in seinen Augen bemerkt, als er mir versicherte, er werde es nicht publik machen? Den gleichen Blick hat er, wenn er einen Seminarredner abschießt. Damit meinte er, daß er nichts verlauten lassen würde, vorausgesetzt, daß ich . . .« Cantor hielt es nicht für nötig, den Satz zu beenden. »Aber warum hat Jerry mich nicht angerufen, wenn er auf Schwierigkeiten gestoßen ist?«

Paula nahm seine rechte Hand in beide Hände. »Jetzt stellst du die richtige Frage. Krauss muß doch gemerkt haben, was zwischen dir und Jerry vorgefallen war, als du ihn aus Stockholm angerufen hast.« Sie tätschelte beruhigend seine Hand. »Werde nicht gleich böse«, setzte sie hinzu, »wenn ich dich etwas frage, was ich schon in Stockholm gern gefragt hätte, nur daß es nicht der richtige Zeitpunkt zu sein schien. Fandest du es nicht traurig, daß Jerry es für nötig hielt, durch das Publikum in Stockholm mit dir zu sprechen, und daß du ihm selbst dann noch nicht geglaubt hast? Krauss muß das mitgekriegt haben.«

»Das nehme ich auch an«, sagte Cantor mürrisch. »Aber trotzdem, warum hat Jerry nicht angerufen? Ich wünschte, ich *wüßte*, was in ihrem Labor passiert ist.«

»Dann ruf ihn an.«

»Und was sage ich? ›Kurt Krauss erwähnte, daß Sie gewisse Probleme haben, mein Experiment zu wiederholen. Kann ich Ihnen helfen?‹ Unmöglich! Das wäre zu demütigend.«

Paula schüttelte langsam den Kopf, eher aus Mitleid als aus Protest. »Dann frag doch Celly. Vielleicht weiß sie es. Ich habe es dir noch nicht gesagt, aber sie kommt morgen aus Los Angeles zurück. Ich hoffe, du hast nichts dagegen, daß ich sie eingeladen habe, nach dem Mittagessen vorbeizuschauen, bevor sie mit dem Bus an ihre Universität zurückfährt. Ich habe sie seit Stockholm nicht mehr gesehen.«

Cantor wurde wieder munter. »Was ich von ihr gesehen habe, hat mir gefallen – Jerry hat einen guten Fang gemacht.«

»Bravo, Leonardo! Du wirst immer toleranter. Ich wette, Krauss hätte gesagt: *Sie* hat einen großen Fang gemacht.«

»Laß dich anschauen, Celly.« Paula hielt Celestine mit ausgestreckten Armen an den Schultern und drehte sie langsam herum. »Wenn ich nicht genau wüßte, daß das die Tochter meiner Schwester ist, würde ich sagen, daß ich ein Chicagoer Yuppie mit einem Diplom in Betriebswirtschaft vor mir habe. Schau mal, Leonardo«, rief sie lachend, »wadenlanger blauer Rock, passende Jacke, vernünftige Absätze, weiße Bluse und die obligatorische bauschige Schleife. Was ist nur mit dir los, Celly?«

»Gib mir eine Chance, Paula.« Celestine grinste. »Darf ich vielleicht erst mal wieder zu Atem kommen und mich setzen, bevor ich mich verteidige?«

»Natürlich darfst du das, mein Schatz. Ich hole dir einen Kaffee. Und dann wollen wir hören, wieso du auf einmal so konventionell geworden bist.«

Cantor, der mit Celestine allein zurückblieb, war nicht zu Hänseleien aufgelegt. Seit dem Vorabend hatte er sich überlegt, wie er das Thema Jerry Stafford und dessen derzeitige Arbeit zur Sprache bringen konnte. »Was führt Sie nach Chicago?« fragte er schließlich.

»Oh, hat Paula es Ihnen nicht erzählt? Ich bin nach L. A. geflogen zu einem Einstellungsgespräch am Caltech.«

Cantor erinnerte sich an den Tanz mit ihr nach dem Nobelpreis-Bankett. »Hat Ihnen das Caltech auch eine Stelle angeboten?«

Celestine nickte, ein breites Lächeln im Gesicht.

»Das ist sehr beeindruckend. Erst Harvard und nun das Caltech.«

»Und davor Wisconsin«, setzte sie hinzu.

»Und?« Das Mädchen spann diese Sache unerträglich aus, dachte Cantor, dem immer noch keine elegante Möglichkeit einfiel, Stafford aufs Tapet zu bringen. Da ihm noch das schlechte Beispiel von Krauss vor Augen stand, wollte er das Thema keinesfalls mit Gewalt anschneiden.

»Ich habe mich auf dem Heimflug entschieden. Caltech.«

»Na, da bin ich ja gerade rechtzeitig gekommen«, sagte Paula, die das Tablett hereinbrachte.

»Sie geben Harvard eine Absage?« Cantors Neugierde siegte über seine Ungeduld. »Warum?«

»Ganz einfach. Die Abteilung am Caltech ist ziemlich klein

und sehr kollegial; die Diplomanden sind erstklassig; und sie haben keine einzige ordentliche Professorin in der chemischen Abteilung.«

»Von dieser Sorte werden Sie noch viele Institutionen finden«, bemerkte Cantor trocken.

»Stimmt«, räumte Celestine ein, »aber sie scheinen bereit zu sein, etwas dagegen zu unternehmen. Man munkelt sogar, daß Jacqueline Barton aus Columbia als Professorin hingeht. Jack Roberts, der große alte Mann dort, hat mir lang und breit von seiner Tochter, einer Ärztin, erzählt. Er hat angeboten, mir und Jerry zu helfen, eine Wohnung in der Nähe des Campus zu finden.«

»Wann wollen Sie und Jerry denn heiraten?« Cantor stürzte sich auf das Thema.

»Das weiß ich noch nicht. Ich habe Jerry gesagt, daß wir erst mal eine Weile zusammenleben sollten, um zu sehen, wie das ist.«

»Aber das habt ihr doch schon«, stellte Paula fest.

»Nicht unter den richtigen Umständen: berufliche Unabhängigkeit und so.« Cantor war nicht sicher, ob er das verstand, aber er war bereit, es durchgehen zu lassen. Er versuchte, sich eine relevantere Frage nach Stafford auszudenken, aber Celestine war noch nicht fertig. »Ich meine, woher soll ich wissen, wie es ist, mit einem Nobelpreisträger zu leben? Im Augenblick wird er damit ganz gut fertig, aber was ist mit später? Was meinst *du*, Paula?« Celestine grinste über die plötzliche Verlegenheit ihrer Tante.

»Falls Sie heiraten«, warf Cantor ein, »würden Sie dann als Mrs. Stafford veröffentlichen?«

Celly sah ihn an, um festzustellen, ob er Spaß machte oder es ernst meinte. Paula mischte sich ein. »Ich weiß, was Celly sagen wird.«

»Wirklich? Na schön, Tante Paula« – sie gab dem Wort »Tante« einen komischen Klang – »dann verrate es mir.«

»Du wirst natürlich deinen eigenen Namen behalten.«

»Das ist möglich, aber ich bezweifle es.«

»Was? Du denkst daran, zu Celestine P. Stafford zu wechseln?«

»Nein, das habe ich nicht gesagt. Ich würde es erwägen, meinen Namen zu ändern, wenn Jerry das auch täte.«

»Jerry? ›Jerry Price‹?« Nun war es Cantor, der erstaunt war.

»Hm. Das gefällt mir. Aber ich hatte mehr an einen Doppelnamen gedacht.«

»Hm.« Cantor versuchte erneut, die Kontrolle über die Unterhaltung zu übernehmen. »Sie haben uns von Ihrem Einstellungsgespräch am Caltech erzählt. Wie haben Sie Jerrys Namen zur Sprache gebracht? Hat er . . .«

»O ja«, sagte Celly eifrig. »Ich habe ihnen erzählt, daß mein Verlobter vorhat, Medizin zu studieren und daß er in Zellbiologie promoviert hat. Als ich Harry Gray, dem Chef der Abteilung, sagte, daß Jerry sich am UCLA beworben hat, meinte er, er kenne den Dekan der medizinischen Fakultät dort, und griff zum Telephon. Es war wirklich komisch. Der Dekan muß wohl gefragt haben: ›Wie heißt er?‹ ›Jeremiah Stafford‹, sagte ich, ›er ist Zellbiologe.‹ Gray wiederholte das am Telephon, und ich konnte sehen, wie ihm plötzlich ein Licht aufging, und geradezu hören, wie bei dem Dekan am anderen Ende der Leitung der Groschen fiel. ›Der Mann, der . . .?‹ Ich habe nur gemessen genickt und in meinem Kostüm samt Schleife dagesessen.«

Es war offenkundig, daß es Celestine Spaß machte, jedes Detail ihrer Geschichte auszuspinnen. Cantor hatte aufgehört zuzuhören. Celestines Erwähnung Staffords hatte ihm das Stichwort gegeben. »An was arbeitet Jerry denn zur Zeit?« fragte er. »Wie gefällt es ihm im Labor von Krauss? Wenn ich es mir recht überlege, habe ich ihn in Stockholm gar nicht danach gefragt.«

»Na ja, er sagt, es sei anders als in Ihrem Labor.«

»Was heißt das?« Cantors Nüstern blähten sich, als witterte er etwas.

Celestine sah ihn mit einem belustigten Ausdruck an. »In der Zeit, als wir in der gleichen Wohnung lebten, haben Sie ihn, wie es scheint, mindestens einmal am Tag, wenn nicht sogar öfter, gesehen.«

»Ja und?«

»Laut Jerry hat er Glück, wenn er Krauss ein paarmal im

Monat sieht. Er ist ziemlich sich selbst überlassen. Was ihm nur recht ist. Er entwickelt gerade ein neues Testverfahren zur Bestimmung von Antitumorwirksamkeit, indem er versucht, die Reaktion des Krauss-Sarkoms auf verschiedene Medikamente zu beschleunigen. Aber dieses Sarkom läßt sich nicht leicht in Gewebekulturen züchten«, setzte sie, zu Cantor gewandt, hinzu. »Gleichzeitig eignet er sich möglichst viel Wissen über neue Screening-Methoden an. Er meint, daß ihm das bei der klinischen Arbeit während des Studiums besonders nützlich sein wird.«

»Ist das alles, was er macht?«

»Ich glaube schon«, sagte Celly. »Wenigstens hat er sonst nichts erwähnt, als er letztesmal hier war.«

»Jerry war hier? Wann?«

Celestine sah auf, da Cantors herrischer Ton sie überraschte. »Vor zwei oder drei Wochen. An Washingtons Geburtstag kommt er wieder her.«

Cantor holte seinen Kalender hervor. »Paula, warum verbringen wir besagtes Wochenende nicht in der Provinz? Wir könnten Jerry und deine Nichte zum Mittagessen einladen.« Er versuchte, beiläufig zu klingen. »Als ich Jerry das letzte Mal in meinem Haus sah, geschah dies unter ziemlich ungewöhnlichen Umständen. Es wird Zeit, daß wir dem jungen Paar gebührend gratulieren, meinst du nicht auch?«

Paula und Celestine wechselten einen Blick – den Cantor, geistesabwesend wie er war, nicht bemerkte.

»Rate mal, wen ich vorhin gesehen habe.«

»I. C.«

»Was? Wie hast du das erraten?«

»Reine Intuition.«

Celestine konnte Stafford durch das Telephon glucksen hören. »Da bin ich aber platt«, sagte sie. »Und kannst du auch erraten, worüber wir gesprochen haben?«

»Nein, das nicht. Aber bevor wir zu Cantor kommen, möchte ich erst wissen, was am Caltech los war. Haben sie dir die Stelle angeboten?«

»Ja. Sie haben mir ein sagenhaftes Angebot gemacht.«

»Und?«

Celestine zögerte. Sie war sicher, daß es ihm lieber wäre, wenn sie sich für Harvard entscheiden würde. Aber sie wußte auch, daß der Nobelpreis Jerry in vielfacher Hinsicht verändert hatte. Am bedeutsamsten, und am wenigsten erwartet, war die Art und Weise, wie er den Preis dazu benutzte, sich eine Stufe tiefer als sie zu begeben. Gerade als Celestine anfing, beruflich die Karriereleiter zu erklimmen, hatte Jerry es vorgezogen, auf den Stand eines Studenten hinunterzusteigen. Beide hatten darüber Witze gemacht: Wie viele Medizinstudenten treten schon mit dem Nobelpreis an? Aber er machte sich deswegen auch Sorgen, wie sie wußte. Wie würden ihn die Professoren behandeln? Mit Ehrerbietung? Oder würden sie versuchen, ihm einen Dämpfer aufzusetzen? Und, was noch wichtiger war, wie würden seine Kommilitonen reagieren? Celestine vermutete, daß dies ihre Beziehung belasten würde, und war schon jetzt auf der Hut. »Ich werde wahrscheinlich annehmen«, sagte sie. »Es ist wirklich die beste Position für mich. Es gibt jede Menge medizinische Fakultäten im Raum von Los Angeles«, fuhr sie hastig fort. »Du weißt ganz genau, daß du an jeder Uni deiner Wahl angenommen wirst.«

»Wenn ich den Nobelpreis erwähne. Aber wenn ich das nicht tue, dann wette ich, daß es nicht viele Zulassungskommissionen gibt, die es sich zusammenreimen. Jedenfalls ist es nicht sehr wahrscheinlich.«

»Jerry, sei nicht so ein Purist! Du weißt doch, wie wenig Zulassungsentscheidungen mit echter Befähigung zu tun haben. Du kannst dir deinen Preis ruhig zunutze machen. Das UCLA wäre vermutlich das Beste für dich, falls ich ans Caltech gehe. Dann können wir eine Wohnung auf halber Strecke nehmen und haben beide nicht zu lange Anfahrtswege. Laß uns darüber reden, wenn du in ein paar Wochen herkommst. Du kommst doch, oder?«

»Sicher, ich komm schon.«

»Du klingst nicht sehr glücklich. Gefällt dir Boston wirklich so viel besser oder ist es Harvard?«

»Vermutlich beides.« Sie konnte hören, daß er sich bemühte, seiner Stimme einen anderen Ton zu geben. War es wirklich okay, fragte sie sich, oder hob er es sich für später auf? »Wenigstens hast du dir einen guten Tag ausgesucht, um mir von Kalifornien zu erzählen. Hier ist es scheußlich – kalt und jede Menge schmutziger Schneematsch. Aber du wolltest mir was von I. C. erzählen. Ist er immer noch mit deiner Tante liiert?«

»Und wie! Ich war nicht eine Minute mit ihr allein, um sie fragen zu können, aber es würde mich gar nicht wundern, wenn sie tatsächlich zusammenleben würden.«

Stafford stieß einen leisen Pfiff aus. »Das hätte ich nie von I. C. gedacht. Was treibt er denn zur Zeit?«

»Das weiß ich wirklich nicht. Er hat mich dauernd nach deiner Arbeit ausgefragt. Als er hörte, daß du mich besuchen kommst, hat er dich zum Mittagessen eingeladen.«

»Warum hat er mich nicht selbst eingeladen?«

»Jerry, sei nicht so pingelig. *Ein* pingeliger Typ beim Essen genügt. Schließlich ist er ja dein Professor.«

»Er war mein Professor.« Stafford klang gereizt.

»Nein, er ist es immer noch. Du hast nicht gerade die Nabelschnur durchgeschnitten.«

»Nabelschnur? Zwischen zwei Männern?«

»Stell dich nicht dümmer, als du bist, Dr. Stafford. Man braucht kein Dr. med. zu sein, um das zu kapieren. Oder hast du das schmerzhafte Ziehen an deinem Unterleib neuerdings etwa nicht bemerkt?«

»Ich dachte, das wärst du«, sagte er schelmisch.

»Ich wünschte . . .«, ihre Stimme klang sehnsüchtig.

21

»Willst du *so* hingehen?« fragte Stafford, während er sich vor dem Spiegel die Krawatte zurechtrückte.

Celestine, die auf der Bettkante saß, hatte gerade den einen Stiefel hochgezogen. Sie sah überrascht auf. »Weißt du, Jerry, ich glaube nicht, daß du mir diese Frage jemals gestellt hast. Nicht einmal in Stockholm. Warum heute?«

Stafford starrte sie im Spiegel an, bevor er sich umdrehte. »Komm, ich helfe dir mit dem anderen Stiefel«, sagte er schließlich. Sie streckte den anderen Fuß aus. »Du hast recht«, fuhr er fort und zerrte zerstreut an der Stulpe, »warum mache ich mir heute Sorgen wegen unserem Aussehen? Warum trage ich eine Krawatte? Schließlich gehe ich ja nicht in die Kirche.«

Celestine rutschte auf dem Bett zurück bis hinauf zum Kopfbrett und schlug ihre gestiefelten Beine übereinander. Im Laufe der letzten Monate war Jerry viel introspektiver geworden. Sie hörte ihm gern zu, wenn er in dieser Stimmung war.

»Vielleicht deshalb, weil ich an das andere Mal gedacht habe, als wir bei I. C. zu Hause waren. Erinnerst du dich noch, was ich für Angst hatte? Ich hätte den Tag nicht durchgestanden, Celly, wenn du nicht mitgekommen wärst. Ist das erst vier Monate her? Es kommt mir wie Jahre vor. Als ob es einem anderen passiert wäre.«

»Was hat die Änderung bewirkt? Der Nobelpreis?«

»Nicht ausschließlich. Während der letzten Monate habe ich zum ersten Mal in meinem Leben größere Entscheidungen selbst getroffen. Als ich von South Carolina hier herkam, habe ich im Grunde meine Eltern gegen I. C. eingetauscht. Ich sage nicht, daß das schlecht war. Ich hab unheimlich viel gelernt. Aber in gewisser Hinsicht bin ich doch manipuliert worden. Ich glaube nicht, daß I. C. es wissentlich getan hat. Krauss beispielsweise manövriert andere wesentlich bewußter, auch wenn wir ihn viel seltener sehen, als wir früher I. C. in seiner Gruppe gesehen haben. Vielleicht ist das nun einmal so in der Doktorandenzeit – jahrelang ist man in engem Kontakt mit einem bestimmten Professor. Besonders wenn er einen mag, ist das wie ein Vater, der sich durch seinen Sohn reproduzieren will. War das bei Jean und dir auch so?« Stafford war die ganze Zeit vor dem Bett auf und ab gegangen. Nun setzte er sich zu Celestine.

Sie griff nach seiner Hand. »Nicht ganz. Aber ich bin nicht sicher, ob das daran liegt, daß wir altersmäßig nur zehn Jahre auseinander sind oder weil wir beide Frauen sind.«

»Ich bin schon gespannt, was während des Medizinstudiums mit mir geschieht. Ich brauche keinen Mentor mehr – ich weiß genau, was ich machen will und wo ich hin will. Der Nobel hat mir eine gewisse Unabhängigkeit gegeben, die etwas ganz anderes ist als finanzielle Sicherheit:«

»Du solltest das Geld nicht außer acht lassen, Jerry. Du wirst der einzige in deinem Semester sein, der nicht bis zum Stethoskop in Schulden steckt.«

Stafford sprach weiter, als hätte er nichts gehört. »Ich habe das Gefühl, wenn ich I. C. heute sehe, wird das fast als Ebenbürtiger sein. Vielleicht trage ich deshalb Krawatte und Jackett. Er ist in der Klamottenfrage immer so penibel.«

Celestine freute sich auf einen Plausch von Frau zu Frau mit ihrer Tante. Sobald das junge Paar in Cantors Haus eintraf, bugsierte Celestine ihre Tante in die Küche. »Komm, ich helfe dir mit dem Essen«, sagte sie in so nachdrücklichem Ton, daß Paula sich ohne Widerrede fügte.

»Kann ich Ihnen etwas zu trinken holen, Jerry?« fragte Cantor. Er war überrascht, wie unbeholfen er sich vorkam, allein mit seinem ehemaligen Schüler.

»Danke«, erwiderte Stafford, »im Moment nicht.« Er ging hinüber zu der Sitzmaschine und ließ sich behutsam darauf nieder. Während Cantor sich einen Drink einschenkte, betrachtete Stafford die Wände. Bei seinem Besuch vor ein paar Monaten war er unfähig gewesen, etwas anderes zu sehen als sein eigenes unmittelbares Problem. Nun fand er sich Auge in Auge mit einem der erotischen Aquarelle Schieles. Wie Cantor so zutreffend zu Paula gesagt hatte, waren die meisten Besucher – und Stafford war keine Ausnahme – mit dem österreichischen Maler nicht vertraut. Allerdings brauchte man kein Kunstkenner zu sein, um selbst auf den ersten Blick von Schieles Können beeindruckt zu sein.

»Nun, was halten Sie davon?« Cantor war unbemerkt neben Stafford getreten.

»Sie sind . . . was soll ich da sagen?« stammelte er.

»Nicht was Sie erwartet haben?«

Stafford lachte. »Nein, I. C., das wollte ich *nicht* sagen, aber Sie haben recht, gedacht habe ich das schon. Sie sind sehr . . . hm . . . originell.«

»Es ist erstaunlich, wie viele Leute dieses Wort benutzen. Was sie wirklich meinen, ist, daß sie erotisch sind.«

Stafford suchte unverhohlen in Cantors Gesicht zu lesen. Hatte er ihm jemals ins Gesicht gesehen? Wahrscheinlich nicht. Nicht auf diese Weise. Er hielt den Blick des Älteren einen Moment lang fest. Dann sahen sie gleichzeitig zur Seite.

»I. C., wenn ich uns beide anschaue, muß ich einfach schmunzeln. Ich kenne und bewundere Sie seit Jahren, aber erst vor kurzem habe ich zu begreifen begonnen, wie wenig ich über Sie weiß. Ich komme hier in meinem besten Anzug und mit Krawatte an, und zum erstenmal in meinem Leben sehe ich Sie ohne Krawatte.«

Cantor blickte an sich hinunter, als hätte er eben erst sein offenes Hemd und den Pullover bemerkt. »*Mea culpa*«, murmelte er und machte eine Geste mit der hohlen Hand. »Ich hätte Sie schon früher einladen sollen, Jerry. Kleidung nach Belieben. Wie bekommt Ihnen das Leben in Boston so?«

»Nicht schlecht«, erwiderte Stafford vorsichtig. »Natürlich ist es nicht so wie in Ihrem Labor.«

»In welcher Hinsicht?« Die Frage hatte viel von ihrer Schärfe verloren.

»Na ja, die Gruppe von Krauss ist wesentlich größer. Das ist vielleicht einer der Gründe, warum ich ihn nicht oft sehe.«

»Das ist schade«, sagte Cantor mit fast keiner Modulation in der Stimme.

»Eigentlich nicht. Mir gefällt das sogar.«

»Ach ja?«

»Verstehen Sie mich nicht falsch, I. C.« Stafford beugte sich vor. »Ich habe unheimlich viel von Ihnen gelernt. Aber jetzt ist es für mich an der Zeit, dieses Wissen auf eigene Verantwortung zu nutzen.«

»Und an was arbeiten Sie im Augenblick?« Es war Cantor ziemlich gleich, ob Jerrys Bemerkung eine verschleierte Kritik enthielt. Er freute sich, daß sie früher, als er erwartet hatte, bei dem Thema angelangt waren, das ihm ständig im Kopf herumging.

»In erster Linie eigne ich mir Methodologie an. Ich habe mir ausgerechnet, daß es ziemlich unwahrscheinlich ist, daß ich noch einmal auf ein Superexperiment stoße wie das, das ich letztes Jahr gemacht habe . . .« Er sah hinunter auf Cantors Füße. »Ich dachte, daß es am produktivsten wäre, wenn ich neue Techniken lernen und mich mit Problemen beschäftigen würde, die für meine Arbeit nach dem Medizinstudium nützlich sein könnten.«

»Wie ich höre, gehen Sie an die UCLA.«

»Ach!« Stafford war verblüfft. »Woher wissen Sie das? Es ist eine der Unis, an denen ich mich beworben habe, aber ich habe noch nichts von ihnen gehört.«

»Sie machen sich doch keine Sorgen, Jerry, oder? Es wäre ja grotesk, einen Bewerber abzulehnen, der gerade den Nobelpreis bekommen hat.«

»Sich den Nobelpreis *geteilt* hat«, korrigierte ihn Stafford. »Nein, ich mache mir keine Sorgen. Aber ich habe es nicht in meine Bewerbung geschrieben. Ich würde lieber zugelassen werden, ohne daß sie das wissen.«

»Etwas würde mich noch interessieren, Jerry. Warum die UCLA? Ich weiß, daß Ihre Verlobte ein Angebot aus Harvard hat. Warum überzeugen Sie sie nicht, es anzunehmen? Es wäre ja wohl kaum ein Kompromiß.«

»Für sie vielleicht schon.«

Cantor schien ihn nicht gehört zu haben. »Sie sagten, daß Sie am Zellmilieu von Kurts Sarkom arbeiten.«

Stafford runzelte die Stirn. »Habe ich das gesagt?«

»Nun, vielleicht nicht direkt.« Cantor merkte, daß er von etwas sprach, das er von Celestine erfahren hatte. Vielleicht hatte sie ihrem Verlobten nichts von ihrem früheren Gespräch erzählt. »Aber was machen Sie sonst noch?« fuhr er hastig fort. »Das nimmt doch bestimmt nicht Ihre ganze Zeit in Anspruch?«

»Warum denn nicht? Es beansprucht so viel Zeit, wie ich ihm widme. Aber offengestanden, I. C., arbeite ich nicht mehr so intensiv wie bei Ihnen. Die Situation hat sich verändert. Es ist einfach nicht mehr ausschlaggebend, daß ich während meines Jahres im Labor von Krauss einen tollen Artikel veröffentliche; vermutlich kommt es nicht einmal darauf an, *ob* ich etwas veröffentliche.«

»Sie haben sich zweifellos verändert. Ich hätte nicht gedacht, daß es so schnell passieren würde.«

»Selbst nach dem, was letztes Jahr passiert ist?«

Cantor nickte, da er nicht wußte, was er sonst tun sollte. Er hatte ein unbehagliches Gefühl, das ihm irgendwie bekannt vorkam, obgleich er im Moment nicht wußte, woher. Dann erinnerte er sich – dieses Gefühl hatte er während Staffords Nobel-Vorlesung gehabt.

»I. C.« Stafford richtete sich auf seinem Stuhl auf. In seinem Ton lag ebenfalls etwas, das Cantor an diese Vorlesung erinnerte. »Sie haben mich nie gefragt, *warum* ich an jenem Sonntag abend allein in Ihr Labor zurückgegangen bin.«

Wieder nickte Cantor, dessen Gesicht einer Maske glich. »Stimmt – das habe ich nicht.«

»Wollen Sie es denn nicht wissen?«

»Wenn Sie es mir sagen wollen.«

»Aber Sie hätten nicht danach gefragt?«

»Nein, das hätte ich nicht.«

»Aus Angst?«

»Das nehme ich an.«

Stafford sah unverwandt seinen Professor an und schüttelte den Kopf. Er sagte nichts.

Cantors Augen waren auf den Boden geheftet. »Ich habe letzten Monat Kurt Krauss gesehen«, sagte er. »Er hat mich in Chicago besucht.«

Stafford erstarrte, sagte jedoch noch immer nichts.

»Er sagte, Sie hätten Probleme, mein Experiment zu wiederholen.« Cantor schwieg eine ganze Weile. »Warum haben Sie nicht angerufen? Ich hätte Ihnen vermutlich helfen können.«

»Probleme? Ich hatte keine Probleme.«

»Krauss sagte das aber. Als Sie nichts davon erwähnten, war ich sicher, daß Sie mir schlechte Nachrichten vorenthielten.« Er sah auf, und in seinem Gesicht begann sich Erleichterung abzuzeichnen. »Das ist nicht der Fall?«

»Ich habe nichts davon erwähnt, weil ich nicht mehr daran arbeite.«

»Und wer arbeitet jetzt daran?« fragte Cantor ganz perplex.

»Niemand. Warum sollte noch jemand an Ihrem Experiment arbeiten?«

»Das verstehe ich nicht.«

Stafford sah seinen ehemaligen Professor an, dessen Kopf aus dem offenen Hemd nach vorn gestreckt war, während sein Gesicht einen verwirrten Ausdruck aufwies. Er hatte kurz Mitleid mit seinem Mentor. »Ich habe Ihnen doch gesagt«, sagte er sanft, »daß ich keine Probleme hatte, Ihren Versuch zu wiederholen. Warum auch? Sie führen ein wahnsinnig ordentliches Laborbuch, I. C.« Stafford empfand eine gewisse Verlegenheit angesichts der plötzlich vertauschten Rollen, als spräche er zu einem besorgten Studenten. »Es ist schon seltsam. Sie haben uns immer die Vorzüge eines ordnungsgemäßen Laborbuchs gepredigt, aber Ihres habe ich nie gesehen, während ich bei Ihnen gearbeitet habe. Als Sie Krauss die photokopierten Seiten schickten – verstehen Sie mich nicht falsch, I. C., aber mir kam es ein bißchen so vor wie ein Student, der seinen Aufschrieb an den Professor schickt – und als Krauss sie mir gab, war ich beinahe gerührt.

Ich sage ›beinahe‹, weil ich mich offen gestanden darüber ärgerte, daß ich die Details Ihres Versuchs durch Krauss erfuhr statt direkt von Ihnen.«

Cantor ließ keine Regung erkennen.

»Viel mehr ist dazu nicht zu sagen. Ihr Aufschrieb war klar und präzis. Und wie Sie wissen, habe ich in Ihrem Labor eine ungeheuer gute Ausbildung erhalten. Ich habe Ihr Experiment spielend auf Anhieb geschafft.«

»Sie haben es beendet?« Cantor konnte sein Erstaunen nicht verhehlen. »Wann?«

Stafford zauderte; jede Antwort, die er gab, würde einen Vertrauensbruch gegenüber Krauss oder Cantor bedeuten. »Ungefähr Mitte Januar. Ich erinnere mich an den Zeitpunkt, weil Krauss uns nicht dauernd so im Nacken sitzt, wie Sie das immer taten. Ich hatte die Reproduzierung Ihres Experiments beendet und war schon gespannt, wann er mich danach fragen würde. Es verging eine Woche, bevor er im Labor auftauchte. Da habe ich es ihm gesagt. Es war beinahe unheimlich, weil es mich so sehr an ein Gespräch zwischen Ihnen und mir erinnerte. Als Sie damals aus Harvard zurückkamen – von dem Vortrag, bei dem das Publikum lachte – und mit mir über das Experiment sprachen, sagten Sie so etwas Ähnliches wie: ›Diesmal muß ich Sie bitten, die Sache vertraulich zu behandeln.‹ Sie erinnern sich doch, oder?«

Cantor beugte sich vor, als wollte er gleich aufspringen. »Was hat er gesagt?«

»Zuerst hat er Enrico Fermi zitiert: ›Die experimentelle Bestätigung einer Voraussage ist lediglich eine Meßmethode. Ein Experiment, das eine Voraussage entkräftet, ist eine Entdeckung.‹ Aber dann sagte er: ›Lassen Sie uns die Sache ein Weilchen in Reserve halten. Ich bin noch nicht bereit, sie zu veröffentlichen. Schließlich haben wir gerade erst Ohashis Abhandlung eingereicht, die die Bestätigung *Ihres* Experiments behandelt. Wie Fermi sagte, bringt es nicht viel, die Arbeit anderer nur zu wiederholen.‹«

»Dieser Dreckskerl!«

Stafford war sprachlos. Einen solchen Ausdruck hatte er von Cantor noch nie gehört. »Warum sagen Sie das?« stammelte er schließlich. »Krauss hat gar nicht so unrecht. Warum denn eilends eine zweite Bestätigung veröffentlichen? Sie – wir – hatten den Nobelpreis ja schon; *das* Experiment hatten Ohashi und Krauss reproduziert. Ich habe ihre Bestätigung in Stockholm bekanntgegeben; der diesbezügliche Artikel wird in ein paar Monaten erscheinen. Warum also diese Eile?«

»Aber sind *Sie* nicht begierig, *Ihre* Bestätigung *meines* Experiments zu veröffentlichen?«

»Warum denn? Wissen Sie, ich war ganz aus dem Häuschen, als Krauss mich bat weiterzumachen, nachdem Ohashi den Versuch abgeben mußte, weil ich dadurch, daß ich etwas wiederholte, was Sie vor mir geheimgehalten hatten, quasi auf Umwegen zu Ihrem Mitarbeiter wurde. I. C., Ihr Experiment ist ein Gedicht, und Sie haben es in Ihrem Stockholmer Vortrag richtig gewürdigt. Aber warum soll ich eine Bestätigung veröffentlichen? Genügt es Ihnen nicht, zu wissen, daß der Versuch in einem anderen Labor wiederholt wurde? Oder stört Sie die Tatsache, daß ausgerechnet ich damit beauftragt war? Wenn das der Fall ist, dann wird Ihr Problem durch meine Veröffentlichung nicht gelöst. Haben Sie das Gefühl, daß Krauss das Ganze inszeniert hat? Es würde zu seiner Auffassung von Humor passen, stimmt's? Er muß gemerkt haben, daß zwischen uns beiden etwas vorgefallen war. Vielleicht dachte er, daß er es auf diese Weise herausfinden würde.«

Paula war schon einige Male am Eingang zum Wohnzimmer erschienen, hatte sich aber jedesmal diskret zurückgezogen. Die Männer hatten nichts davon bemerkt. Doch nun rief sie: »Ihr zwei habt jetzt wohl lange genug geredet. Es wird Zeit, daß wir essen. Ihr müßt ja am Verhungern sein.«

»Ich schon«, sagte Stafford schnell und stand auf. Er hatte bereits nach einer diplomatischen Möglichkeit gesucht, die Unterhaltung zu beenden.

»Mir ist der Appetit vergangen«, verkündete Cantor.

22

Curry & Cantor Antiques, Inc.
Fine English Furniture
Post Office Box 3759, Chicago, Illinois 60262

1. März

Lieber Kurt!

Jerry Stafford besuchte uns neulich und berichtete über seine ausgezeichneten Fortschritte in Ihrem Labor. Ich war entzückt zu hören, daß er seinen magischen Touch an der Werkbank nicht verloren hat. Aber das ist natürlich nicht der wahre Grund dieses Briefes.

Als Sie hier draußen in der, wie Sie es in Ihrer unnachahmlichen Manier nannten, finstersten Provinz waren, zeigten Sie sich überrascht, daß ich antike Möbel sammle. Ich selbst wußte gar nicht, daß Sie ein Auge für derartige Dinge haben. Das beweist nur, wie wenig wir eigentlich voneinander wissen.

Ich fröne dieser Sammelleidenschaft schon seit geraumer Zeit, aber der wahre Experte auf diesem Gebiet ist Paula Curry. Wie Sie unserem Briefkopf entnehmen können, haben Paula und ich unserer Neigung nun einen offiziellen Charakter gegeben. Angesichts Ihres scharfen Auges bin ich überzeugt, daß Sie die Reihenfolge, in der unsere Namen aufgeführt sind, richtig interpretieren werden. Schließlich wissen wir beide um die Feinheiten der Haupturheberschaft.

Um zur Sache zu kommen: Mir fiel ein, daß Sie vielleicht daran interessiert wären, ein außergewöhnliches Stück zu erwerben, das Paula neulich entdeckt hat. Es handelt sich um einen Schaukelstuhl aus dem 19. Jahrhundert, angefertigt von Michael Thonet und in tadellosem Zustand. Er stammt aus der Sammlung des berühmten Billy Wilder aus Hollywood – keine schlechte Provenienz! Vielleicht hätten Sie ihn gern für Ihr Harvarder Allerheiligstes – ich erinnere mich nicht, ein Möbelstück dieser Art im Büro eines Ihrer Kollegen gesehen zu haben. Sie müssen doch zugeben, daß ein Schaukelstuhl die ideale Sitzgelegenheit – oder sollte ich ›Thron‹ sagen? – für jemanden ist, der wartet.

Paula sendet ihre besten Wünsche und bat mich, Ihnen zu versichern, daß sich für ein so nobles Möbelstück ein Vorzugspreis vereinbaren ließe.

Viele Grüße

I. C.

PS: Ich scheine Ihren Lebenslauf und Ihre Bibliographie verlegt zu haben. Bin sicher, daß sie eines schönen Tages wieder auftauchen werden.

11 Chatwick Circle
Boston, Massachusetts 021146

9. März

Lieber I. C.!

Erst nachdem ich Ihr jüngstes Sendschreiben gelesen hatte, kam mir zum Bewußtsein, daß wir, abgesehen von Weihnachtskarten, nie persönliche Briefe ausgetauscht haben. Offen gestanden, Ihrer war mir doch ein wenig zu raffiniert. Sie scheinen eine ganze Menge auf Ihrem privaten Lager zu haben: eine schicke Bude am Michigansee, Kammermusik,

Antiquitäten, eine imposante Riesin. Habe ich irgend etwas ausgelassen? Und wer ist Michael Thonet? Ist das nur eine Manifestation der Kunst, dem anderen an der Möbelfront um eine Länge voraus zu sein, oder ist mir da etwas Subtileres entgangen?

Ich glaube, daß für uns der Zeitpunkt gekommen ist, unsere Fechtmasken abzunehmen. Um was ich Sie in Chicago tatsächlich gebeten habe, war, mich für den Nobelpreis vorzuschlagen – nicht nur in diesem Jahr, sondern so lange, bis ich ihn bekomme. Wir alle wissen, daß Ihr Fall eine relative Seltenheit war, ähnlich wie bei diesen Physikern in Zürich, denen das Glück den Preis für Physik nur wenige Monate nach der Entdeckung ihrer schicken Supraleiter bescherte. Die meisten anderen Preisträger werden wiederholt vorgeschlagen, bevor die Nobel-Kommissionen endlich kapieren.

Offen gestanden habe ich etwas dagegen einzuwenden, daß Sie hier den ach so Tugendhaften spielen. Gewiß, Sie haben mich nicht *gebeten*, Sie vorzuschlagen, aber Sie haben es *erwartet*, stimmt's? Jedenfalls haben Sie prompt reagiert, als ich Sie um *Ihre* Bibliographie und *Ihren* Lebenslauf bat. Und was sollte der unverlangte und ziemlich blumige Absatz, den Sie beifügten und in dem Sie Ihre Tumorgenese-Theorie zusammenfaßten? Trauten Sie mir nicht zu, Ihrer Arbeit in der mir eigenen unnachahmlichen Manier gerecht zu werden?

Da wir gerade von Nobelpreisen und Tumorgenese sprechen: Was ist eigentlich mit dem berühmten zweiten Experiment von Ihnen, das Sie noch nicht veröffentlicht haben? Und mit der ausführlichen Abhandlung über das erste Experiment mit Stafford, die Sie immer noch nicht geschrieben haben? Ein unangenehmer Geruch von flüchtigen Aminen umgibt diesen Versuch – ein schwacher, zugegeben, aber nicht so schwach, daß meine scharfe Nase nicht wittert, daß da etwas faul ist. Es wäre jammerschade, wenn er Ihre Tumorgenese-Theorie vergiften würde, die nicht nur an sich schlüssig, sondern auch eine echte intellektuelle Glanzleistung ist. Dennoch:

Als ich Stafford bat, die Sache von Ohashi zu übernehmen, weigerte er sich zunächst. Erst als ich ihn unter Druck setzte, erfuhr ich, daß Sie ihm nichts von Ihrem zweiten Experiment gesagt hatten, bis Sie es in der Öffentlichkeit bekanntgaben. Ist das ein Beispiel für Ihre nicht vorhandene Geheimniskrämerei? Sie hatten sogar die Kühnheit, mir nahezulegen, Ihre Studenten wegen dieser herausragenden Eigenschaft von Ihnen zu konsultieren. Ich selbst hätte eine solche Nachricht meinem Lieblings-Postdoktoranden brühwarm erzählt – besonders wenn ich beschlossen hätte, die Arbeit ohne fremde Hilfe zu machen. Und warum haben Sie dieses Experiment überhaupt allein durchgeführt? Um uns zu zeigen, daß Sie immer noch im Labor arbeiten, während wir übrigen nichts als Bürohengste und PR-Typen sind? Warum eigentlich ein zweites Experiment, wo doch das erste den Nachweis bereits geliefert hatte?

War an diesem ersten Nobelpreis-Experiment irgend etwas nicht ganz koscher? Und wenn ja, wer führte das Experiment durch? Und wer war in meinem Labor, als Ohashi beim dritten Anlauf endlich Erfolg hatte? Zugegeben, Ohashi selbst erzählte mir von der Szintillationszähler-Eichung, aber wir alle kennen ja das Gesichtwahrungssyndrom nur zu gut. Vielleicht dachte er sich das nur aus, um zu erklären, warum er die ersten beiden Male in Staffords Abwesenheit Schiffbruch erlitten hatte.

Unter den gegebenen Umständen bin ich gewillt, diesen schlafenden Hund nicht zu wecken, weil ich mir noch nicht sicher bin, ob wir es hier tatsächlich mit einem Hund zu tun haben. Ich entnehme Ihrem Brief, daß Sie den Stichtag 31. Januar in diesem Jahr verpaßt haben. Ich werde Ihnen diesen (unbeabsichtigten, wie ich hoffe) Lapsus verzeihen, in erster Linie deshalb, weil die Aussichten auf einen Nobelpreis im Bereich der Krebsforschung unmittelbar nach Ihrem gering sind. Aber nächstes Jahr und im Jahr darauf . . .

Somit ersuche ich Sie um folgendes: Im kommenden November werden Sie mir das Nominierungsformular zusenden, das Blatt, auf dem oben rechts »Streng vertraulich« steht und das mit den Worten beginnt: »Als Mitglieder der Nobel-Kommission haben wir die Ehre, Sie um die Unterbreitung von Vorschlägen zu bitten . . .« Ich werde uns beiden das

Leben leichter machen, indem ich das ganze Formular ausfülle und es Ihnen dann zur Unterschrift zuschicke. Sie werden das unterschriebene Blatt dann an mich zurücksenden, und nachdem ich meine Bibliographie und andere Unterlagen beigefügt habe, werde *ich* das ganze Paket nach Stockholm schikken. Ich bin mir der Tatsache durchaus bewußt, daß es auf diesem Blatt irgendwo heißt, daß derjenige, der einen Kandidaten nominiert, gebeten wird, seine Nominierung weder publik zu machen noch den von ihm Nominierten von der Nominierung zu unterrichten. Aber wir wissen ja beide, wie wenig Leute dieser Bitte Folge leisten.

Jerry Stafford gab in seiner Nobel-Vorlesung bekannt, daß wir sein Experiment bestätigt haben, aber zum Glück aller Betroffenen ist unser Artikel noch nicht erschienen. Ich hoffe, Sie werden nicht allzu schockiert sein zu hören, daß ich Ohashis Abhandlung soeben von der Veröffentlichung zurückgezogen habe. Sie brauchen sich keine Sorgen zu machen – es geschah ohne viel Aufhebens, einfach indem wir dem Herausgeber zu verstehen gaben, daß wir einige maßgebliche Punkte überprüfen wollten. Schließlich hat es noch nie geschadet, übertrieben vorsichtig zu sein. Wir werden die Sache ein Weilchen in der Schwebe lassen – sagen wir, so·lange, wie ich auf den Schaukelstuhl warte, den Sie mir als Geschenk zu meinem fünfundsechzigsten Geburtstag am 21. November dieses Jahres schicken werden. Das Labor schmeißt eine große Party, und Sie werden natürlich eine Einladung erhalten. Bitte bringen Sie Ihre musikalische Spielkameradin mit.

Herzliche Grüße

Kurt

PS: Nach nochmaligem Durchlesen dieses Briefes ist mir gerade klar geworden, daß ich gar nichts über die Bestätigung *Ihres* Experiments geschrieben habe. Angesichts des verdächtigen Wölkchens, das über Stafford hängt (das Sie, nebenbei bemerkt, augenblicklich vertreiben könnten), schlage ich vor, daß wir diese Sache ebenfalls in der Schwebe lassen. Es

NACHWORT

> Es gibt mehrere Arten von Täuschungen, die in der
> Wissenschaft praktiziert werden, doch wenig be-
> kannt sind außer den Eingeweihten . . . Diese lassen
> sich einordnen unter den Überschriften Schwindeln,
> Fälschen, Manipulieren und Frisieren . . . sie [unsere
> Männer der Wissenschaft] können sich darauf verlas-
> sen, daß jede Tatsache, die sie entdecken mögen,
> jedes gute Experiment, das sie machen mögen, un-
> verzüglich wiederholt, verifiziert und kommentiert
> wird . . .
>
> CHARLES BABBAGE (1830)

Offener Betrug ist in der wissenschaftlichen Forschung selten.
Außerdem kann es in der Wissenschaft kein perfektes Verbre-
chen geben, keinen auf die Dauer unaufgeklärten Mord, weil
es keine Verjährung gibt. Wenn das Thema wichtig genug ist,
wird das Experiment früher oder später wiederholt, die Theorie der unabhängigen Verifizierung unterzogen. *Cantors Dilemma* handelt jedoch nicht von einem derart schwarzweißge-
malten Problem; es umreißt einen weit graueren Bereich, in
den wir Wissenschaftler, vorsätzlich oder versehentlich, uns
manchmal verirren.

In der originären Wissenschaft – die Thomas Kuhn die
»paradigmatische Wissenschaft« nannte – geht es gewöhnlich
um die Aufstellung einer Arbeitshypothese, die dann experimentell erhärtet werden muß. Die Hypothese, die da auf-
taucht, scheint so wunderbar, so einleuchtend zu sein, daß sie
einfach stimmen muß. Wir denken uns ein Experiment aus,
um sie zu beweisen; die Ergebnisse scheinen uns recht zu
geben. Ich sage *scheinen*. Gelegentlich treten widersprüchliche
Werte auf: die zwei von acht Punkten, die nicht auf eine
Gerade fallen, die eine Ratte von sieben, die nicht überlebte.
Wir führen sie auf experimentelle Veränderlichkeiten zurück,
auf statistische Abweichungen – sie sind die unvermeidlichen
Begleiterscheinungen der Wissenschaft. Also veröffentlichen
wir die geschminkten Ergebnisse, unser Artikel verursacht

eine Sensation, Kollegen und Konkurrenten stürzen sich darauf, unsere Arbeit zu wiederholen und sie auf andere Weise zu testen. Die »normale Wissenschaft« nimmt die Sache in die Hand, und unser Paradigma nimmt seinen Platz im Pantheon ein.

Angenommen, unser Scharfsinn wäre hellseherisch, unsere Beweisführung einwandfrei: Wie stünde es dann mit der Moral unserer Werte-Manipulation? Aktivitäten dieser Art wurden schon vor hundertfünfzig Jahren von dem Erfinder des modernen Computers, dem englischen Mathematiker Charles Babbage, vermerkt und verurteilt. Sicher blicken sie auf eine lange und ruhmreiche Tradition zurück: Werte wurden im Hinblick auf etwas mehr als die Wahrheit geglättet – von Gregor Mendel bestimmt, von Sir Isaac Newton vermutlich und zweifellos sogar von Francis Bacon. Aber was ist mit unseren Mitarbeitern, unseren Studenten? Sind sie auch belastet? Sind wir doppelt belastet, weil wir das Beispiel, das wir unseren Schülern geben, ignorieren? Die Wissenschaft ist sowohl ein selbstloses Streben nach Wahrheit als auch eine Gemeinschaft, mit ihren eigenen Sitten und Gebräuchen, ihrem eigenen Gesellschaftsvertrag. Welcher Schaden wird ihrer Kultur zugefügt, wenn die Elite derartige berufliche Verwirrungen zur Schau stellt?

Graue Probleme wie diese sind das, was ich hinter dem Schleier des Romans erhellen wollte. Trotzdem konnte ich nicht mit dem üblichen Räuspern des Autors anfangen und kann jetzt nicht damit enden: mit der Erklärung, daß alle Personen frei erfunden sind, jede Ähnlichkeit mit tatsächlichen Ereignissen rein zufällig ist. Aber dieses Buch ist auch keine Science fiction. Beispielsweise stimmt im wesentlichen jedes Detail über Insekten: Männliche Skorpionsfliegen legen wirklich das Verhalten von Transvestiten an den Tag; das Sexualverhalten der weiblichen Furchenbiene wird in der Tat durch einen chemischen Keuschheitsgürtel eingeschränkt; und ob Sie es glauben oder nicht, das *Wall Street Journal* verhindert bei *Pyrrhocoris apterus* tatsächlich die sexuelle Entwicklung und führt zu seinem vorzeitigen Tod, während die Londoner *Times* unschädlich ist – einem Experiment zufolge, das durchgeführt wurde, bevor diese Zeitung in den Besitz von Rupert Murdoch gelangte.

Cantors Dilemma handelt von der Wissenschaft im Roman, und mit einer Ausnahme sind alle wissenschaftlichen Dinge, die geschildert werden, wahr. Sowohl Professor I. Cantor, Dr. Jeremiah P. Stafford und Celestine Price als auch viele der Nebenfiguren, wie Professor Graham Lufkin, Kurt Krauss und Jean Ardley (geborene Yardley), sind Geschöpfe meiner Phantasie. Meine Jean Ardley änderte ihren Namen, um die alphabetische Autorenleiter hinaufzuklettern. Das gleiche tat ein mir bekannter Wissenschaftler – der zwanzig Buchstaben übersprang und durch den Federstrich eines Richters ganz nach vorn kam. Kann ich denn garantieren, daß Cantor, Stafford und die übrigen nie existierten? In meiner mehr als vierzigjährigen Forschungspraxis sind sie mir in vielen Gestalten begegnet. Die meisten der anderen Namen sind die wirklicher Personen: die vielen Nobelpreisträger, die Organiker an der chemischen Fakultät der Harvard University, berühmte Wissenschaftler wie McConnell, Nakanishi, Roelofs, Röller, Stork und Williams, Zeitschriftenherausgeber wie Koshland von *Science* und Maddox von *Nature*. Irgendwann habe ich sie alle kennengelernt; manche sind auch gute Freunde von mir. Keiner ist in irgendeiner Hinsicht dafür verantwortlich, daß er in meinem Buch erscheint außer, daß ich die Arbeit von ihnen allen bewundere.

Veröffentlichungen, Prioritäten, die Reihenfolge der Autoren, die Wahl der Zeitschrift, die Kollegialität und der brutale Konkurrenzkampf, akademische Anstellungen, Geldbeschaffung, der Nobelpreis, Schadenfreude – sie sind die Seele und der Ballast der modernen Wissenschaft. Um sie zu illustrieren, ließ ich Cantor und Stafford an einer völlig fiktiven Theorie der Tumorgenese arbeiten. Es ist fast genauso unwahrscheinlich, daß sich überzeugende Beweise nur durch ein oder zwei unkomplizierte Experimente erbringen lassen, die lediglich ein paar Wochen oder Monate dauern, wie es bei Stafford und Cantor der Fall ist. Ihr Forschungsprojekt ist zwar erfunden, ihre Laborkenntnisse, ihre ethischen Grundsätze und ihre Ambitionen dagegen nicht. Nur indem ich, als Wissenschaftler und Autor, mir selbst versicherte, daß *ihre* Wissenschaft reine Erfindung ist, konnte ich über Verhaltensweisen und Einstellungen schreiben, die mit Sicherheit verbreiteter sind, als wir zugeben wollen.